L'HISTORIEN

AU

MOYEN ÂGE

CONFÉRENCE ALBERT-LE-GRAND 1966

L'HISTORIEN

AU

MOYEN ÂGE

par

BENOÎT LACROIX, O. P.

Inst. d'Études Médiévales
2715, Chemin de la Côte
Sainte-Catherine
Montréal

Librairie J. Vrin
6, Place de la Sorbonne
Paris

1971

NIHIL OBSTAT :

    RAYMOND-M. GIGUÈRE, O. P.
    ALBERT-M. LANDRY, O. P.

IMPRIMI POTEST :

    GEORGES PERREAULT, O. P.
    Prior provincialis
    Prima die decembris, 1970

IMPRIMATUR :

    † L. P. Whelan,
    Aux. Marianop.
    Decima septima die decembris, 1970

LES CONFÉRENCES
ALBERT-LE-GRAND

Conférence 1947 : Etienne GILSON, *Philosophie et Incarnation selon saint Augustin*. 55 pages.

Conférence 1948 : Paul VIGNAUX, *Nominalisme au XIVᵉ siècle*. 96 pages (épuisée).

Conférence 1949 : Louis-M. RÉGIS, O. P., *L'Odyssée de la métaphysique*. 96 pages.

Conférence 1950 : Henri Irénée MARROU, *L'ambivalence du temps de l'histoire chez saint Augustin*. 86 pages (épuisée).

Conférence 1951 : Thomas DEMAN, O. P., *Aux origines de la théologie morale*. 116 pages (épuisée).

Conférence 1952 : Louis-B. GEIGER, O. P., *Le problème de l'amour chez saint Thomas d'Aquin*. 136 pages (2ᵉ impression).

Conférence 1954 : D. H. SALMAN, *La place de la philosophie dans l'université idéale*. 74 pages.

Conférence 1955 : Maurice DE GANDILLAC, *Valeur du temps dans la pédagogie spirituelle de Jean Tauler*. 100 pages.

Conférence 1959 : C. SPICQ, O. P., *Ce que Jésus doit à sa mère selon la théologie biblique et d'après les théologiens médiévaux*. 56 pages.

Conférence 1960 : Philippe DELHAYE, *Pierre Lombard : sa vie, ses oeuvres, sa morale*. 112 pages.

Conférence 1961 : Jean-Paul AUDET, *Admiration religieuse et désir de savoir. Réflexions sur la condition du théologien*. 72 pages.

Tous nos remerciements aux professeurs H. I. Marrou, de la Sorbonne, Raymond-M. Giguère, O. P., G. M. de Durand, O. P., Claude Sutto, Marie-Odile Garrigues, de l'Institut d'études médiévales de Montréal, ainsi qu'à mesdames Maureen Durley et Giselle Girard, qui ont accepté de relire notre manuscrit. Gratitude toute spéciale à madame Lise Gagnon qui a tout dactylographié.

B. L.

Cet ouvrage a été publié grâce à une subvention accordée par le Conseil canadien de Recherches sur les Humanités et provenant de fonds fournis par le Conseil des Arts du Canada.

Au Père Albert-M. Landry, O. P., directeur des *Publications de l'Institut d'études médiévales* et fondateur-directeur des *Conférences Albert-le-Grand* à l'Université de Montréal.

Meis par les bons clers ki escritent
Ki les gestes es livres mistrent
Savum nus del vies tens parler Et
de(s) oeuvres plusurs cunter.

WACE, *Roman de Rou,* éd.
ANDRESEN, 1878, t. I, p. 12.

SIGLES ET RÉFÉRENCES *

CHFMA
Les classiques de l'histoire de France au moyen âge,
collection commencée sous la direction de Louis
HALPHEN, Paris, depuis 1923, 28 vols. parus, in-8°.

Collection Guizot
Collection des mémoires relatifs à l'histoire de Fran-
ce depuis la fondation de la monarchie française
jusqu'au XIIIe siècle, avec une introduction, des
suppléments, des notices et des notes, par François
GUIZOT, Paris, 1824-1835, 31 vols. in-8°.

Collection de textes...
Collection de textes pour servir à l'étude et à l'en-
seignement de l'histoire, Paris, 1886-1925, 50 vols.
in-8°. Nous avons quelquefois cité des textes de
cette collection en les revisant, notamment pour les
oeuvres de Guibert de Nogent (t. 9), Raoul de
Caen et Robert le Moine (t. 23).

CSEL
Corpus scriptorum ecclesiasticorum latinorum, Vienne et Prague, depuis 1886, 81 vols. parus, in-8°.

Fonti
Fonti per la storia d'Italia, Rome, depuis 1887, 108
vols. parus, in-8°.

MHG
Monumenta Germaniae historica, Hanovre et Berlin,
depuis 1826, 213 vols. parus qui se subdivisent en :

MGH-SS
MGH, Scriptores, Berlin, 1826-1933, 31 t. en 34
vols. in-fol.

---

* Voir aussi *Orientations bibliographiques,* p. 279.

MGH-Auc. Ant.
MGH, Auctores antiquissimi, Hanovre-Berlin, 1877-1919, 15 t. in-4°.

MGH-Script. rer. mer.
MGH, Scriptores rerum merovingicarum, Hanovre et Berlin, 1884-1920, 7 t. in-4°.

PL
J. P. MIGNE, *Patrologiae cursus completus, series latina,* Paris, 1884-1855, 222 vols. in-4°.

REL
Revue des études latines, publiée par la Société des études latines, Paris, 1923...

RIS
Rerum italicarum scriptores, Raccolta degli storici italiani dal cinquecento al millecinquecento, Città del Castello, puis Bologne, depuis 1900, 40 vols. parus, in-4°.

RS
Rerum britannicarum medii aevi scriptores. Chronicles and Memorials of Great Britain and Ireland during the Middle Ages (Rolls Series), Londres, 1858-1896, 244 vols. in-8°.

SHF
Société de l'histoire de France, Paris, depuis 1835, 350 vols. parus, in-8°.

SRG
Scriptores rerum germanicarum, nouvelle série, Berlin, 1922-1962, 13 vols. in-8°.

SRG in usum...
Scriptores rerum germanicarum in usum scholarum separatim inediti, Berlin, depuis 1846, 76 vols. parus, in-8°.

INTRODUCTION

Chaque époque, a-t-on dit, demande à ses historiens de l'aider à vivre. Hérodote écrit « afin que le souvenir des événements passés ne se perde point avec le temps, que les grandes et admirables actions des Grecs et des Barbares ne soient pas sans gloire et qu'enfin l'on sache pourquoi ils se sont fait la guerre » [1]. Thucydide souhaite que les récits de la guerre du Péloponèse aident ses contemporains à mieux évaluer « les faits que l'avenir selon la loi des choses humaines ne peut manquer de ramener » [2]. Pour Salluste [3], pour Tite-Live [4], l'historiographie est un service rendu à Rome. Tacite estime pour sa part que la plupart des hommes « s'instruisent par ce qui est arrivé aux autres » [5]. Les Juifs et bientôt les premiers historiens chrétiens voient dans l'historiographie une manière particulière d'identifier, grâce aux événements qu'elle raconte, l'action d'un Dieu unique attentif à la vie d'une communauté spirituelle privilégiée [6].

---

1. *Exposé de ses recherches*, I, 1.

2. *Histoires*, I, 22.

3. *De conjuratione Catilinae*, III et IV; *Bellum Jugurthinum*, IV-V.

4. *Ab Urbe condita*, préface.

5. *Annales*, IV, 33.

6. On pourra consulter avec profit *The Idea of History in the Ancient Near East* (en collaboration), Yale University Press, 1955; L. P. MILBURN, *Early Christian Interpretations of History*, Londres, 1954; A. MOMIGLIANO, *Studies in Historiography*, Londres, 1966; R. G. COLLINGWOOD, *The Idea of History*, Oxford, 1946.

Au moment où nous arrivons au moyen âge occidental latin, deux traditions d'historiens se sont déjà rencontrées mais sans s'être bien comprises : d'une part la tradition judéo-chrétienne, Moïse en tête, et plus tard les évangélistes, Jules Africain, Eusèbe de Césarée et Jérôme, un Flavius Josèphe latinisé par les chrétiens, tous ancêtres et créateurs d'une historiographie nouvelle qu'on appelle « chrétienne »; d'autre part une lignée d'historiens célèbres représentée en Occident latin par les manuscrits de Salluste, de Tite-Live, de Tacite, d'Ammien Marcellin et des récapitulateurs, Cornelius Nepos, Justin (Trogue-Pompée), Florus, Eutrope, d'autres encore.

L'historien du moyen âge latin hérite de ces deux traditions. Quel idéal adoptera-t-il ? Quelles seront ses sources d'information ? ses difficultés ? ses réalisations ? les réactions de son milieu immédiat ? Comment prépare-t-il notre manière de concevoir l'histoire ? Autant de questions, autant de pistes de recherches.

Comme les historiens du moyen âge sont assez mal connus [7], sans compter toutes les médisances qui circulent toujours [8], d'aucuns se demanderont les raisons de cet ouvrage trop rapide pour satisfaire les médiévistes racés et encore trop près de ses documents pour répondre vraiment aux goûts du grand public.

C'est que nous avons été conduits à l'historiographie médiévale et à ses grandes éditions, *Monumenta*

---

7. « Was aber bis heute fehlt, ist eine systematische Erfassung und Darstellung der treibenden Ideen und stoffgestaltenden Prinzipien, die das einzelne Geschichtswerk, wie die gesamte Historiographie dieses Zeitalters erfüllen. Die Frage nach der Erfassung eines verborgenen Sinnes alles Geschehens in der mittelalterlichen Geschichtsschreibung steht noch zur Diskussion ». J. Spörl, *Grundformen hochmittelalterliches Geschichtsanschauung*, Munich, 1935, p. 15.

8. *Infra*, p. 261.

Germaniae historica, Rerum italicarum scriptores,
etc. [9], en étudiant les mentalités populaires de l'époque, ses phénomènes religieux de masse, les rites
et les mécanismes de sa tradition orale; peu à peu,
Potthast et Chevalier aidant, grâce surtout aux travaux de Schulz, Haskins, Taylor, Tout, Croce,
Barnes, Thompson, Collingwood, Momigliano, Spörl,
Rousset et d'autres [10], nous aurons pris conscience
de l'importance de tous ces historiens annalistes,
chroniqueurs et encyclopédistes, pour la connaissance générale des mentalités d'Occident.

Grâce à l'invitation généreuse du directeur des
Conférences Albert-le-Grand de l'Université de
Montréal, nous pouvons offrir aujourd'hui aux jeunes médiévistes d'Amérique le texte quelque peu
remanié à la manière d'une initiation, de la Conférence Albert-le-Grand 1966, espérant que d'heureuses surprises attendent encore ceux qui voudront le
plus vite possible oublier leur guide de passage pour
dialoguer avec les chroniqueurs eux-mêmes.

---

9. Liste complète dans le NOUVEAU POTTHAST; voir *Orientations bibliographiques*, p. 279.

10. Voir note 13 de la conclusion, p. 275, *Orientations biblio-graphiques*, p. 279 et index. Mentionnons aussi que la XVIIe Semaine d'études de Spolète portait sur *L'historiographie pendant le haut moyen âge*.

CHAPITRE PREMIER

L'HISTOIRE EST UN RÉCIT

Rappelons que dans les documents qui le nomment, l'historien latin de l'époque médiévale s'appelle aussi bien *descriptor rerum, conscriptor gestarum, relator temporum, recitator, chronographus,* que tout simplement *historicus, scriptor historiarum, auctor historiarum, historiographus* [1]. Les *incipit* de ses oeuvres portent les signes de l'héritage grec et romain : *Historia, Chronica, Annales, Gesta rerum, De rebus gestis,* ou encore : *Breviarium, Compendium, Flores historiarum, Imagines, Speculum historiale, Memoria saeculorum,* etc. [2].

Quatre fois sur cinq c'est un clerc qui écrit, un moine, voire l'évêque du diocèse, l'abbé du monas-

---

1. *Historiographus,* chez les Romains (voir *Thesaurus linguae latinae,* VI, 3, fasc. 15), chez OROSE (*Historia adversus paganos,* I, 1, 5), ISIDORE DE SÉVILLE (*Chronicon,* I, 61), GUIBERT DE NOGENT (*Gesta Dei per Francos,* IV, 1) et bien d'autres, dont CONRAD D'HIRSAU (*Dialogus super auctores,* I, 137), qui confirment l'usage courant; *scriptor historiarum* (déjà dans la chronique latine de saint JÉRÔME); *auctor historiarum* (*Etymologiae,* I, 42, d'ISIDORE DE SÉVILLE); *scriptor gestarum, relatores temporum* (*Institutiones...,* I, 17, de CASSIODORE); aussi *descriptores historiarum, scriptores cronicae,* que l'on retrouve chez OTHON DE FREISING, GERVAIS DE CANTERBURY (*Prol. in Chronicam); recitator* et non pas *assertor,* chez GIRAUD LE CAMBRIEN (*Topographia hibernica,* II, préf., dans *RS,* 21, 5, p. 75).

2. Cf. POTTHAST. Titres plus fréquents : *Chronica, Historia, Annales, Res gestae, De rebus gestis, Gesta, Speculum..., Historia ecclesiastica.* D'autres titres plus singuliers : *Antapodosis, Eulogium historiarum, Mare magnum historiarum, Pantheon, Philippidos, Scalacronica.*

tère : une très antique tradition venue d'Orient ratifie cet usage [3]. L'historien laïc survient plus tard. A mesure que les langues nationales s'imposent apparaissent les écrivains notaires, chanceliers, chambellans, soldats, maréchaux, écuyers, voire des jongleurs, et d'autres encore, dignes successeurs de Eginhard et de Nithard.

HISTORIA EST NARRATIO.—

Qu'est-ce que l'*histoire ? Historia est narratio rei gestae... per quam ea quae in praeterito facta sunt, dinoscuntur* [4]. Des premiers grammairiens de Rome à Jean Bodin, l'historiographie s'est ainsi définie : *ad narrandum non ad probandum* [5]. L'historien est un « simple expositeur », comme on disait encore au XIVᵉ siècle; son rôle (*opus narrationis*) est de transformer les faits qui arrivent en récits à écouter et à lire [6].

---

3. Voir Cicéron, *De oratore*, II, 12; Flavius Josèphe, *Contre Apion*, II, 21; aussi Jean Bodin, *Methodus ad facilem historiarum cognitionem*, IV, éd. P. Mesnard, *Oeuvres philosophiques de Jean Bodin*, V, 3, Paris, 1951, p. 126b, 15-20.

4. Voir *Thesaurus linguae latinae*, VI, 3, fasc. XV, 2833-2840, au mot *historia*. Avec Martianus Capella, *De nuptiis philologiae et Mercurii*, V (550), éd. Dick, 1924, p. 273-74 : « Narrationum genera sunt quattuor : historia, fabula, argumentum, negotialis vel judicialis assertio. Historia est, ut Livii. Fabula neque vera est neque verisimilis, ut Daphnen in arborem versam. Argumentum est, quod non facta, sed quae fieri potuerunt, continet, ut in comoediis patrem timeri et amari meretricem; judicialis autem narratio est rerum gestarum aut verisimilium expositio »; Isidore de Séville, *Etymologiae*, I, 41, éd. Lindsay, 1911; Hugues de Saint-Victor, VI, 3, éd. Buttimer, p. 113-115; Vincent de Beauvais, *Speculum doctrinale*, III, cap. 127; cf. Jean Bodin, *Methodus ad facilem historiarum cognitionem*, I, 3, p. 119. Voir Paré, Brunet, Tremblay, *La Renaissance du XIIᵉ siècle*, p. 223-225.

5. Quintilien, *Institutiones oratoriae*, X, 1, p. 31 ss.

6. Les expressions *officium narrationis, opus narrationis*, qui reviennent assez souvent chez les chroniqueurs, doivent être lues dans le même sens.

Autre chose, cependant, est de réciter à la manière des poètes des faits souvent fictifs, autre chose est de s'en tenir à la réalité pure [7]. Rien n'empêche un poète de se faire un jour historien ou un historien de passer à la versification : on raconte aussi bien en vers qu'en prose [8]. Le vers donne plus de relief au fait et la mémoire le retient plus aisément. Que les conquêtes normandes, que les premières croisades puissent être à la fois objet d'histoire et objet de poésie, personne n'en doute. L'important est l'*objet* et non la *manière*. Il faut savoir ce qu'on veut. *Historiae sunt res verae quae factae sunt* [9].

S'il est permis aux poètes de créer en imagination des faits d'armes pour les narrer de leur plume et d'amplifier les événements connus en errant dans le champ de la fiction, pour notre part, écrit Guillaume de Poitiers, nous louerons purement et simplement le duc ou le roi, en qui tout fut

---

7. Tout ceci, le moyen âge l'apprend encore par ISIDORE DE SÉVILLE, *Etymologiae*, I, 44. Sur la distinction entre poésie et histoire, déjà ARISTOTE. *Poétique*, 9, 1451a36-b3 (avec J. FONTAINE, *Isidore de Séville et la culture classique dans l'époque wisigothique*, Paris, 1952, 1ère partie, p. 174 ss). Au douzième siècle : CONRAD D'HIRSAU, *Dialogus super auctores*, 139-141, éd. HUYGENS, Bruxelles, 1955, p. 17 : « Poeta fictor vel formator dicitur eo quod pro veris falsa dicat vel falsis interdum vera commisceat... Fabula est quod neque gestum est nec geri potest ». Cf. RANULPHE DE HIGDEN, *Polychronicon*, II, 18, dans *RS*, 41, t. 2, p. 370. Plusieurs chroniqueurs français du moyen âge, dont Jean Le Bel, Froissart, Mathieu d'Esconchy, réagiront vigoureusement contre les dangers de la rime en historiographie.

8. On serait surpris du bilan des tentatives du genre au moyen âge qui n'a pas oublié l'exemple de Lucain, que lui transmettent OROSE (*Historia adversus paganos*, VI, 1, éd. ZANGEMEISTER, *CSEL*, t. 5, p. 156) et ISIDORE DE SÉVILLE (*Etymologiae* VIII, 7, 10; I, 44). V.g. RICHER, *Histoire de France*, III, 47, éd. LATOUCHE, dans *CHFMA*, 17, 2 (1964), p. 56; JEAN DE SALISBURY, *Polycraticus* II, 19, éd. WEBB, 1909, t. 1, p. 109 : « Poeta doctissimus, si tamen poeta dicendus est qui vera narratione rerum ad historicos magis accedit »; ID., *Metalogicon*, I, 24, éd. WEBB, p. 54-55.

9. ISIDORE DE SÉVILLE, *Etym.*, I, 44, 5 (cf. saint AUGUSTIN, *Epist.* 101, 2; *De doctrina christiana*, III, 28, 42). Les mêmes textes, commentés par RANULPHE DE HIGDEN († 1364), *Polychronicon*, II, 18, éd. BABINGTON, dans *RS*, 41, 2 (1869), p. 370.

purement et simplement beau, sans jamais excéder en quoi
que ce soit, fût-ce d'un pas, les limites de la vérité [10].

GESTA TEMPORUM. —

Que ne raconte-t-il pas, notre Grégoire de Tours ?
La vie des rois francs, mais aussi les violations de
tombeau, les tentations des reclus, les méfaits des
hérétiques, les signatures de traités, la mort d'un
évêque, le martyr d'un prêtre, une guérison subite,
les visites royales, les fêtes et les repas, et tout ce
qui est moins heureux, comme les inondations, les
éclipses, et jusqu'à l'histoire d'un loup qui est entré
inopinément dans la ville; entre temps, il trouve
l'occasion de parler de son frère, de sa nièce, de
ses amis. On trouve tout dans une chronique médiévale. Aux obituaires, aux épitaphes, aux nécrolo-
gies, aux listes de papes, d'évêques et d'abbés, aux
statuts de concile, aux récits de procès, aux sermons,
aux harangues, aux miracles, au merveilleux, aux
présages et aux renseignements météorologiques s'a-
joutent, surtout à partir du douzième siècle, à la
manière de Dion Cassius, les courtes biographies de
philosophes, des *dicta* de poètes. Tout arrive, tout
se dit, tout peut être récit.

C'est un vaste sujet d'ouvrage à offrir à tout le monde,
que d'écrire sur l'état et la chute de l'homme, sur les révolutions du temps qui s'écoule, sur les vicissitudes de nos
prélats et de nos princes, sur la paix et la guerre, et sur les
événements de toute espèce qui ne manquent pas d'arriver
aux enfants de la terre... [11].

---

10. *Gesta Guillelmi ducis normannorum et regis anglorum*, 1, 20,
éd. R. FOREVILLE, dans *CHFMA*, 23 (1952), p. 44 : « Parturire suo
pectore bella quae calamo ederentur, poetis licebat, atque amplificare
utcumque cognita per campos figmentorum divagando. Nos ducem
sive regem, cui nunquam impure quid fuit pulchrum, pure laudabimus;
nusquam a veritatis limite passu uno delirantes ».

11. *Historia ecclesiastica*, VI, *incipit*, éd. LE PROVOST et L. DELISLE,
Paris, dans *SHF*, 3 (1845), p. 2 (traduction française revue à partir de
la *Collection Guizot*, t. 27, p. 3) : « De humano statu lapsuque, de

Il est heureux, en un sens, qu'on ne puisse pas tout voir, tout entendre, ni surtout raconter tout ce qu'on a vu, lu et entendu. La tâche deviendrait inhumaine, impossible [12], de quoi remplir toutes les bibliothèques du monde [13] : *Gesta temporum infinita pene sunt* [14].

DES FAITS DIGNES DE MÉMOIRE. —

N'empêche qu'il y a des périodes plus denses; les faits y arrivent comme plus dru. Il faut en tenir compte [15]. Guillaume de Poitiers (*fl.* 1087) vient à peine de terminer quelques-uns de ses récits que déjà il sait qu'il a trop de matière. Mieux vaut avertir le lecteur. Guillaume de Normandie est un tel personnage :

Vers le même temps ce même prince réalisa d'autres exploits dignes de figurer dans les volumes des annales ; ainsi qu'un nombre considérable d'actions qu'il accomplit en d'autres temps, nous les passons sous silence, soit qu'un recueil trop étendu risque de rebuter certains, soit qu'en la matière nous jugions notre information insuffisante pour

labentis saeculi volubilitate et praelatorum principumque nostrorum vicissitudine; de pace seu bello, et multimodis, qui non deficiunt, casibus terrigenarum, cuilibet dictanti thema scribendi est copiosum »; *ibid.*, IV, fin, t. 2, p. 298 : « Multa terrigenis imminent infortunia; quae si diligenter scriberentur omnia, ingentia replerent volumina »; *ibid.*, V (année 1086-1128); XIII (année 1134, septembre), etc. — Pour sa part, GUILLAUME DE MALMESBURY écrit, au prologue du livre V de ses *Gesta regum anglorum*, éd. STUBBS, dans *RS*, 90, 2 (1889), p. 465; « nam et si sola quae nostrae aures attigerunt scripto mandarentur, cujuslibet eloquentissimi nervos fatigare et grandia possent armaria gravare ».

12. Cf. ROLAND DE PADOUE, *Cronica*, prol., éd. A. BONARDI, dans *RIS*, 8, 1 (1905), p. 7 : « Non est enim humane fragilitati possibile omnium habere memoriam vel referre singulariter singula, prout fiunt ».

13. Cf. HENRI DE HUNTINGDON, *Historia anglorum*, VIII, 39, éd. ARNOLD, dans *RS*, 74 (1879), p. 290 : *infra*, note 23.

14. HUGUES DE SAINT-VICTOR, *De tribus maximis circumstantiis gestorum*, éd. W. M. GREEN, dans *Speculum*, 18 (1943), p. 491.

15. Avec Paul ROUSSET, *Un problème de méthodologie : l'événement et sa perception*, dans *Mélanges Crozet*, I, Poitiers, 1966, p. 315-321.

en écrire. Nous entendons d'ailleurs nous réserver, si faible que soit notre talent, aux récits des faits les plus remarquables [16].

L'enseignement des maîtres du *Trivium* est clair. Othon de Freising se souvient. L'essentiel est de savoir choisir, éviter, éliminer, se limiter aux faits plus importants :

Comme vous savez, tout savoir consiste à éviter et à choisir. En effet, la grammaire au tout commencement de la philosophie, nous montre, quand on l'étudie, à choisir les choses qui conviennent à notre propos et à éviter tout ce qui pourrait nuire à notre but [17].

Cicéron aussi est d'accord [18].

---

16. « Alia sub tempus idem Annalium voluminibus apta gessit princeps idem, quae, sicuti plurima caeteris temporibus ab eo gesta praetermittimus, aut ne quem gravet spaciosus codex, aut quia rem non admodum sufficientem scriptori cognovimus. Praeterea quantulum in dicendo facultatis habemus, ad dicendum praestantissima omnium id reservamus ». *Histoire de Guillaume le Conquérant*, I, 20, éd. FOREVILLE, dans *CHFMA*, 23 (1952), p. 44.

17. OTHON DE FREISING, *Chronica*, dédicace, éd. HOFMEISTER, 1912, dans *SRG in usum...*, p. 4 : « Scitis enim, quod omnis doctrina in duobus consistit in fuga et electione. Ut ergo ab ea, quae accedentibus ad philosophiam prima est, grammatica ordiar, ipsa est, quae secundum suam disciplinam docet eligere ea, quae conveniunt proposito, et fugere, quae impediunt propositum ». GUILLAUME DE TYR sent le même besoin d'éliminer, de choisir, v.g. *Historia rerum...* IX, 218, 16, etc.; « Si quis ergo, écrit GUILLAUME DE MALMESBURY, sicut jam susurrari audio, post me scribendi de talibus munus temptaverit, mihi debeat COLLECTIONIS gratiam, sibi habeat ELECTIONIS materiam ». *Gesta regum anglorum*, V, 445, éd. STUBBS, dans *RS*, 90, t. 2, p. 518.

18. *De oratore*, II, 15, 62 : « ...in rebus magnis memoriaque dignis ». BEDE, *Hist. ecclesiastica gentis anglorum*, préface, éd. PLUMMER, 1896, I, p. 8 : « ...de singulis provinciis sive locis sublimioribus, quae memoratu digna atque incolis grata credideram »...; GERVAIS DE CANTERBURY, *Chronica*, éd. STUBBS, dans *RS*, 73 (1879), p. 89 : « Non tamen omnia memorabilia notare cupio, sed memoranda tantum, ea scilicet quae digna memoriae esse videntur »; GUILLAUME DE TYR, *Historia rerum...* préface, dans *PL*, 201, 211 : « ...videlicet ne rerum gestarum dignitas... »; ROBERT DE TORIGNY (*Chronica*, prol., dans *RS*, 82, t. 1, p. 63) parle de *facta eminentiora*, tandis que GUILLAUME DE POITIERS (*Hist. de Guillaume le Conquérant*, I, 20, dans *CHFMA*, 23, p. 4) veut surtout retenir les faits plus éclatants : *ad dicendum praestantissima*. THOMAS

Mais au nom de quels critères ? Maître incontesté de l'époque, dont l'autorité est acceptée de tous, Hugues de Saint-Victor répond que tout récit, et dès lors toute connaissance historique reçoit sa première dignité de la personne même qui pose les gestes ainsi que du temps et du lieu de ces mêmes gestes [19]. Au fait, et l'opinion publique s'en mêlant, les personnes qui annoblissent les faits sont les *grands*. Ranulphe de Higden († 1364) énumère au nom du chiffre *sept* les princes, les soldats, les juges, les clercs, les chefs du peuple, les chefs d'une maison et ceux du monastère [20]. Un peu de merveil-

---

WYKES, *Chronicon, a. 1165 ss.*, dans *RS*, 36, t. 4, p. 33 ss., écrit souvent : *nihil memoriali*, et toute sa chronique tourne autour des grands.

19. Cf. W. M. GREEN, *Hugo of St. Victor : De Tribus Maximis Circumstantiis Gestorum*, dans *Speculum*, 18 (1943), p. 49 : « La connaissance des faits historiques dépend de trois facteurs principaux : des personnes qui sont au principe des faits, du lieu où les faits sont arrivés et du temps où ils se sont passés. Voilà les trois points que chacun retiendra dans sa mémoire et il y trouvera un bon fondement à partir duquel il pourra ensuite en lisant augmenter sans difficultés son savoir, saisir rapidement et retenir d'une façon habituelle ».

20. *Polychronicon*, I, prol., éd. C. BABINGTON, dans *RS*, 41, 1 (1865), p. 34 : « ...Quoad septimum, nota quod septem leguntur personae, quorum gesta crebrius in historiis memorantur, videlicet, principis in regno, militis in bello, judicis in foro, praesulis in clero, politici in populo, oeconomi in domo, monastici in templo. Ex quibus proradiant correspondenter septem famosa actionum genera, quae sunt constructiones urbium, devictiones hostium, sanctiones jurium, correctiones criminum, compositio rei popularis, dispositio rei familiaris, adquisitio meriti salutaris, et in his jugiter relucent praemiationes proborum et punitiones perversorum... » Sur le symbolisme du chiffre 7 au moyen âge, cf. V. F. HOPPER, *Mediaeval Number Symbolism, its Sources, Meaning and Influence on Thought and Expression*, New York, 1938, p. 154, 171, 199. Aussi, pour leurs remarques, des historiens comme ORDERIC VITAL, *Hist. eccl.*, IV, 1081-83, éd. LE PROVOST et L. DELISLE, 1840, dans *SHF*, 2 (1840), p. 226 : « Verum quia haec sunt minus laeta, his omissis festinus stilum vertam ad alia »; GUILLAUME DE MALMESBURY, *Gesta regum anglorum*, III, prol., éd. STUBBS, dans RS, 90, 2 (1889), p. 283-284; MATTHIEU PARIS, *Chronica majora*, début, éd. LUARD, dans *RS*, 57, 1 (1872), p. 1-2.

leux aide s'il y a lieu, confirme tel ou tel choix [21]. L'historien bénédictin Raoul Glaber († 1050) commente :

Celui qui parcourt les vastes terres du monde, et s'aventure en vaisseau sur l'immense étendue des flots, se tourne souvent vers les fiers sommets des montagnes ou les cimes altières des arbres ; il y dirige son regard et ces points de repère de loin aperçus l'aident à parvenir sans s'égarer au but de son voyage ; c'est notre cas. Dans notre ambition de faire connaître le passé à la postérité, nos propos et notre attention s'attachent souvent, au cours de notre récit, à la personne des grands hommes. Grâce à eux ce même récit gagnera en clarté et présentera plus de sécurité [22].

Le *grand homme* par excellence, au moyen âge, c'est le roi protecteur du peuple et des siens. *Gesta Ludovici ! Gesta Frederici ! De gestis orientalium principum, De gestis regis Stephani, Gesta Ludovici VII, Gesta Philippi regis* et même une *Philippide ! Speculum regum ! Memoriale regum !* Eginhard, Flodoart, Richer, Aimoin, Raoul Glaber, Guillaume de Poitiers et plus tard Villehardouin, Commynes, Thomas Basin, beaucoup d'autres historiens et chroniqueurs, le plus souvent clercs et moines, n'auraient jamais autant écrit, n'eûssent été les rois et leur prestige. Les meilleurs récits de Bède, d'Eginhard, de Matthieu Paris, de Gervais de Canterbury, de

---

21. Encore le prologue de Ranulphe de Higden, dans *Polychronicon*, I, 1, 8-9, dans *RS*, 43, t. 1, p. 8 ss.; *infra*, p. 70.

22. « Sicut quispiam igitur peragrans quamlibet vastissimam orbis mundani plagam seu spatiosum remigando aequor penetrans, sepius altitudini montium aut proceritati arborum scilicet respectans dirigit aciem oculorum, ut videlicet, illorum a longe reperta agnitione, absque errore quo disposuerat valeat pervenire : ita quoque ergo nos fore contingit, qui utique, dum cupimus praeterita ostendere futuris, obtutus nostri sermonis pariter et animi frequenter in relatione porrigimus magnatorum virorum personis, quibus videlicet fiat ipsa relatio clarior et appareat certior ». *Historiarum libri*, V, II, 1, éd. Waitz, dans *MGH-SS*, 7 (1846), p. 60-61; ou M. Prou, *Les cinq livres de ses histoires*, dans *Collection de textes*, Paris, 1886, p. 25-26; traduction française de E. Pognon, *L'An mille*, Paris, 1947, p. 62.

Ranulphe de Higden et de combien d'autres encore nous montrent que le roi mobilise les conversations et les regards de la majorité. Sa présence crée l'événement. Pensons à Clovis, à Charlemagne, à Louis le Pieux, à Frédéric Barberousse. Henri II d'Angleterre à lui seul méritait, au dire de Henri de Huntingdon, plusieurs livres d'histoire [23]. Comme son « public », l'historien du moyen âge aime le vaste déploiement de la puissance royale et tout ce qu'elle signifie. Quel événement que l'arrivée du roi Louis à Parme ! [24] Comme Joinville est à l'aise pour « peindre » Louis IX ! On peut être méchant aussi : ainsi Giraud le Cambrien († 1223) [25] à ses heures.

Quels sont les faits « royaux » à raconter entre tous [26] ? La naissance, le mariage, l'investiture, le couronnement, les victoires, les défaites, les travaux publics, les allées et venues du prince, ses délibérations, ses jugements, la ville de ses séjours, même le menu d'un grand repas, les chartes qu'il signe,

---

23. Cf. *Historia anglorum*, VIII, 39, éd. Th. ARNOLD, dans *RS*, 74 (1857), p. 290 : « Nec succenseat mihi quispiam, quod de multis ab eo splendide gestis pauca scriptis tradiderim; nec enim de tot tantisque regibus, neque de rebus per tot saecula gestis historiae plenitudinem contexere potui, quod multos exigeret codices ». Cf. ORDERIC VITAL, *Historia ecclesiastica*, VI, *incipit*, éd. LE PROVOST et L. DELISLE, dans *SHF*, 3 (1845), p. 2.

24. *Chronica, a. 1248*, éd. O. HOLDER-EGGER, dans *MGH-SS*, 32 (1912), p. 221-224.

25. V.g. *De principis instructione*, éd. WARNER,, dans *RS*, 21, 8 (1891); toute l'oeuvre de Giraud le Cambrien (huit tomes des *RS*, 21) reste ironique et passablement cruelle à l'égard du roi; il préfère nettement les rois de France (*ibid.*, p. 6-8).

26. *Gesta regum, facta regum, gesta regalia*, sont les expressions les plus souvent utilisées. R. R. BEZZOLA, *Les origines et la formation de la littérature courtoise en Occident*, 3e partie, t. 1, p. 119 et ss., a bien noté l'intérêt et « la place capitale que prend l'histoire dynastique même dans l'historiographie monastique ». Sur l'importance de l'historiographie royale médiévale, H. BEUMANN, *Die Historiographie des Mittelalters als Quelle, für Ideengeschichte des Königstums*, dans *Ideengeschichtliche Studien zu Einhard und anderen Geschichtsschreibern des früheren Mittelalters*, Darmstadt, 1969, p. 40-79.

la visite aux monastères et aux églises, les fêtes, les tournois, et finalement sa mort et sa sépulture. Tout devient digne de récit dès que le roi entre en ligne de compte. Heureux déjà de dresser la liste des saints de son pays qui sont d'origine royale, Guillaume de Malmesbury pourtant fort attaché à son monastère, abandonnerait volontiers le récit d'un synode pour discuter une charte royale [27]. Quand il s'agit d'affaires ecclésiastiques, les rois restent un lieu idéal de référence. Certains invoqueront l'exemple de l'évangéliste Luc qui n'a pas craint de relier le récit de la naissance du Christ aux règnes d'Auguste et de Hérode, rois païens pourtant. Hugues de Fleury qui utilise ce précédent sait ce qu'il fait : aujourd'hui tous les rois sont chrétiens et se veulent défenseurs de la foi chrétienne, ils méritent bien qu'on les mette au premier plan et qu'on leur annexe les « autres » :

J'estime, en effet, qu'il faut ordonner les histoires ecclésiastiques à partir de la vie des hommes catholiques, empereurs ou rois les mieux connus ; et c'est ainsi que se trouve mieux assurée la mention de ceux qui ont été célèbres même chez les Gentils [28].

Pourtant, les papes et les évêques du moyen âge sont eux aussi des grands personnages ? Ne devraient-ils pas avoir la priorité que leur accordaient pourtant Eusèbe de Césarée et les premiers biographes ecclésiastiques chrétiens [29] ? En théorie, si.

---

27. Cf. *Gesta regum anglorum*, II (207), éd. STUBBS, dans *RS*, 90, 1 (1887), p. 260; I, 84, p. 83-84. ROBERT DE TORIGNY (*Chronica*, dans *RS*, 82, 1, p. 60 ss.) s'efforce d'établir les listes des rois, même s'il faut remonter à Brutus; RANULPHE DE HIGDEN, *Polychronicon*, I, 25, dans *RS*, 41, 1, p. 226-276.

28. *Historia ecclesiastica, prooemium*, éd. WAITZ, dans *MGH-SS*, 9 (1851), p. 351 : « Oportet enim, ut opinor, a notissimis regibus vel imperatoribus catholicis viris ecclesiasticas historias ordinare, et ab his quae celebri fama feruntur etiam apud gentiles perfectissime roborare ». Cf. *Luc*, I, 5 et XI, 1 ss.

29. Cf. *Hist. ecclésiastique*, V, 2-4. Consulter aussi l'édition de la

Mais les goûts ont changé. L'attention quotidienne est davantage tournée vers les princes laïcs plutôt que vers les papes et même les évêques. Si étonnant que cela puisse paraître [30], certains hisoriens ont avoué même qu'il valait mieux ne pas trop écrire sur le pape. Le bénédictin Matthieu Paris refuse de juger ce dernier; Olivier de la Marche hésite [31]. Comment expliquer ? Peut-être est-il trop difficile de raconter la vie de son évêque et celle du pape à cause des implications idéologiques en cours. Le roi est davantage à la portée de toutes les langues.

L'autre raison est que l'événement le plus souvent raconté par les historiens de l'époque est la guerre, qu'elle s'appelle guerre civile, guerre de frontières, ou guerre extérieure. Il faut lire Grégoire de Tours, Frédégaire et Nithard pour savoir comment s'enchaînent toujours l'histoire des guerres et celle des rois.

Arrivé à la fin du livre de Grégoire, écrit Frédégaire, j'ai continué à écrire dans ce livre les faits des temps (*gesta temporum*), en autant que j'ai pu en retrouver les récits, et les actes des rois (*acta regum*), qui m'ont été connus après cela, et les guerres des peuples (*bella gentium*) : je n'ai pu le taire dans ce volume. Avec grand soin et curiosité, je me suis efforcé dans la mesure du possible d'insérer ici tout ce que j'ai pu savoir depuis le temps où Grégoire s'est arrêté et a cessé d'écrire, c'est-à-dire depuis la mort du Roi Chilpéric... [32].

Vita s. Martini (*Sources chrétiennes*, t. 133-135), avec toute la documentation accumulée par Jacques Fontaine.

30. Tandis que Grégoire de Tours est préoccupé de rois autant que d'évêques, Bède est davantage attiré par les faits d'hommes d'église. D'ailleurs il y a toute une tradition de *Gesta episcoporum* au moyen âge qui mériterait d'être étudiée pour elle-même.

31. MATTHIEU PARIS, dans *Chronica majora, a. 1254*, dans *RS*, 57, 5, p. 459 et OLIVIER DE LA MARCHE, *Mémoires*, II, 6, dans *SHF*, vol. I, p. 261.

32. Pseudo-FRÉDÉGAIRE, *Chronica*, IV, prol., éd. KRUSCH, 1887, dans *MGH-Script. rer. mer.*, II (1887), p. 123 : « Trasactis namque Gregorii libri volumine temporum gesta, que undique scripta potui repperire, et mihi postea fuerunt cognita, *acta regum* et *bella gentium*

Il n'y a pas que des rois et des papes au moyen âge. D'autres personnes attirent l'attention des historiens et de leur milieu. Les hérétiques par exemple. Mais l'hérésie est perçue comme une guerre civile; aussitôt elle est reliée au roi qui la combat armes à la main quand il le faut. Le chroniqueur médiéval ne choisit pas les personnes : il les reconnaît plutôt.

Un autre centre majeur d'intérêt est le monastère et son abbé. Matière inépuisable et combien pittoresque des chroniqueurs monastiques si loquaces quand il s'agit de raconter une élection d'abbé, une consécration abbatiale, une querelle avec les voisins, la visite et les séjours des grands. Ils n'en finissent plus. Tout ce qui directement ou indirectement touche au monastère et à l'abbé les passionne infiniment [33].

Un événement pourtant dépasse tout, autant l'histoire des rois que celle des monastères, sauf évidemment Jésus au temps d'Auguste. C'est une guerre, la plus extraordinaire guerre qui soit arrivée à l'humanité [34], aventure telle que ni

---

quae gesserunt, legendo simul et audiendo, etiam et videndo cuncta que certeficatus cognovi hujus libelli volumine scribere non solvi, sed curiosissime quantum potui, inseri studui, de eodem incipiens tempore scribendum, quo Gregori fines gesta cessavit et tacuit, cum Chilperici vitam finisse scripsit ».

33. Simplement à feuilleter la *Chronique de Morigny* (1095-1152) éditée par Léon Mirot, 1912, dans *Collection de textes,* on voit le chroniqueur commencer par la fondation de l'abbaye, noter les premières acquisitions du domaine, pour apprendre ensuite la mort de Philippe I, les luttes de Louis VI avec le roi d'Angleterre; nous irons à Rome pour l'élection du pape Calixte II, mais reviendrons vite à Morigny pour la consécration de l'église, etc.

34. Cf. Robert le Moine, *Historia hierosolymitana,* prol., dans *PL,* 155, 669-670 : « Sed quid post creationem mundi mirabilius factum est, praeter salutiferae crucis mysterium, quam quod modernis temporibus actum est in hoc itinere nostrorum Hierosolymitarum ? Quod quanto studiosius quisque adverterit, tanto uberius intra mentis suae dilatatos sinus obstupescet. Hoc enim non fuit humanum opus, sed divinum. Et ideo litterali compaginatione commendari debet notitiae tam praesen-

Israël [35], ni « les autres siècles n'en ont jamais connue de pareille » [36] : la croisade.

De là naissent une multitude d'histoires sur les événements de toute espèce qui se passent journellement dans le monde, et fournissent aux historiens compétents une ample matière de discours. Je médite profondément en moi-même toutes ces choses, écrit Orderic Vital, et je transmets par écrit le fruit de mes méditations. En effet, il s'opère de nos jours un bouleversement inattendu, et un admirable thème à récits s'offre tout de go à l'activité des écrivains... Je crois que jamais une plus glorieuse matière n'a été offerte aux philosophes dans les expéditions guerrières, que celle qui est fournie par le Seigneur à nos poètes et à nos écrivains, quand Il triomphe des païens en Orient par le bras d'un petit nombre de chrétiens qu'il a attirés de leur propre séjour par le désir si doux de voyager. Le Dieu d'Abraham vient de renouveler pour nous ses antiques miracles [37].

---

tium quam futurorum, ut per hoc et spes in Deum christiana magis solidetur, et laus ejus in eorum mentibus vivacior incitetur. Nam quis regum aut principum posset subigere tot civitates et castella, natura, arte, seu humano ingenio praemunita, nisi Francorum *beata gens, cujus est Dominus Deus, populus quem elegit in haereditatem sibi* (*Ps. XXXIII*, 12)».

35. Cf. *Gesta Dei per francos*, I, 1, *PL*, 156, c. 683 ss.; V, 5, c. 765; VII, 1, c. 787; VIII, 8, c. 821; *ibid.*, VIII, 5, dans *PL*, 156, 810 : « Diximus non semel, sed forte multoties, nec repetere piget : tale quid nusquam gentium, a saeculo factum. Si filii Israel, miraculis quae ante eos egerit Dominus mihi inferuntur objectis, his ego multo mirabilius astruam mare confertissimae gentilitatis apertum... » Voici comment MATTHIEU PARIS annonce pour sa part la prise de Jérusalem et « sacralise » dans le temps cet événement unique : « Capta igitur est civitas Jerusalem anno gratiae millesimo nonagesimo nono, mense Julio decima die mensis, sexta feria circa horam nonam, anno tertio ex quo fidelis populus tantae peregrinationis sibi onus assumpsit; praesidente sanctae Romanae ecclesiae domino Urbano secundo, Romanorum imperium administrante Henrico, Graecorum vero imperatore Alexio; in Francia regnante Philippo, in Anglia Willelmo Rufo, regnante in perpetuum in omnes et super omnia domino nostro Jesu Christo, cui honor et gloria per saecula infinita ». *Chronica majora, a. 1099*, éd. LUARD, dans *RS*, 57, 2 (1874), p. 100.

36. *Ibid.* I, 1, dans *PL*, 156, 684-685.

37. ORDERIC VITAL, *Hist. eccl.*, IX, début, éd. LE PROVOST et L. DELISLE, dans *SHF*, 3 (1845), p. 457-458 (trad. GUIZOT revisée, t. 27, p. 403-404) : « ...Inde multiplices propagantur historiae de multimodis eventibus, qui fiunt in mundo quotidie, et dicacibus historio-

La croisade à elle seule, nous le dirons, a fait plus que tous les autres événements du moyen âge pour redonner à ses historiographes un sens du récit et de sa dignité.

UN CHOIX DIFFICILE. —

Supposons maintenant que notre historien s'en tienne surtout aux grands de son temps. Déjà il a de quoi s'occuper. Peut-il, doit-il raconter tout ce qu'il sait sans autre discernement ? « Non convient à un moine escrive les batailles de li seculer », dit-on autour du bénédictin Aimé du Mont-Cassin [38]. Orderic Vital veut pour sa part écrire une histoire ecclésiastique qui ne soit ni trop séculière ni trop mondaine. Il aurait dû se faire hagiographe [39]. Hélas ! la réalité est telle que si on la raconte, il faut la raconter comme elle arrive. Ce n'est pas en dorant ses livres par des enluminures qu'on les rendra plus acceptables [40]. Evêque et responsable devant ses lecteurs, Guillaume de Tyr décide de ne pas raconter les mauvais côtés de certains croisés chrétiens; peut-

---

graphis augmentantur copiose fandi materiae. Haec ideo medullitus considero, meditatusque meos litteris assigno; quia temporibus nostris insperata fit permutatio, et insigne thema referendi mira, praestruitur dictatorum studio... Nulla, ut reor, unquam sophistis in bellicis rebus gloriosior materia prodiit, quam nostris nunc Dominus poetis atque librariis tradidit, dum per paucos Christicolas de paganis in Oriente triumphavit, quos de propriis domibus dulci desiderio peregrinandi excivit. Antiqua nempe miracula Deus Abraham nuper iteravit... » Cf. *ibid.*, fin du livre IX, p. 622-624.

38. AIMÉ DU MONT-CASSIN, *Storia de normanni*, V, dédicace, éd. V. DE BARTHOLOMAEIS, dans *Fonti per la storia d'Italia*, 76 (1935), p. 3-4.

39. Cf. *Hist. ecclesiastica*, V, 1086-1128, dans *SHF*, t. 2, p. 302-303; surtout VIII, 1090, t. 3, p. 327; pourtant, *ibid.*, IV, 1081-83, t. 2, p. 226 : « Verum quia haec sunt minus laeta, his omissis festinus stilum vertam ad alia ». GUILLAUME DE MALMESBURY, *Gesta regum anglorum*, II, 173, dans *RS*, 90, t. 1, p. 203, hésite devant certains faits contemporains car il craint que le lecteur en retire plus de trouble que de profit. Cf. *Gesta regum anglorum*, III, prol., p. 283-284.

40. V.g. *Annales Stederburgenses, incipit*, éd. PERTZ, dans *MGH-SS*, 16 (1858), p. 199; voir ch. 3, note 83.

être aussi pour ne pas heurter inutilement les rois en cause [41]. D'autres aussi se taisent [42]. Les mêmes scrupules se retrouvent chez tel chroniqueur de Charles VI, moine au surplus, tout désolé d'avoir à décrire des tournois, des mascarades, des fêtes à n'en plus finir : que la postérité apprenne au moins ce qu'il faut ne pas faire [43] !

Qu'ont-ils raconté exactement ? Ont-ils préféré d'instinct les faits chrétiens aux faits païens, les faits édifiants aux faits immoraux [44] ? Certaines pages de saint Augustin et de saint Jérôme, de Cassien, de Cassiodore et d'Isidore de Séville les y invitent [45]. Il semble que la plupart aient raconté simplement ce qu'ils savaient. Ceux qui ont craint se sont justifiés :

Si l'on juge convenable, écrit l'évêque Liutprand de Crémone, de décrire dans les livres des anciens les rites impies

---

41. Cf. *Hist. rerum...*, XXIII, 1, dans *PL*, 201, 890; aussi *Gesta Dei per francos*, V, 25, dans *PL*, 156, 766. Guibert de Nogent refusait de nommer les chevaliers qui avaient mal agi lors de la prise de Jérusalem en 1099, parce que nommer était souvent honorer.

42. V.g. RICHARD DE DEVIZES, *De rebus gestis Ricardi primi, a. 1190*, éd. HOWLETT, dans *RS*, 82, 3 (1886), p. 402 : « Multi noverunt quod utinam nemo nostrum nosset. Haec ipsa regina tempore prioris mariti fuit Ierosolymis. Nemo plus inde loquatur : et ego bene novi. Silete ! ». THOMAS WYKES, *Chronicon, a. 1264*, dans *RS*, 36, t. 4, p. 149, préfère taire certains faits *propter pacem legentium*.

43. Cf. *Chronique de Charles VI*, ou *Chronique du religieux de Saint-Denis* (1380-1422), X, 2, éd. BELLAGUET, Paris, 1839-1852, t. 1, p. 599; aussi XIII, 5, t. 1, p. 19; 16, p. 65; XIX, ch. 10, p. 663.

44. V.g. GUILLAUME DE MALMESBURY, *Gesta regum anglorum*, IV (315-316), éd. STUBBS, dans *RS*, 90, 2 (1857), p. 370-371, où il refuse de parler de certains mauvais côtés de Guillaume le Roux : « Haec igitur ideo inelaborato et celeri sermone convolvo, quia de tanto rege mala dicere erubesco; in dejiciendis et extenuandis malis laborans ».

45. V.g. *De doctrina christiana*, II, 38 (58); SAINT JÉRÔME, *Lettres*, 18, 21, 22, 27; CASSIEN, *Conférences*, I, 8; XIV, 9; SALVIEN DE MARSEILLE, *De gubernatione Dei*, prol.; CASSIODORE, *Institutiones...*, I, 17; GRÉGOIRE LE GRAND, *Moralia in Job, prooemium;* ISIDORE DE SÉVILLE, *Sententiae*, III, 13, 1 ss. Encore au XIIe siècle le studieux cistercien OTHON DE FREISING ne trouve rien d'édifiant chez les païens; cf *Chronica*, V, prol., éd. HOFMEISTER, 1912, p. 228.

des païens qui sont loin d'être utiles et qui sont même dangereux à entendre, pourquoi devrions-nous maintenant cesser de louer aussi les guerres d'empereurs tels que Julien, Pompée, Hannibal, son frère Hasdrubal et Scipion l'Africain, gens très renommés, s'il en est ? [46]

Un autre évêque, encore Guillaume de Tyr, voisin des croisés, est sans illusion. Même s'il en tait, il en restera encore, et toujours trop. Voici qu'il termine une vingtaine de livres de cette histoire des croisés, qui tourne parfois au tragique. Doit-il s'arrêter et ne rien dire de ce qui arrive ? La réponse de ses amis lui revient à l'esprit comme un appel à raconter coûte que coûte, autant les bons événements que les plus malheureux :

Ceux qui ont à coeur de nous voir poursuivre l'oeuvre commencée, et qui nous supplient avec de vives instances de continuer à tracer pour la postérité le tableau des événements heureux ou malheureux survenus dans le royaume de Jérusalem, nous encouragent en nous proposant l'exemple des historiens les plus distingués. Ainsi Tite-Live, disent-ils, n'a pas seulement raconté dans ses écrits les prospérités des Romains, il a parlé aussi de leurs malheurs; Josèphe ne s'est pas borné dans ses longs ouvrages à rapporter les belles actions des Juïfs, il a dit aussi ce qui leur est arrivé de honteux. Ils nous citent encore beaucoup d'autres exemples, par lesquels ils cherchent à nous déterminer, et qui font voir en effet d'une manière évidente que ceux qui racontent les choses du passé ont autant de motifs de rapporter les vicissitudes les plus contraires de la fortune; de même que le tableau des événements heureux doit éveiller

---

46. Voir aussi le prologue des *Gesta Chuonradi II* (*SRG in usum...*, p. 6) de Wipo, où ce dernier constate tout simplement que l'historien doit s'habituer à la variété des faits et des situations. — « Quod si priscorum ritus execrabilis paganorum, non solum inquam non proficuus verum auditu ipso non parum nocuus, tomis memorandus inscribitur, quid istorum imperatorum bella, Julii, Pompeii, Hannibalis fratrisque ejus Asdrubalis, ac Scipionis Africani, insignum imperatorum, laudibus coequanda silebitur... ? » *Antapodosis*, I, 1, éd. J. Becker, dans *SRG in usum...*, 1915, p. 4. Voir aussi Thomas Basin, *Hist. de Louis XI*, I, 1, éd. Samaran, dans *CHFMA*, 26 (1963), p. 5. Giraud le Cambrien, *Expugnatio hibernica*, I, 46, dans *RS*, 21, 5, p. 301, est d'avis que l'historien doit imiter la nature qui mélange le laid et le beau.

chez nos descendants des sentiments de courage, de même l'exemple des maux dont on a souffert doit inspirer plus de prudence pour des circonstances semblables [47].

Est-il normal de mêler le pire au meilleur ? N'est-ce pas favoriser le mal que lui offrir le voisinage des bonnes actions et l'introduire dans un contexte d'histoire du salut ? Mieux ne vaudrait-il pas au moins séparer les récits ? d'un côté ce qui édifie, de l'autre ce qui nuit ? Grégoire de Tours a dû se poser la question; la réponse qu'il donne suffirait à rassurer toute la postérité :

Un lecteur attentif, du reste, qui fait une enquête diligente, découvre dans l'histoire des rois d'Israël que Phinées le sacrilège a péri du temps de Samuel le Juste et que sous le règne de David dit l'homme à la main forte a succombé Goliath le Philistin. Qu'il se souvienne aussi que du temps d'Elie, l'éminent prophète, qui arrêtait les pluies quand il le voulait ou les faisait couler sur des terres arides quand il lui plaisait, lui qui par sa prière enrichit une pauvre veuve, il y a eu des massacres de peuples, que la famine et la sécheresse ont désolé une terre misérable. Qu'il se souvienne des maux que Jérusalem a supportés du temps d'Ezéchias, de qui Dieu a prolongé la vie de quinze années. Et aussi sous le prophète Elisée, qui ressuscita des morts et qui a fait, au milieu des populations beaucoup de miracles, que des massacres, que de misères ont accablé ce même peuple des Israélites. De même aussi, Eusèbe, Sévère, Jérome ainsi qu'Orose ont inséré dans leurs chroniques à la

---

47. *Hist. rerum...*, XXIII, *praefatio*, dans *PL*, 201, 889-90 : « Sed quibus cordi est, ut in eo quod semel coepimus, nos continuemus proposito, quique orant instantius, ut regni Hierosolymorum status omnis tam prosper quam adversus, posteritati, nostra significetur opera, stimulos addunt, proponentes historiographorum disertissimos, Titum Livium videlicet, Romanorum non solum prospera, sed etiam adversa mandasse litteris; Josephum quoque, non solum quae a Judaeis egregie gesta sunt, verum et quae eis sunt ignominiose illata, longis tractatibus publicasse. Abundant et aliis exemplis, qui ad hoc nos nitantur impellere; eoque facilius persuadent, quod plane liquet rerum gestarum scriptoribus, utramque sortem pari esse ratione propositam, ut sicut gestorum feliciter narratione posteros ad quamdam animositatem erigunt; sic infortuniorum subjectorum exemplo, eosdem reddant in similibus cautiores ».

fois des récits de guerres de rois et des miracles de martyrs [48].

Ainsi réconcilié avec la réalité, l'historien n'aura plus qu'à choisir entre *tous* les faits, heureux ou malheureux, ceux qui conviennent davantage à son rôle. Il apprendra en même temps à sa clientèle qu'à travers cette douloureuse histoire du bien et du mal se dessine le tracé d'une autre réalité, plus réconfortante. Nous reconnaissons Othon de Freising, lecteur assidu du *De civitate Dei* :

Le temps me manquerait, en effet, si je voulais parcourir toutes les pages de l'Ecriture, ainsi que les livres de Ruth, Judith, etc. qui, eux aussi, sont remplis de considérations mystiques et de sagesse sacrée ; ils n'en contiennent pas moins une description des divers malheurs des mortels et des tempêtes de la guerre. Je ne compterai pas les prophètes qui, au milieu des misères multiples de l'instabilité des événements, ont parfois introduit les prophéties mystérieuses de l'Esprit Saint. J'omets les Apôtres qui souvent au milieu des récits des mystères sacrés ont inscrit les faits des hommes impies. De même, Daniel, qui commence son récit par l'histoire et la termine dans une très profonde vision prophétique. Et le prêcheur de renom (saint Paul) qui, en discourant habilement des mystères les plus secrets de Dieu, grâce au don qui le plaçait au-dessus des Apôtres, ne rougit pas de mentionner au début de ses lettres, pour notre amendement, certaines oeuvres des ténèbres. Même

---

48. *Historiarum libri X*, II, 1, éd. B. KRUSCH et W. LEVISON, dans *MGH-Scriptores rerum merovingicarum*, I (1951), p. 36 (trad. LATOUCHE, dans *CHFMA*, 27, p. 73) : « Nam sullicitus lector, si inquirat strinue, invenit inter illas regum Israeliticorum historias sub Samuhel justum Fineen interisse sacrilegum ac sub David, quem Fortem manu dicunt, Golian alophilum conruisse. Meminiat etiam sub Heliae eximii vatis tempore, qui pluvias cum voluit abstulit et cum libuit arentibus terris infudit, qui viduae paupertatem oratione locopletavit, quantae populorum strages fuere, quae famis vel quae siccitas miseram oppraesserit humum; quae sub Ezechie tempore, cui Deus ad vitam quindecim annos auxit, Hierusolima mala pertulerit. Sed et sub Heliseum prophetam, qui mortuos vitae restituit et alia in populis multa miracula fecit, quantae internitiones, quae miseriae ipsum Israeliticum populum oppraesserunt. Sic et Eusebius, Severus Hieronimusquae in chronicis atque Horosius et bella regum et virtutes martyrum pariter texuerunt... » Voir note 201.

le disciple aimé du Christ dit en terminant le récit de la
vérité évangélique qu'il avait commencé par un grandiose
prologue : « Jésus a accompli en présence des disciples
encore bien d'autres signes qui ne sont pas relatés dans ce
livre. Ceux-là l'ont été, etc. ». Il ajoute ensuite l'exemple
du Seigneur qui prévoit l'état de la vie future dans la cap-
ture des poissons, dans la force du filet et la douceur de la
nourriture, disant : « Jésus s'est manifesté à la mer de
Tibériade ». — Ainsi, plaçant le récit de ce glorieux incident à la place d'honneur, à la fin de son livre, il fait de
tout ce qui précède comme une sorte d'introduction au
récit de cet incident. De même le Seigneur créa au début
le ciel et la terre ; il produisit une matière d'abord invisible
et sans forme qu'il ordonna après et apporta à la lumière [49].

---

49. *Chronica,* VIII, prol., éd. Hofmeister, 1912, dans *SRG
in usum...,* p. 392 : « Deficiet me tempus enarrantem, si universas sacrae
scripturae paginas, utpote Ruth, Iudith, Esdrae, Hester, Machabeorum
percurrere libros velim, qui, dum mistico sensu et deifica sapienta sint
gravidi, diversas tamen mortalium erumpnas et bellorum tempestates
continent. Taceo prophetas, qui inter crebras mutabilium miserias
secreta sancti spiritus nonnumquam vaticinia posuere. Omitto apostolos,
qui profundissimis divinorum misteriorum archanis nefandissima huius
mundi facta frequenter interseruere. Sic Daniel ad historica narratione
ordiens profundissima visione opus suum terminavit. Et egregius ille
predicator secundum datam sibi pre ceteris apostolis sapientiam de
secretissimis Dei magnalibus excellenter disputans ad correctionem
nostram quaedam turpia tenebrarum opera in capite epistolarum obiur-
gando commemorare non erubuit. Sed et dilectus ille Christo discipulus
evangelicae narrationem veritatis alto illo inchoatam principio conclu-
dens, cum dixisset : *Multa quidem et alia signa fecit Iesus in conspectu
discipulorum suorum, quae non sunt scripta in libro hoc, haec autem
scripta sunt* et cetera, exemplum dominicum statum futurae vitae in
captura piscium et retis soliditate necnon et cibi suavitate presagiens
subtexuit : *Manifestavit,* inquiens, se *Iesus ad mare Tyberiadis.* Sicque
huius tam eximiae rei prerogativam in calce libri ponens omnem retro-
actae narrationis seriem eius tamquam proemium fecit. Dominus quoque
in principio caelum ac terram creans invisibilem primo et incompositam
materiem edidit ac postmodum in ordinem eam et lucem redegit ».
Ibid., II, prol., p. 68 : « Nemo autem a nobis sententias aut moralitates
expectet. Historiam enim, in qua civium Babyloniae vicissitudines ac
labores civiumque Christi inter eos progressus et profectus texantur,
non disputantis more, sed disserentis ordine prosequi intendimus. Nam
a majoribus nostris inpugnantibus hanc, quae in nobis est, fidem satis
responsum arbitror ». Au sujet du récit intégral et sans raisons mystiques, v.g. Wipo, *Gesta Chuonradi imperatoris,* 5, éd. H. Breslau, dans
SRG in usum..., 1915, p. 36 : « Sed quoniam historia publica scribitur,

GENRES LITTÉRAIRES. —

Trois genres littéraires sont en cause : l'*histoire,* les *annales* et la *chronique.* Isidore de Séville [50] transmet comme toujours les conclusions des grammairiens. L'oeuvre d'un contemporain auteur et témoin oculaire des récits est une *historia.* Salluste, par exemple, est historien. Les *annales* vont aux faits antérieurs : l'historien devient annaliste à mesure qu'il s'éloigne de son époque. Quant à la *chronique,* elle est la simple codification des dates qu'on aura identifiées par les faits qui leur reviennent à chacune.

Au fait, l'*histoire* [51] est le genre littéraire par excellence de l'historiographie. Ses lois sont connues,

---

quae animum lectoris ad novitatem rerum quam ad figuras verborum attentiorem facit, magis videtur congruere, ipsam rem integram persequi, quam mysticis rationibus aliquid promiscue commentari ». La réaction antirationaliste de Pierre Diacre; prologue à la *Chronique du Mont-Cassin,* éd. WATTENBACH, dans *MGH-SS,* 7 (1846), p. 755 : « ...quia tunc Redemptoris nostri magnalia pene annichilantur, si humanae rationis astutia investigantur ».

50. *Etymologiae,* I, 44, *De generibus historiae :* « Genus historiae triplex est. Ephemeris namque appellatur unius diei gestio. Hoc apud nos diarium vocatur. Nam quod Latini diurnum, Graeci ephemerida dicunt. Kalendaria appellantur, quae in menses singulos digeruntur. Annales sunt res singulorum annorum. Quaeque enim digna memoriae domi militiaeque, mari ac terrae per annos in commentariis acta sunt, ab anniversariis gestis annales nominaverunt. Historia autem multorum annorum vel temporum est, cujus diligentia annui commentarii in libris delati sunt. Inter historiam autem et annales hoc interest, quod historia est eorum temporum quae vidimus, annales vero sunt eorum annorum quos aetas nostra non novit. Unde Sallustius ex historia, Livius, Eusebius et Hieronymus ex annalibus et historia constant... » Voir Jacques FONTAINE, *La conception isidorienne de l'historiographie,* dans *Isidore de Séville et la culture classique dans l'époque wisigothique,* I, p. 180-185.

51. Voir J. T. SHOTWELL, *The History of History,* I, New York, 1937, p. 255 ss. Au lecteur qui voudrait comparer les écrits médiévaux à ceux des historiens anciens, nous conseillerions volontiers l'*Historia ecclesiastica* d'ORDERIC VITAL, les *Gesta regum anglorum* de GUILLAUME DE MALMESBURY, l'*Historia anglorum* de HENRI DE HUNTINGDON, la *Chronica* de GERVAIS DE CANTERBURY, etc.

ses fondateurs aussi. Isidore [52] les a nommés : Darès et Hérodote chez les Grecs, Salluste et Tite-Live chez les Romains. Moïse les précède tous. Une priorité de mérite est accordée en plus à Eusèbe et à Jérôme ainsi qu'à Orose en tant que fondateurs de l'historiographie ecclésiastique [53].

Toute *historia* commence par un prologue, une préface, ou une lettre d'envoi, ou une doxologie. Quelques indications géographiques et viennent aussitôt les récits groupés en livres divisés eux-mêmes en chapitres. Les titres de chapitres sont transcrits en tête de chaque livre.

Les *annales* [54] posent des problèmes plus sérieux. Sont-elles nées en Grèce, à Rome, en Angleterre, en France, en Irlande ? Au VIe, au VIIe ou au VIIIe siècle ? Sont-elles le prolongement et l'adaptation liturgique « chrétienne » des anciennes annales de Rome [55] ? Comme il n'est pas dans l'habitude du moyen âge d'inventer des genres littéraires et que les VIe et VIIe siècles ne sont pas des siècles particulièrement créateurs, nous sommes portés à penser

---

52. *Etymologiae*, I, 42, *De primis auctoribus historiarum* : « Historiam autem apud nos primus Moyses de initio mundi concripsit. Apud gentiles vero primus Dares Phrygius de Graecis et Trojanis historian edidit, quam in foliis palmarum ab eo conscriptam esse ferunt. Post Daretem autem in Graecia Herodotus historiam primus habitus est... ». *Ibid.*, I, 44; *infra*, note 216.

53. Cf. Eusèbe de Césarée, *Histoire ecclésiastique*, introduction à l'éd. G. Bardy (*Sources chrétiennes*, 31), Paris, 1952, p. 3-29.

54. Aulu-Gelle, *Les Nuits attiques*, V, 18; aussi Cicéron, *De oratore*, II, 12, et Quintilien, *Institutiones oratoriae*, X, 2, 7 parlent des annales comme d'une forme d'historiographie assez primitive : simple liste de dates et de noms, confiée aux prêtres. Aussi Flavius Josèphe, *Contre Apion*, II, 21. Voir Shotwell, *A History of History*, p. 272 ss.; H. Preller, *Geschichte der Historiographie*, Aalen, Scientia Verlag, t. I, p. 110 ss.; M. R. P. McGuire, *Annals and Chronicles*, dans *New Catholic Encyclopedia*, I, 551-57.

55. Cf. R. Poole, *Chronicles and Annals. A Brief Outline of Their Origin and Growth*, Oxford, 1926.

que les annales latines du moyen âge sont des créations très anciennes, peu à peu transformées par les chrétiens pour les besoins de la liturgie et de l'information.

Contrairement à l'historien, l'annaliste semble n'avoir prévu ni plan, ni division en livres et chapitres; il écrit à mesure, ou dicte, année après année. Il continue souvent une oeuvre déjà commencée [56]; dans la plupart des cas cette oeuvre est anonyme et sort des milieux de prestige, comme les évêchés, les monastères, les cours : annales royales au temps de Charlemagne; annales épiscopales anglo-saxonnes, annales allemandes du XIe siècle. Les plus nombreuses encore sont les annales monastiques.

Ouvrons au hasard les *Annales hildesheimenses* aux années 985-989; c'est à la fois précis et rudimentaire :

985.   Osdagus, vir summae caritatis ac castitatis, in sancta religione probatus, cum magno consensu cleri ac plebis ad pontificalem honorem promotus est. Et eodem anno Saxones Sclaviam invaserunt, quibus ad supplementum Misaco cum magno exercitu venit : qui totam terram illam incendiis et caedibus multis devastaverunt.
968.   Otto rex adhuc puerulus cum magno exercitu Saxonum venit in Sclaviam, ibique venit ad eum Misaco cum multitudine nimia, obtulitque ei unum camelum et alia

---

56. V.g. *Annales Prioratus de Wigornia* : « Nec mirandum, si liber annuatim augmentatur, ac per hoc a diversis compositus, in alicujus forte manus inciderit, qui proloquens fecerit barbarismum. Vestri itaque studii erit, ut in libro jugiter scedula dependeat, in qua cum plumbo notentur obitus illustrium virorum et aliquod de regni statu memoriale, cum audiri contigerit. In fine vero anni non quicumque voluerit, sed cui injunctum fuerit, quod verius et melius censuerit ad posteritatis notitiam transmittendum in corpore libri succincta brevitate describat; et tunc veteri scedula subtracta, nova imponatur ». Éd. LUARD, dans *RS*, 36, 4 (1869), p. 355. À partir de notes rapides jetées sur tablettes, un moine vient préciser le calendrier liturgique et identifier *breviter et succincte* les dates acquises. L'annale monastique est une oeuvre collective, fort variée, qui mériterait une étude exhaustive.

xenia multa, et se ipsum etiam subdidit potestati illius ; qui
simul pergentes, devastaverunt totam terram illam incendiis
et depopulationibus multis.
987.   Iterum Saxones Sclaviam vastant. Unde illi compulsi,
regis ditioni se subdunt, et castella juxta Albiam restauran-
tur. Aque quoque exundabant ; nihilominus et ventus plura
edificia stravit.
988.   Aestatis fervor nimius ac repentinus Id. Julii usque
Id. Augusti inmanissime exardescens fruges absumpsit. Rex
in Engilenheim pascha celebravit.
989.   Theophanu imperatrix, mater regis, Romam perrexit,
ibique natalem Domini celebravit, et omnem regionem regi
subdidit. Et eodem anno Osdagus episcopus obiit [57].

Que dire de la *chronique* [58] ? Elle aussi est une
codification de faits et de dates. Dans sa forme mé-

---

57. Éd. PERTZ-KURZE, dans *SRG in usum...*, 1891, p. 24-25.

58. *Etymologiae*, V, 28 : « Chronica Graece dicitur quae Latine
temporum series appellatur, qualem apud Graecos Eusebius Caesariensis episcopus edidit, et Hieronymus presbyter in Latinam linguam
revertit. *Chronos* enim Graece, Latine tempus interpretatur ». Plus tard
ROLAND DE PADOUE (*Chronica...*, prol., dans *RIS*, 8, 1, p. 71) expliquera
encore à partir des mêmes étymologies comment s'opère le travail
du chroniqueur. Ou encore, ouvrons au hasard une chronique dite
universelle (XIIe siècle). À chaque date se greffent les faits notoires
et ce sont les *grands* encore qui attirent davantage l'attention :
1100.   Guicbertus et Urbanus, qui de papatu Romano contendebant,
        moriendo finem faciunt suae contentionis.
        Raginerus, qui et Pascalis, Romanae aecclesiae 158us presidet.
        Guilelmus rex Anglorum moritur, eique succedit in regno
        frater ejus Heinricus.
        Godefridus dux Lothariensium et princeps Hierosolimitanorum
        moritur.
        Balduinus frater ejus in principatu ei succedit.
1101.   Conradus filius Heinrici imperatoris adhuc patri rebellis, in
        Italia moritur.
        Heinricus imperator Heinricum Lemburgensem adversantem
        sibi debellat, et expugnatis ejus castellis, eum ad deditionem
        cogit. Sed imperator ei multa summa gratiam suam redimenti,
        etiam ducatum Lotharingiae donat.
1102.   Rotberto Flandrensium comite inquietante urbem Cameracum,
        Heinricus imperator contra eum proficiscitur; et aliquibus ejus
        castellis expugnatis, asperitate instantis hiemis redire compel-
        litur. *MGH-SS*, 6, p. 368.
Les mêmes procédés continuent jusqu'à la fin du moyen âge. De ce
point de vue il serait intéressant de comparer par exemple les chroniques

diévale on la distingue mal de l'annale; elle tend à
se faire universelle à partir d'une première date
généralement admise et empruntée au calendrier
officiel civil ou ecclésiastique. Cette date présumée
est en principe celle de la naissance d'Adam, ou
encore celle de l'incarnation du Christ. Le chroniqueur confirme par faits et récits juxtaposés le
calendrier des temps. Qu'il l'appelle *chronicon, cro-
nicon, cronica* ou *chronica, chronographia* ou *imagines historiarum brevissimaeque commemorationes
temporum* [59], son oeuvre est une *descriptio temporum* surtout conçue pour informer le lecteur de ce
que nous appellerions aujourd'hui la continuité historique et les rythmes de longue durée.

On sait la suite. Les « brèves » chroniques sont
devenues peu à peu d'immenses oeuvres, v.g. les
chroniques de Saint-Denis, celles de Saint-Albans [60],
le *Polychronicon* d'un Ranulphe de Higden [61]. De
simple *assertor* de dates qu'il était, le chronologue
est devenu sous la pression des besoins et de l'information, un *recitator,* un *expositor,* voire un *auctor* [62].
Ni Eusèbe, ni Jérôme n'avaient prévu des héritiers

---

de Sulpice Sévère, Sigebert de Gembloux et Enguerrand de Monstrelet
(† 1453); la continuité méthodologique est évidente, même si le contenu
et le style sont fort différents. Si possible, à chaque date ses faits.
Cf. *Chronicon Montis Sereni,* début, dans *MGH-SS,* 23, p. 139.

59. Cassiodore, *Institutiones...* 1, 17, 2, éd. Mynors, p. 56; pseudo-
Frédégaire, *Chronicarum..., prol.,* éd. B. Krusch, *MGH-Script. rer.
mer.,* II, p. 123. Voir T. F. Tout, *The Study of Mediaeval Chronicles,*
dans *The Collected Papers of T. F. Tout,* III, Manchester, 1934,
p. 1-25. L'influence de la chronique s'est fait sentir jusqu'en Orient
d'où elle peut être venue ainsi que les annales dont on cherche trop
souvent les origines en Occident.

60. Voir V. H. Galbraith, *Roger Wendover and Matthew Paris,*
Glasgow University, Publications, 1944.

61. Cf. John Taylor, *The Universal Chronicle of Ranulf Higden,*
Oxford, 1966.

62. « Auctor ab augendo dicitur eo quod stilo suo rerum gesta vel
priorum dicta vel dogmata adaugeat ». *Dialogus super auctores,* éd.
Huygens (Coll. *Latomus,* XVII), Bruxelles, 1955, p. 17.

aussi loquaces que Fréculphe de Lisieux († 843),
Réginon de Prüm († 906/8), Marien Scot († 1082), Sigebert de Gembloux († 1112) et surtout
Vincent de Beauvais († 1264). Il faut relire les
propos de Fréculphe de Lisieux et de Réginon de
Prüm pour deviner un peu comment l'évolution
s'est faite. Helisachar, précepteur de Fréculphe, demande à son disciple de bien vouloir colliger la
suite des événements à partir des histoires anciennes,
sans oublier l'hagiographie. Fréculphe choisit aussitôt
un certain nombre de faits qu'il encadre dans le
schème biblique des six âges de l'histoire. Tout est
sur tablettes. Puis, il dicte et soumet le tout — une
chronique universelle — à son maître :

> ... tu m'as ordonné de voir à colliger brièvement et claire-
> ment tout ce qui regarde la vérité historique depuis la
> création du premier homme jusqu'à la nativité du Christ,
> en prenant soin de faire d'attentives recherches dans les
> livres des anciens, des hagiographes et même chez les écri-
> vains gentils. Tu m'as en outre ordonné de faire connaître
> avec plus de diligence encore et de la même façon tout ce
> que les écrivains, gentils et autres, ont pensé du premier
> âge, avant le grand cataclysme, du second âge qui va du
> déluge jusqu'à la naissance d'Abraham et jusqu'à Ninus,
> roi des Assyriens [63].

Reginon de Prüm travaille un peu de la même
manière, mais sans précepteur. Ses récits grossissent
à mesure qu'il retrouve son époque. Les indications
des sources sont plus nombreuses. Le voilà, par

---

63. « ...Jussisti ut perscrutando diligenter volumina antiquorum seu
hagiographorum, sive etiam gentilium scriptorum, quaecumque pertinent
ad historiae veritatem, breviter ac lucide colligere desudarem, a condi-
tione quidem primi hominis usque ad Christi nativitatem Domini : eo
scilicet modo, ut quidquid de primo saeculo quod ante generalem
fuerat cataclysmum, sive de secundo quod fuit post diluvium usque ad
nativitatem Abraham, et regis Assyriorum Nini regnum, nostri sive
gentiles senserunt scriptores, pandere diligentius curarem ». *Chronicorum tomi duo*, I, *praefatio*, dans *PL*, 106, 917 ss.; sur Helisachar et
l'histoire de ce texte, Lina MALBOS, *L'annaliste royal sous Louis le
Pieux*, dans *Le moyen âge*, 72 (1966), p. 225-233.

exemple, en train de raconter les événements de l'an 818 :

Du zèle d'un impuissant dépend donc la description de ce qui va suivre, soit que j'écrive d'après ce que j'ai trouvé annoté dans les livres des chroniques, ou d'après ce que j'ai pu m'assurer par le récit des anciens. J'en ai dit peu sur le temps de l'empereur Louis, parce que je n'ai trouvé aucun écrit sur lui et parce que je n'ai entendu dire rien digne de mémoire de la part des vieillards. J'ai raconté, cependant, plusieurs faits sur l'empereur Lothaire et sur ses frères, rois des Francs : et quand j'ai touché à notre époque, j'ai élargi la suite de mes récits [64].

De tous les genres historiques de l'époque, la chronique est sûrement le plus répandu. Doit-elle ce privilège à l'autorité de saint Jérôme et de son maître grec, Eusèbe de Césarée ? Faut-il même poser la question, puisque déjà au temps de Fréculphe de Lisieux, il est difficile de distinguer entre la codification d'une annale, d'une chronique, et d'une histoire ? Quelle différence y a-t-il entre les dernières tranches des annales de Saint Bertin, la chronique d'un Adon de Vienne et l'*Historia anglorum* d'un Henri de Huntingdon, du point de vue des genres littéraires, cela s'entend ? Gervais de Canterbury nous invite à la prudence du jugement pratique tout en reconnaissant l'acquis théorique du passé :

Le rôle de l'historien est de poursuivre la vérité, de charmer les auditeurs et lecteurs par un discours doux et élégant, de les instruire véridiquement sur les actes, la vie et les moeurs de ceux dont il parle, et de ne rien inclure qui ne soit relié à l'histoire comme telle. Le chroniqueur codifie les années de l'Incarnation, les mois des années et les kalendes ; il

---

64. « ...Caetera quae sequuntur, meae parvitatis studio descripta sunt, prout in chronicorum libris adnotata inveni, aut ex relatione patrum auditu percipere potui. Et de Ludowici quidem imperatoris temporibus perpauca litteris comprehendi, quia nec scripta reperi, nec a senioribus, quae digna essent memoriae commendanda, audivi; de Hlotharii vero imperatoris et fratrum ejus, regum Francorum, gestis plura descripsi... » *Chronicon* (avant 818), éd. Pertz, dans *MGH-SS,* I, p. 507-508.

indique brièvement les événements et les actes des rois et des princes qu'appellent les dates, et note les miracles et les prodiges. Il en est beaucoup cependant qui tout en écrivant chroniques et annales, dépassent les frontières, élargissent leurs phylactères et se délectent à garnir les franges. Tout en désirant compiler une chronique, ils agissent à la manière des historiens ; au lieu d'écrire dans un style humble et bref, ils tendent à diluer et usent de mots ampoulés [65].

En même temps que s'écrivent les histoires, les annales et les chroniques, apparaissent, comme à toutes les époques d'écriture, ce qu'on pourrait appeler les *genres secondaires* de l'historiographie : abrégés, épitomés, florilèges, compilations de toute sorte, qui correspondent aux traditionnels *diarii, ephemerides, calendarii* et *commentaria,* pratiquement oubliés, sauf les *diarii* qui apparaîtront à la fin du moyen âge [66].

La méthode des abrégés et des autres compilations [67] est celle de tous les florilèges : l'utile passe

---

65. « ...Proprium est historici veritati intendere, audientes vel legentes dulci sermone et eleganti demulcere, actus, mores vitamque ipsius quam describit veraciter edocere, nichilque aliud comprehendere nisi quod historiae de ratione videtur competere. Cronicus autem annos Incarnationis Domini annorumque menses computat et kalendas, actus etiam regum et principum quae in ipsis eveniunt breviter edocet, eventus etiam, portenta vel miracula commemorat. Sunt autem plurimi qui, cronicas vel annales scribentes, limites suos excedunt, nam philacteria sua dilatare et fimbrias magnificare delectant. Dum enim cronicam compilare cupiunt, historici more incedunt, et quod breviter sermoneque humili de modo scribendi dicere debuerant, verbis ampullosis aggravare conantur ». *Chronica,* prol., éd. STUBBS, dans *RS,* 73, 1 (1879), p. 87-88. Allusion à l'*Art poétique* d'HORACE (v. 98) et VIRGILE, *Églogues,* I, 2. Même la grande oeuvre d'OTHON DE FREISING s'appelle *Historia sive chronica* (avec les remarques de l'éditeur HOFMEISTER, dans *SRG in usum...,* x-xii).

66. *Supra,* p. 34, note 50.

67. ISIDORE DE SÉVILLE (*Etymologiae,* I, 41) définit les florilèges comme une *series autem dicta per translationem a sertis florum invicem comprehensarum.* On aura une bonne idée de tout ce travail de récapitulation et d'addition en lisant le prologue de la *Chronique* de ROBERT DE TORIGNY, éd. HOWLETT, dans *RS,* 82, 4 (1889), p. 61-65. Ce dernier se décide d'ajouter à ce que dit Sigebert sur les Bretons, les Anglais et les

avant l'agréable. *Compilavi... Deflorabo... Omnia de pluribus [historiis] aggregata et diuturnis laboribus de multis voluminibus exflorata... Antiquis historiologis velut apis a diversis floribus mel colligens, aggregavi... Exercimus... Collegimus... Congessi...*

Goût du savoir, influence des scolastiques, besoins du public, quoi qu'il en soit, le moyen âge s'est vite tourné vers l'histoire universelle [68]. Au début ce furent les tentatives assez gauches d'Orose (*fl.* 418), de Sulpice Sévère († 420/5), de Haymon (VIIIe s.), de Fréculphe de Lisieux et de Réginon de Prüm. Les vraies *summae* de faits apparaissent avec le *Speculum historiale* de Vincent de Beauvais, les *Flores temporum,* le *Polychronicon* d'un Ranulphe de Higden. Et combien d'autres ! La méthode est simple : compiler les faits et les dates, *ab Adam* jusqu'à la dernière date connue; accumuler, ranger par extraits, noms, listes, dits et récits. Aucune limite n'apparaît à l'intérieur de ce vaste cadre chronologique biblique ouvert à tout événement et solidaire d'un passé qui fait l'unanimité. Ces vastes synthèses, colossales comme les cathédrales de leur temps, disposées parfois sur deux colonnes pour que le lecteur s'y retrouve bien et vite, sont des oeuvres importantes pour connaître les préférences d'une époque. Dès le IXe siècle, Fréculphe explique ainsi l'intention qui s'ensuit :

Afin que l'on puisse toujours retrouver pour chaque époque ce qui s'est passé, tu m'as ordonné de montrer quand et

---

Normands, mais aussitôt il excuse sa première source : « De ducibus Normannorum nihil aut parum dicit. Non tamen hoc fecit negligenter, sed quia carebat his tribus historiis » (p. 63). Voir aussi ORDERIC VITAL, *Historia ecclesiastica,* I, 22, t. 1, p. 94-95; HUGUES DE FLEURY, *Liber... regum francorum,* prologue, dans *PL,* 163, 875, sur la méthode du compendium; GODEFROID DE VITERBE, *Speculum regum,* début, dans *MGH-SS,* 22, p. 21; *Memoria saeculorum,* début, p. 95.

68. Cf. J. DE GHELLINCK, *L'essor de la littérature latine au XIIe siècle,* Paris, 1946, t. 2, p. 89-163.

où les faits se sont produits, quels sont ceux qui dans les royaumes les plus célèbres, les ont accomplis, qui étaient alors à la tête du peuple de Dieu. En ce qui regarde la période de la destruction du temple de Jérusalem jusqu'à la nativité de Notre-Seigneur Jésus-Christ, tu m'as instigué à colliger sommairement, avec ordre, ce qui est arrivé au peuple Juif, étant donné la confusion que semblent avoir créée les calamités qu'il a subies [69].

Chaque royaume, chaque roi, qu'il soit mède, perse, grec ou romain, est situé par rapport à l'histoire du peuple hébreu qui sert de point de repère à tout ce qui arrive. Il est important surtout de ne pas perdre de vue la suite des temps. Tel grand amateur de résumés et de versification historique au XIIe siècle, Godefroid de Viterbe, considère tout ce travail de compilation un peu comme la *mémoire des siècles* [70]. Le moyen âge y tiendra jusqu'à la fin. Encore au XVe siècle, un Matteo Palmieri († 1475) explique le même processus fondamental qui est de récupérer et de visualiser la suite des temps depuis toujours, c'est-à-dire depuis Adam, à l'usage d'un public soucieux de ses origines même les plus lointaines :

Je remonterai jusqu'à Adam et jusqu'au commencement du monde et continuerai très brièvement jusqu'à la naissance du Christ ; non pas que je veuille raconter certains faits de l'époque quand déjà ils ont été soigneusement dits par des hommes plus célèbres; mais c'est pour faire en

---

69. « ..Ut quaeque immortaliter per singula frequentatur tempora, quando vel ubi fuerint, qui tunc etiam impetraverint in eminentioribus regnis, vel qui populo Dei praefuerint, ostenderem. Insuper a destructione templi Hierosolymitani usque ad Domini nativitatem Christi, quaeque in populo gesta sunt Judaeorum, quoniam confusa propter calamitates quae eis acciderunt esse videntur, ordinando summatim colligere instigasti ». *Chronicarum tomi duo*, I, *praefatio*, dans *PL*, 106, 918.

70. Cf. *Memoria saeculorum*, prol., éd. Pertz, dans *MGH-SS*, 22, (1872), p. 95 : « Ad hec omnium regum et regnorum et imperatorum tempora et etates, annos et nomina et principalia gesta eorum ab initio mundi usque ad nostra tempora, in quantum ratio patitur et expedire videtur, memoriam compendiosam apposuimus... »

sorte que mis devant nos yeux ils soient aussitôt identifiés et que le lecteur de cet opuscule n'ignore pas ensuite la date de la naissance du Christ et que le chrétien sache quand a commencé le salut et les années qui s'écoulent. Je noterai brièvement aussi ce qui m'a semblé digne de mémoire à chaque année, quand il le fallait, depuis la naissance du Christ jusqu'à notre époque. De plus, j'indiquerai les débuts des souverains pontifes, des empereurs, des Césars et de leurs successeurs; de même pour les autres rois : quand, comment et sur quels sujets ils ont régné; à quelle époque aussi ont vécu les hommes qui se sont illustrés par leur vie ou par leur science [71].

C'est pour obéir aux critères du moyen âge lui-même, que nous n'incluons pas formellement les *Vitae* dans la présente initiation [72]. Ni les grammairiens, ni les rhéteurs, ni Isidore de Séville ne l'auraient fait. La biographie n'est pas l'historiographie; elle a ses lois propres et la liberté du biographe fait

---

71. *Liber de temporibus*, préf., éd. G. SCAMARELLA, 1, dans *RIS*, XXVI, 1, p. 5-6 : « Sumam itaque tempora ab Adam atque mundi principio illaque sub genere summa brevitate complectens usque ad Jesu Christi nativitatem praecurram; non ut aliquas illorum temporum res gestas scribam, cum ab illustrioribus historicis ita diligenter scriptae sint, ut quasi ante oculos positae dignoscantur, sed ne ignoret hujus opusculi lector, quo mundi anno natus sit Christus, a quo Christiani suae salutis initium et suorum temporum annos denumerant. A Christi vero nativitate usque ad nostram aetatem, quae secuta sunt tempora per singulos prosequar annos, unicuique anni si quid memoria dignum gestum erit breviter adscribens. Initium praeterea ponam summorum pontificum, ac etiam imperatorum et Caesarum, et successiones eorum; nec non aliorum regum quibus gentibus et quando quantoque regnaverint; quando quaedam fuerint conditae urbes; et quibus aetatibus vita vel scientia vel gesti viri illustres extiterint ».

72. La tradition biographique illustrée par Plutarque et Suétone est, comme Cicéron (*De oratore*, II, 46) le laisse entendre, d'un tout autre « style ». Déjà GRÉGOIRE DE TOURS (*Historiarum libri X*, X, 31) distingue nettement entre son oeuvre d'historien et son oeuvre de biographe. ORDERIC VITAL aussi, dans *Historia ecclesiastica*, 8 (1090), éd. LE PROVOST et L. DELISLE, t. III, p. 327; MATTHIEU PARIS, dans *Chronica*, II, 2, éd. STUBBS, p. 205. Les *Gesta* sont chroniques ou biographies selon l'intention de l'auteur. Voir *Latin Biography*, éd. T. A. DOREY, London, [1967], ch. 6-7, p. 139-176, au sujet de Guillaume de Poitiers et Guillaume de Malmesbury; autres pages suggestives de R. W. SOUTHERN, *Saint Anselm and his Biographer*, Cambridge, 1963, p. 320-328.

penser plutôt à celle du poète, tandis que l'historien, lui, s'en tient à *ce qui est arrivé* [73]. Les genres et les textes s'entrecroisent et s'influencent souvent. On le voit bien en étudiant le dossier des *Gesta regum* et des *Gesta episcoporum* alors que le matériau des *Vitae* est absorbé dans les schémas de l'histoire traditionnelle. L'historiographe ayant *sa* vocation particulière, rien ne l'empêche d'autre part, et ainsi que tour à tour Eusèbe, Sulpice Sévère et Grégoire de Tours, de se faire aussi bien biographe et hagiographe qu'historien.

LES SOURCES. —

Trois sources alimentent l'historien : ce qu'il a vu, ce qu'il a entendu et ce qu'il a lu [74]. Il n'est

---

73. Pour les mêmes raisons, nous écartons de notre enquête l'autobiographie (voir G. MISCH, *Geschichte der Autobiographie*, vols. II-IV, Frankfurt, 1955 ss.) qui épouse davantage les critères de la biographie que ceux de l'histoire.

74. V.g. BÈDE, *Hist. eccl.*, V, 24, éd. PLUMMER, 1896, I, p. 356-7 : « Haec de historia ecclesiastica Brittaniarum et maxime gentis anglorum, ex litteris antiquorum, vel ex traditione majorum, vel mea ipse cognitione scire potui »; *Chronicarum quae dicuntur Fredegarii Scholastici*, prologue; ÉGINHARD, *Vita Caroli*, début; REGINON DE PRÜM, *Chronique*, avant 818; LIUTPRAND DE CRÉMONE, *Antapodosis*, I, 1; RICHER, *Hist. de France*, prologue; ORDERIC VITAL, *Hist. eccl.*, VI, 3; BERTHOLD, Liber *de constructione monasterii Zwivildensis*, début, *MGH-SS*, t. 10, p. 97 : « ...fratres et filii tradimus vobis quod et accepimus et patres nostri annuntiaverunt nobis, imo quod vidimus et audivimus et manus nostrae tractaverunt »; SIMON DE DURHAM, *Hist. Dunelmensis ecclesiae*, I, 1, éd. ARNOLD, dans *RS*, 75, 1 (1882), p. 19 : « ...nonnulla etiam quae defectu scriptorum litteris non fuerant tradita, seniorum autem veracium relatione, qui ea vel viderant vel a patribus suis viris religiosis fide dignissimis qui interfuere saepius audierant, ad nostram notitiam pervenerunt, vel quae et nos ipsi vidimus, his quae ex aliorum scriptis collecta sunt adjungenda credimus »; GUILLAUME DE TYR, *Historia rerum...*, XVI, préf., dans *PL*, 201, 639 : « Quae autem sequuntur deinceps, partim nos ipsi fide conspeximus oculata, partim eorum, qui rebus gestis praesentes interfuerunt, fida nobis patuit relatione. Unde gemino freti adminiculo, ea quae restant, auctore Domino, facilius fideliusque posterorum mandabimus lectioni ».

pas sans signification que les anciens aient d'*abord* été témoins oculaires [75]. Cette primauté et du témoin oculaire et de la tradition orale sur l'écrit, le moyen âge la porte en lui sans toujours s'en rendre compte. Les mises au point de Flavius Josèphe vont de soi :

Les anciens sans exception, se sont attachés à écrire l'histoire de leur propre temps, alors que la connaissance directe qu'ils avaient des événements donnait à leur récit la clarté de la vie, alors qu'ils savaient qu'ils se déshonoreraient en altérant la vérité devant un public bien informé [76].

Bien plus. L'étymologie du mot *historia* accorde une priorité de principe au témoin oculaire [77]. Othon

---

75. Cf. *Thesaurus linguae latinae,* au mot *historia.* FLAVIUS JOSÈPHE, *Contre Apion,* I, 8 : « ...puisque de nos jours encore on voit des auteurs oser raconter les événements sans y avoir assisté en personne et sans s'être donné la peine d'interroger ceux qui les connaissent ». Ce texte est cité par OTHON DE FREISING au début du troisième livre de ses *Gesta Frederici I,* p. 168. Surtout ISIDORE DE SÉVILLE, *Etymologiae,* I, 41, répété tant et plus jusqu'à CONRAD D'HIRSAU, *Dialogus super auctores,* éd. HUYGENS, 1955, p. 17 : « Historia est res visa, res gesta; historia enim grece latine visio dicitur, unde historiografus rei vise scriptor dicitur »; VINCENT DE BEAUVAIS, *Spec. doctrinale,* III, 127. — On se souviendra que Thucydide fut militaire et stratège; Xénophon fut chef d'expédition et Polybe a été activement mêlé à la vie politique et guerrière de son milieu. Flavius Josèphe fut un temps général. Chez les Latins, où il y eut davantage de rhéteurs, César, Salluste, Tacite et Suétone, furent aussi militaires et hommes publiques. Ammien Marcellin servit longtemps dans les armées romaines.

76. *Guerre juive,* préface, 2; aussi 1 et 5.

77. On serait surpris du nombre d'historiens qui ont écrit parce que témoins oculaires, v.g. l'auteur de l'hist. du siège de Paris (885-6), Foucher de Chartres, Guillaume le Breton, Villehardouin, Joinville, etc. La remarque de GUILLAUME DE TYR est importante (*Hist. rerum...,* lib. XVI, préf., dans *PL,* t. 201, col. 639) : « Quae de praesenti hactenus contexuimus Historia, aliorum tantum quibus prisci temporis plenior adhuc famulabatur memoria, collegimus relatione; unde cum majore difficultate, quasi aliena mendicantes suffragia, et rei veritatem, et gestorum seriem, et annorum numerum sumus consecuti : licet fideli, quantum potuimus, haec eadem recitatione, scripto mandavimus... ». « ...quia interfui, integram rerum veritatem posteris non negabo », disait G. DE MALMESBURY au sujet du grand concile de Winchester, le 4 avril 1141; cf. *Hist. novella,* III, 492, dans *RS,* 90, 2 (1889), p. 574.

de Freising transcrit, au début de ses *Gesta Frederici primi,* ce qui se dit à l'école des grammairiens depuis toujours :

C'est en effet la coutume des anciens que les narrateurs de faits soient ceux qui les ont vécus eux-mêmes. *Histoire,* vient de *hysteron,* qui, en grec, signifie *voir.* On peut raconter des choses vues et rapporter des mots entendus d'autant plus intégralement qu'on ne recherche les faveurs de personne et que dans la recherche du vrai on ne se laisse pas aller soit à l'anxiété d'un doute, ou au doute de l'anxiété. Il est plutôt pénible à un écrivain de laisser sa propre expérience pour s'en remettre au jugement d'un autre [78].

« Les choses que nous connaissons davantage, — celles qu'on a soi-même vues — nous les décrivons mieux ». L'évangéliste Jean confirme : « celui qui a vu rend témoignage et son témoignage est véridique ». Voilà de quoi convaincre les plus hésitants [79].

L'histoire des temps actuels demeure toujours plus profondément gravée dans la mémoire, et ce qui pénètre dans l'esprit par le témoignage des yeux est bien moins sujet à l'oubli que ce qu'on apprend que par ouï-dire [80].

---

78. *Gesta Frederici primi,* II, 41, éd. WAITZ, 1912, dans *SRG in usum...,* p. 150 : « Nam antiquorum mos fuisse traditur, ut illi, qui res ipsas prout gestae fuerunt sensibus perceperant, earumdem scriptores existerent. Unde et historia ab *hysteron,* quod in Greco *videre* sonat, appellari consuevit. Tanto enim quisque ea quae vidit et audivit plenius edicere poterit, quanto nullius gratia egens hac illacque ad inquisitionem veritatis non circumfertur dubie anxius et anxie dubius. Durum siquidem est scriptoris animum tanquam proprii extorrem examinis ad alienum pendere arbitrium ». Voir note 75.

79. JÉRÔME, *Apologia adversus libros Rufini,* II, 25, dans *PL,* 23, 449; REGINON DE PRÜM, *Chronicon* (avant 818), éd. PERTZ, dans *MGH-SS,* I (1826), p. 566-7; GIRAUD LE CAMBRIEN, *De Vita Galfridi,* 2, 8, dans *RS,* 21, 4, p. 403; voir *Etymologiae,* I, 42, cf. *Jean,* XIX, 35; XXI, 24; *1 Jean,* I, 1-2. Avec M. SCHULZ, *Die Lehre von der historischen Methode...,* p. 42-50.

80. GUILLAUME DE TYR, *Historia rerum...,* XVI, préface, dans *PL,* 201, 639 : « Nam et recentium temporum solidior solet occurrere memoria; et quae visus menti obtulit, non ita facile oblivionis sentiunt incommodum, sicut quae solo sunt auditu collecta ».

Pourquoi Guillaume de Tyr ne citerait-il pas aussi Horace, déjà cité par Guibert de Nogent, qui dit si bien ce qu'il faut dire ?

L'esprit est moins vivement touché de ce qui lui est transmis par l'oreille que des tableaux offerts au rapport fidèle des yeux et perçus sans intermédiaires par le spectateur [81].

Il est certainement plus facile de transmettre ce qu'on a vu soi-même. Eginhard, à propos de Charlemagne :

Je n'ai pourtant pas cru devoir renoncer à mon ouvrage, conscient que j'étais de pouvoir apporter plus de vérité que personne, puisque j'ai participé aux événements que je rappelle, que j'en ai été, comme on dit, le témoin oculaire [82].

Autant qu'Eginhard et, après lui, Nithard [83], Liutprand de Crémone se réjouit à son tour d'avoir ce que d'autres n'ont pas. « A cette époque, j'en étais arrivé grâce à la douceur de ma voix, à obtenir la faveur du roi Hugo. Celui-ci aimait en effet l'euphonie et aucun des enfants ne pouvait rivaliser en ce domaine » [84]. S'approcher des grands, les voir,

---

81. *Ars poetica*, 180-2, dans *PL*, 201, 639B : « Ut enim Flacci nostri utamur verbo, huic nostro consonante :
　　Segnius inritant animum, demissa per aurem,
　　quam quae sunt oculis subjecta fidelibus et quae
　　ipse sibi tradit spectator... ;
cf. *Gesta Dei per francos*, IV, 1, dans *PL*, 156, 729.

82. «... tamen ab hujuscemodi scriptione non existimavi temperandum, quando mihi conscius eram veracius quam me scribere posse, quibus ipse interfui quaeque praesens oculata, ut dicunt, fide cognovi et utrum ab alio scriberentur necne, liquido scire non potui ». *Vita Caroli*, préface, éd. HALPHEN, dans *CHFMA*, 1 (1947). p. 4.

83. NITHARD, *Histoire des fils de Louis le Pieux*, IV (842), éd. LAUER, dans *CHFMA*, 7 (1964), p. 116.

84. « Hactenus quae digesta sunt, sacerdos sanctissime, sicut a gravissimis, qui ea creverant, viris audivi, exposui; ceterum quae narranda sunt, ita ut qui interfuerim, explicabo. Ea siquidem tempestate tantus eram, quod regis Hugonis gratiam michi vocis dulcedine adquirebam. Is enim euphoniam adeo diligebat, in qua me coaequalium puerorum nemo vincere poterat ». *Antapodosis*, IV, 1, éd. J. BECKER, dans *SRG in usum...*, 1915, p. 104.

quel privilège : Quel honneur pour Raoul de Caen [85], lorsqu'à la vue de tous, les yeux du roi se sont dirigés vers lui. Aussi heureux ce Matthieu Paris qui se souviendra longtemps du temps où le roi l'invitait à sa table, et parfois même dans sa chambre à coucher. Un jour Henri III le fait monter jusque sur les gradins, tout près, et il lui dit ces mots inoubliables :

...Tu as vu toutes ces choses et tu as gravé profondément dans ton coeur ce que tu as vu. — Oui, Seigneur, et ce sont choses dignes d'être retenues. Voilà certes accomplie une glorieuse journée... — Je te supplie, continua le roi, je joins à mes supplications l'ordre d'écrire exactement et pleinement tout cela, d'insérer dans ton livre, d'une manière ineffaçable, les détails notoires de ce que tu as vu, afin que le souvenir ne s'en puisse perdre en aucune façon dans l'éloignement des temps à venir [86].

Les meilleurs récits de Grégoire de Tours, les premières relations des croisés, plusieurs grandes fresques de Joinville, de Froissart, sont pour la plupart ceux de témoins oculaires. Jusqu'à la fin on accordera une place de choix au visuel. Les *Mémoires,* les *Relations,* plusieurs *diarii* des XVe et XVIe siècles seront souvent les simples versions écrites des récits de témoins oculaires plus autorisés [87]. Voir c'est savoir.

---

85. Cf. *Gesta Tancredi, praefatio,* dans *PL,* 155, 492 : « ...Haec publice moventes, specialiter in me, nescio quo auspicio saepius visi sunt oculos retorquere, ac si innuerent; tibi loquimur, in te confidimus... ».

86. « Et dum rex, ut praelibatum est, sederet in sede sua regia, videns illum qui et haec scripsit, advocavit eum, et praecepit residere in gradu qui erat medius inter sedile suum et aream, dicens ei : « Vidistis haec omnia, et visa firmiter tuo cordi impressisti », et ille, « Etiam domine, quia dignum retineri, vere gloriosa dicta ideo hic peracta est »... « Supplico igitur et supplicando praecipio, ut te expresse et plenarie scribente haec omnia scripto notabili indelebiliter libro commendentur, ne horum memoria aliqua vetustate quomodolibet in posterum deleatur... ». *Chronica majora* (1247), éd. LUARD, dans *RS,* 57, 4 (1877), p. 644-5; le compagnon de table, *ibid.,* 5, p. 617. Cf. JEAN DE WINTERTHUR († ap. 1348), *Chronica, a. 1324,* dans *SRG, nova series,* III, p. 56, qui raconte le retour de Léopold d'Autriche.

87. Cf. E. FUETER, *Histoire de l'historiographie moderne,* trad. JEAN-

LA TRADITION ORALE. —

Malgré tout cela, Foucher de Chartres, Guibert de Nogent, Baudri de Bourgueil, Orderic Vital, Guillaume de Malmesbury, Giraud le Cambrien, Raoul Niger, par exemple, ont pour la plupart écrit l'historiographie des croisades sans être allés en Orient. Même le grand Guillaume de Tyr est forcé de raconter une grande partie de ses récits d'après des témoignages oraux. La première historiographie normande est faite de récits entendus. Des contemporains aussi talentueux que Guillaume de Jumièges et l'auteur de l'*Itinerarium peregrinorum et gesta Ricardi* en ont pris leur parti : on ne peut pas tout voir [88]. De Grégoire de Tours, et jusqu'à Villehardouin, Joinville, ou même Monstrelet, la tradition orale règne en maîtresse, tellement qu'on se demande si une interprétation du moyen âge est encore valable sans la connaissance des mécanismes de la transmission orale. La sensibilité instinctive des hommes de l'époque pour la parole entendue, veut que « la vraie loi en histoire soit de simplement écrire ce qu'on rapporte habituellement pour en instruire la postérité » [89]. Les historiens n'en finissent pas d'indiquer quelle est leur source préférée :

MAIRE, Paris, 1914, p. 292 ss. Texte important de OLIVIER DE LA MARCHE, *Mémoires*, I, 30 ss. sur le fait qu'il écrit *par veoir* et non par *ouyrdire*.

88. Cf. *Itinerarium... regis Ricardi, prologus*, dans *RS*, 38, t. 1, p. 4; GUILLAUME DE JUMIÈGES, *Historia northmannorum*, lettre du début, dans *PL*, 149, 779-80. Aussi l'ASTRONOME, *Vita Hludowici imperatoris*, prologue, éd. PERTZ, dans *MGH-SS*, 2 (1829), p. 607 : « Ce que j'ai écrit pour arriver jusqu'aux temps de l'empire, je l'ai appris du récit du très noble et très dévot moine Adhémar, qui vécut contemporain de ce prince, et fut élevé avec lui. Pour le temps qui suit, ayant assisté aux événements arrivés dans le palais, j'ai rapporté ici tout ce que j'ai vu ou pu apprendre ».

89. « ...vera lex historiae est, simpliciter ea, quae fama vulgante collegimus, ad instructionem posteritatis litteris mandare studuimus ». BÈDE, *Hist. eccl.*, début, éd. PLUMMER, 1906, t. I, p. 8. Cf. HENRI DE HUNTINGDON, *Historia anglorum*, IV, 14, dans *RS*, 74, p. 117 *(infra,*

Ut dicitur, ut fertur, ut referunt, ut ferunt, sicut a plerisque traditur; ex traditione majorum, ex traditione sanctorum, vel fama percipimus... vel ab his qui viderant audivimus... Ab auditoribus, relatu priscorum, relatione vulgari, fama vulgante percipimus, fabulosa relatione; relatu a senioribus, ... relatu a majoribus, ... relatu virorum probatorum, ... relatu a plurimis, ... relatu a probabilibus viris, ... relatu a tali viro, ... fideli innumerorum testium qui haec scire vel meminisse poterant adsertione cognovi... [90].

Faut-il en plus se justifier devant son entourage de raconter tout ce qui se dit, aussitôt l'historien rappelle à son lecteur que la Bible elle-même est remplie de traditions orales : la Genèse, le Deutéronome, le livre de Job, les Evangiles, les Actes des Apôtres. Sans compter tous les récits des Pères du Désert et les dialogues de Grégoire le Grand qui font autorité partout, surtout dans les monastères bénédictins, eux aussi vivant abondamment de récits entendus :

Moïse, cet homme très excellent, inspiré de Dieu, a rédigé ainsi le livre de la Genèse. Lui-même le dit (*Deut.*, 32, 17) : « *Interroge tes pères et ils te renseigneront, tes vieillards et ils te le diront* ». Et Job, (8, 8) : « *Interroge les générations passées, sois attentif à l'expérience des pères* ». Issu de la race d'Abraham, Moïse se souvient avant la naissance d'Abraham, que tout ce qui existe a été fait par Dieu. Marc aussi, disciple de Pierre et son fils dans le baptême, qui n'a

---

note 124); GERVAIS DE CANTERBURY, *Chronica*, prol.; *ibid.*; 73, t. 1, p. 87; FROISSART, *Chroniques*, prologue, etc. Avec M. SCHULZ, *Die Lehre von der historischen Methode*, p. 36 ss. Sur la *vox communis, fama celebris*, lire par exemple JEAN DE WINTERTHUR, *Chronica*, début dans *SRG, nova series*, III, p. 1. — Bien entendu, la priorité accordée à la tradition orale n'exclut pas les sources écrites : GUILLAUME DE MALMESBURY, *Gesta regum anglorum*, V, 445, dans *RS*, 90, 2, p. 518 : « Ego enim, veram legem secutus historiae, nihil unquam posui nisi quod a fidelibus relatoribus vel scriptoribus addici ».

90. Impossible de donner ici la liste complète de toutes les expressions utilisées pour désigner la tradition orale. Nous avons choisi parmi les auteurs comme GUIBERT DE NOGENT, *Gesta Dei per francos*, VIII, IX; GUILLAUME DE MALMESBURY, *Gesta regum anglorum*, II, 165 et 170; II, 200, 204 et 218; III, 263; IV, 332 et 346; ORDERIC VITAL, *Hist. ecc.*, VI, 8, XII; OTHON DE FREISING, *Chronica*, prol.; GUILLAUME DE TYR, *Hist. rerum...*, XVI, XIX et XX.

pas suivi physiquement le Seigneur et qui n'a vu aucun
de ses miracles, a cependant raconté l'Evangile sur le témoignage de Pierre. Luc, ministre de l'Apôtre Paul, imbu
de sa doctrine, a aussi ouvert de la même façon la source
de l'Evangile. Et bien d'autres encore ont écrit des livres
à partir de la tradition orale. On lit, en effet, dans les *Vies
des Pères :* « un vieillard m'a raconté », etc. Grégoire, évêque du siège de l'Eglise romaine, ne répète-t-il pas souvent
dans ses livres des *Dialogues :* « *tel ou tel me l'a raconté* »,
etc. ? Mais il s'en faut de loin que je puisse être comparé
à eux... [91].

L'un des témoins les plus vivants de la mémoire
populaire à l'époque est sûrement l'historien Orderic
Vital. Il est né en Angleterre, à Atcham sur la Se-
vern, d'un père normand et d'une mère saxonne;
dirigé dès son enfance vers le monastère bénédictin
de Saint-Evroul en Normandie, Orderic n'a jamais

---

91. « Moises etenim precelentissimus vir, inspirante Deo, Genesis
librum descripsit. Ipse enim ait : « Interroga patres tuos, et nunciabunt
tibi, seniores tuos, et dicent tibi ». Et Job : « Interroga generationes
pristinas, et diligenter investiga patrum memoria ». Extirpe enim Abrahe
Moyses desendit, et antequam Abraham nasceretur, tocius hujus mundi
fabrica a Deo facta fuisse memoratur. Marcus etian, Petri apostoli
discipulus et in batismate filius, non corporaliter Domini secutus fuit
vestigia, neque ulla miracula ab eo facta vidit, sed, Petro enarante,
evangelium, exarevit. Lucas vero, Pauli apostoli ministrator, inbutus ab
eo doctrina, evangelii aperuit fontem. Multi etenim alii exaudita rerum
volumina condiderunt, sicut in Vitas patrum legitur : « Naravit michi
quidam senex », et cetera. Nonne Gregorius, sedis romana Eclesie
antistes, in plurimis locis Librum diologorum retulit dicens : « Naravit
michi ille et ille homo », et reliqua ? Sed minime me fari possum
similem illis ». *Agnelli Liber Pontificalis*, prol., éd. RASPONI, dans *RIS*,
II, 3 (1922), p. 16-7. Voir aussi ERCHEMPERT, *Historia Longobardorum
Beneventanorum*, I. 1, éd. PERTZ et WAITZ, dans *MGH–Script. rerum
Long.*, 1878, p. 234-235, qui préférerait même la source orale au visuel :
GUIBERT DE NOGENT, *Gesta Dei per francos*, IV, 1, *infra*, note 99;
OTHON DE FREISING, *Gesta Frederici primi*, III, prol., éd. WAITZ, 1912,
p. 162. — GODEFROID DE VITERBE, *Memoria saeculorum*, début, éd. PERTZ,
dans *MGH-SS*, 22 (1872), 95 ss., voit déjà Adam en train de transmettre
ses connaissances à ses fils, et de Seth à Enoch, puis à Caïn... WIPO,
Gesta Chuonradi secundi, lettre au début, dans *SRG in usum...*, p. 4,
cite fort habilement le *Deutéronome*, XIX, 15 : «In ore duorum vel trium
stabit omne testimonium », et aussi le fait qu'il y a eu les évangélistes
qui n'ont fait que rapporter des propos oraux.

oublié; il se souvient fort bien que jadis on racontait...

Au milieu des affreuses tempêtes qui causèrent tant de maux du temps des Danois, les écrits des anciens périrent dans les incendies qui dévorèrent les églises et les habitations. Quelque insatiable qu'ait été la soif d'étude de la jeunesse, elle n'a pu recouvrer ces ouvrages [92].

Une fois de plus, la mémoire de l'homme aura sauvé la culture :

...Cependant, certains vieillards chargés d'années ont abondamment raconté à leurs enfants certaines choses qu'ils avaient vues et entendues, et que ceux-ci ont retenues fortement dans leur mémoire, et racontées à l'âge suivant. Ainsi, conservant la tradition des choses qui en sont dignes, ils les ont communiquées à leurs frères, excitant ainsi à l'amour du Créateur les coeurs endurcis, afin qu'ils ne soient pas damnés pour avoir enfoui le talent du serviteur paresseux. Dès lors, prêtez l'oreille aux récits que, dans mon enfance, j'ai longtemps entendus de mes anciens pères et célébrez avec moi, dans ses saints, un Dieu digne d'admiration [93].

L'isolement, l'analphabétisme, les dangers de guerre, l'incertitude des frontières, les mauvaises communications, la rareté des écrits, les longs voyages sur terre et sur mer, les retours d'expéditions, les séjours à l'hôtellerie, les veillées, la prédication populaire et jusqu'à la mémoire prodigieuse des hommes de l'époque, tout favorise la tradition orale

---

92. « In nimiis enim procellis, quae tempore Danorum enormiter furuerunt, antiquorum scripta cum basilicis et aedibus incendio deperierunt; quae fervida juniorum studia, quamvis insatiabiliter sitiant, recuperare nequeunt ». *Historia ecclesiastica*, VI, 8, éd. LE PROVOST et L. DELISLE, dans *SHF*, 3 (1845), p. 67 (trad. GUIZOT, t. 27, p. 56).

93. « ...Quaedam tamen annosi senes visa vel audita filiis ore facundo retulerunt, quae nihilominus et ipsi tenacis glutino memoriae retinuerunt, et sequenti aevo divulgaverunt. Digna itaque relatu serentes fratribus suis insinuant, per quae dura mortalium corda Creatoris ad amorem incitant, ne pro abscondito in terra talento cum torpenti servo damnationem incurrant. Igitur quae priscis a patribus jamdudum puer didici auscultate, et mirabilem Deum in sanctis suis mecum magnificate ». *Ibid.*, p. 68 (trad., p. 57).

au moyen âge. Chacun la reconnaît. Guibert de Nogent explique que l'idée des *Gesta Dei per francos* lui est même venue au moment où peu après la prise de Jérusalem en 1099 certains croisés en revenant du Proche-Orient se sont mis à la lui raconter [94].

Nous pourrions nous demander en plus quels sont les principaux *hérauts* de cette tradition à qui l'historiographie médiévale doit de si beaux récits. Le moyen âge croit d'instinct; il a quand même ses préférences : les hommes de bonnes moeurs et de bonne foi, les saints et les vieillards passent en premier [95]. Les *grands* en fonction, le pape, l'empereur, le roi, l'évêque, l'abbé, les seigneurs, les chevaliers,

---

94. Cf. *Gesta Dei per francos, praefatio*, dans *PL*, 156, 682.

95. V.g. BÈDE, *Historia ecclesiastica*, II, 2, où il se rapporte aux dires des plus âgés; *ibid.*, III, 16 : « Aliud ejusdem patris memorabile miraculum ferunt multi qui nosse potuerunt »; les « fideles » aussi : *ibid.*, III, 15 : « cujus ordinem miraculi nos quilibet dubius relator, sed fidelissimus mihi nostrae ecclesiae presbyter... » — GUIBERT DE NOGENT, *Gesta Dei per francos*, VIII, 9, dans *PL*, 156, 822; REGINON DE PRÜM, *Chronicon*, dans *MGH-SS*, 1, p. 566; GUILLAUME DE JUMIÈGES, *Historia northmannorum*, lettre à Guillaume, dans *PL*, 149, 779-80 : « ...Reliqua vero, quae partim relatu plurimorum ad corroborandum fidem aeque idoneorum annis et rerum experimentis, partim certissimo judice proprio visu didici; privatim mea dono... » — GUILLAUME DE TYR, *Historia rerum...*, VI, 7, dans *PL*, 201, 359; XII, 24, 544. — C'est la bonne foi, l'autorité de l'informateur qui force parfois GUILLAUME DE MALMESBURY à croire à un certain prodige (*Gesta regum anglorum*, II, 204; *ibid.*, 138, 208; III, 263). V.g. MATTHIEU PARIS, *Chronica majora* (1257), éd. LUARD, dans *RS*, 5, 57 (1872), p. 617 : « Et continuavit ibidem moram hebdomadalem, et cum esset cum ipso continue in mensa, in palatio, et in thalamo qui haec scripsit, direxit scribentis calamum satis diligenter et amicabiliter... » GUILLAUME DE NEWBURG, *Hist. rerum anglicarum* I, 27, dans *RS*, 82, t. 1, p. 82; ENGUERRAND DE MONSTRELET, *Chronique*, prol., éd. L. DOUET-D'ARCQ, dans *SHF*, 1 (1857), p. 2-3, où l'auteur explique comment depuis sa jeunesse il a prêté l'oreille à toutes les voix de la tradition orale et en particulier à ceux qui font l'histoire. — On consultera avec profit J. VANSINA, *De la tradition orale. Essai de méthode historique*, Tervuren, 1961, sur l'étude technique des mécanismes de la tradition orale en Afrique.

les maréchaux, certains nobles et jusqu'aux écuyers ont été entendus et transcrits. Personne n'est exclu.

Les lieux officiels de la tradition orale sont les puits, les portes des villes et des bourgs, le relais, l'hôtellerie du monastère où se retrouvent d'illustres pèlerins, voyageurs, vieux chevaliers, même des rois. Ce monastère de Prüm où l'historien Réginon écrit est le lieu où Lothaire vient mourir et où le fils de Lothaire II sera enfermé. A l'hôtellerie de l'abbaye vont et passent tous les moines en route et à l'oreille d'autant plus fine qu'elle a été habituée au silence des cloîtres. La cour du roi, les châteaux du voisinage et bientôt les chambres des dames, autant de lieux « choisis » pour converser et se raconter les faits les plus pittoresques.

Que ne se raconte-t-on pas ! Tout, de la naissance à la mort — et même après ! — peut être intéressant. La curiosité de ces gens est insatiable. On aime les visites et les voyages, les guerres et les faits du prince; ses défaites, ses victoires; les invasions, les trahisons, les conciles, les synodes. Le sujet par excellence, après les faits des grands et du roi en particulier, restera pendant longtemps les croisades. Quelles conversations autour de la prise de Jérusalem en 1099 et de sa perte en 1187 ! L'incertitude des croisés eux-mêmes, l'inquiétude des familles, la nouveauté des lieux et des moeurs, ne peuvent que susciter des récits parfois « merveilleux ». Des oeuvres entières, nous l'avons dit, sont basées sur des conversations et des récits déjà entendus. Guillaume de Tyr au Proche-Orient remué tout autant que Orderic Vital, isolé dans son monastère de Normandie, par tout ce qui se transmet de bouche en bouche [96], les voit encore en esprit, ces hommes promis

---

96. V.g. *Historia rerum...*, I, 16, dans *PL*, 201, 234-6; à 60 ans (il écrit après le 16 mars 1135), ORDERIC VITAL, fatigué, juge que la croisade

à Jérusalem qui échangent « événements » et dits
de toute sorte :

Pendant quelques jours, les chefs se divertirent à se raconter
les uns aux autres les divers événements de leurs voyages;
ils se rappelaient avec un certain plaisir toutes leurs fati-
gues, puis ils s'entretenaient chaque jour en détail de l'a-
venir et du but de leur entreprise, et cherchaient ensemble
les moyens les plus convenables de parvenir le plus promp-
tement possible à l'accomplissement de leurs desseins [97].

Plusieurs des croisés sont conscients qu'ils auront
à répondre des faits à leur retour. A propos d'A-
lexandrie qui est sur la route, Guillaume de Tyr se
souvient bien de les avoir vus, « empressés d'entrer
dans la ville tellement désirée, pour se promener
en toute liberté, visiter les rues, les ports, les rem-
parts, examinant avec soin toutes choses, afin de
pouvoir, de retour dans leurs foyers, faire de longs
récits à leurs compatriotes et réjouir le coeur de
leurs auditeurs par des relations intéressantes » [98].

Guibert de Nogent n'est même pas allé en Orient
et il ose écrire l'histoire de la première croisade. La
tradition orale a des droits acquis et indéniables :

Personne, je pense, ne serait en droit de se moquer de moi
à raison de ce que j'exécute en ce moment. Quoique je

---

mérite qu'il continue à écrire. *Historia ecclesiastica,* IX, 1, éd. LE
PROVOST et L. DELISLE, dans *SHF,* 3 (1845), p. 459-60 : « Integrum
opus peregrinationis almae aggredi timeo, arduam rem polliceri non
audeo; sed qualiter intactum tam nobile thema praeteream, nescio ».

97. *Historia rerum...,* II, 16, dans *PL,* 201, 266 : « ...Ubi cum diebus
singulis mutuis confabulationibus de variis rerum eventibus, qui singulis
eorum in itinere acciderant, se recrearent ad invicem; et labores suos
grata quadam revolverent memoria, ad id quod instabat novissime
recurrebat tractatus, ut diligentius inter se quaererent quando et quomodo ad operis coepti consummationem intenderent... ».

98. *Ibid.,* XIX, 30, 778 : « ...Nostri quoque, non segnius urbem
ingrediuntur optatam; et liberis discursibus, vias, portus, moenia lus-
trantes, diligenter videndo colligunt, unde ad propria reversi, suis
aliquando texere possint historias, et audientium animos gratis confabulationibus recreare... ».

n'aie pu aller moi-même à Jérusalem, ni connaître la plupart des personnages et tous les lieux dont il est ici question, l'utilité générale de mon travail ne saurait en être diminuée s'il est assuré d'autre part que j'ai appris les choses que j'ai écrites ou que j'écrirai encore, d'hommes dont le témoignage est parfaitement conforme à la vérité. Si l'on me reproche de n'avoir pas vu par moi-même, on ne saurait du moins me reprocher de n'avoir pas entendu, et je croirais qu'il vaut autant entendre que voir... [99].

Ne pourrait-il pas à son tour et comme fit Agnellus de Ravenne, citer les Ecritures, les évangélistes, les hagiographes, les Pères du Désert ?

...Qui ne sait que les historiographes et ceux qui ont publié les vies des saints, ont écrit non seulement ce qu'ils avaient pu voir, mais encore ce qu'ils avaient appris par les relations d'autrui ? Si l'homme véridique, comme dit saint Jean, rend témoignage de ce qu'il a vu et entendu, on ne saurait refuser d'admettre l'authenticité des récits d'un homme sincère à qui il n'a pas été donné de voir par lui-même [100].

Sources écrites. —

Voir et entendre ne suffisent pas. L'historien qui veut revenir quelque peu en arrière, surtout s'il entend remonter à Adam, c'est la coutume, devra nécessairement lire et s'inspirer de sources écrites [101].

---

99. *Gesta Dei per francos,* IV, introduction, dans *PL,* 156, 729 : « Nemo juste, ut aestimo, me id operis deridet agressum. Etsi enim neque Hierosolymam isse, et plerasque personas, loca nihilominus ipsa mihi hactenus contigerit non novisse, in nullo generali utilitati reor obesse, siquidem ea quae scripsi vel scripsero, a viris veritatis testimonio praeditis constat audisse. Si mihi plane id objicitur quia non viderim, id objici non potest quod non audierim, cum visui auditum quodammodo supparem profecto crediderim... ».

100. *Ibid.* : « Tamen quis historiographos, quis eos qui sanctorum Vitas edidere ambigat, non solum quae obtutibus, sed ea scripsisse quae aliorum hauserant intellecta relatibus ? Si namque verax, ut legitur quidam, et « quod vidit et audivit, hoc testatur » (*Joan.,* III, 32). authentica procul dubio vera dicentium narratio, ubi videre non suppetit, comprobatur... ».

101. Plusieurs textes ont été déjà étudiés par M. Schulz, dans *Die Lehre...,* p. 5 ss. — « Haec quae supra expressa sunt, in quodam libello

Lesquelles ? S'il ignore le grec [102], l'arabe [103] et s'il ne sait pas traduire [104], il s'en remettra nécessairement à des sources écrites, latines et vernaculaires. La première de ces sources, à tous égards première et irréfutable, est la Bible latinisée. *Sacra historia, divina historia, sacratissima historia, regina cunctarum historiarum* [105] ! Le Père de l'histoire n'est plus tellement Darès ou Thucydide, ni même Salluste ou Tite-Live; c'est Moïse dont les textes font partout

---

reperi, plebeio et rusticano sermone composita, quae ex parte ad latinam regulam correxi, quaedam etiam addidi, quae ex narratione seniorum audivi. Caetera quae sequuntur, meae parvitatis studio descripta sunt, pro ut in chronicorum libris adnotata inveni, aut ex relatione patrum auditu percipere potui. Et de Ludowici quidem imperatoris temporibus perpauca litteris comprehendi, quia nec scripta reperi, nec a senioribus, quae digna essent memoriae commendanda, audivi; de Hlotharii vero imperatoris et fratrum ejus, regum Francorum, gestis plura descripsi; ubi vero ad nostra tempora venturum est, latius sermonem narrationis protraxi... ». REGINON DE PRÜM, *Chronicon* (avant 818), éd. PERTZ, dans *MGH-SS*, I (1826), p. 566-567.

102. Des titres grecs comme *Chronicon, Antapodosis,* ne signifient pas nécessairement la connaissance directe de l'historiographie grecque. Justin (pour Trogue-Pompée), Jérôme et Rufin (pour Eusèbe), Orose pour tous, ont été les intermédiaires de l'historiographie grecque au moyen âge. OLIVIER DE LA MARCHE, *Mémoires,* I, 10, dans *SHF,* t. 1, p. 43, fait bien appel à Diodore de Sicile, il s'agit d'une version latine courante.

103. Cf. F. ROSENTHAL, *A History of Muslim Historiography,* Leiden, 1952, p. 71-2. Certains, Guillaume de Tyr, Jacques de Vitry, etc., connaissent les sources arabes. Par ailleurs, l'historiographie occidentale des croisades est avant tout latine d'écriture et d'interprétation. Rappelons la traduction d'Orose en arabe au Xe siècle.

104. V.g. BÈDE (D. P. KIRBY, *Bede's Native Sources for the Historia ecclesiastica,* dans *Bulletin of the John Rylands Library,* 48 (1966), p. 341-372), Florent de Worcester, et d'autres s'inspirent parfois de sources anglo-saxonnes. Alfred le Grand fait traduire Orose en anglo-saxon. Certains textes sont tôt traduits du latin au français, v.g. l'*Imago mundi* de HONORIUS D'AUTUN, l'*Historia regum francorum,* les chroniques de Saint-Denis.

105. JEAN DE FORDUN, *Chronica gentis scotorum,* II, 18, éd. W. F. SKENE, 1871, t. 1, p. 50. Cf. Paul TOMBEUR, *Les citations bibliques dans la chronique de Raoul de Saint-Trond,* dans *Latomus,* 20 (1961), p. 510-23.

autorité [106]. Dieu en personne les aurait inspirés et
même dictés [107]. Tout historien continue Moïse et
le confirme à sa manière [108]. L'importance démesu-
rée accordée à des oeuvres mineures comme l'*Historia adversus paganos* [109] au Vᵉ siècle, et plus tard au
XIIᵉ siècle à l'*Historia scolastica*, vient de ce que
ces ouvrages réaffirment dans leur contenu même
que la Bible demeure la maîtresse incontestée et
suzeraine de toute historiographie [110]. L'historien qui
n'aurait pas ses citations bibliques et qui un jour ou
l'autre ne comparerait pas tel personnage, tel événement de son récit à tel personnage, tel événement
biblique, ne serait pas de son temps [111]. Charlemagne

---

106. Comparer CICÉRON, *De oratore*, II, 13, 53-15, 62; ISIDORE DE
SÉVILLE, *Etymologiae*, I, 42 et, à titre d'exemple, SALIMBENE, *Chronica*,
a. 1286, éd. HOLDER-EGGER, dans *MGH-SS*, 32 (1912), p. 619.

107. D'après une lecture littérale de *Exode*, XVII, 14 ss.

108. Déjà chez THÉOPHILE D'ANTIOCHE, *A Autolycus*, II, 8, 12 et 33;
III, 1, 2, 24, 26. SULPICE SÉVÈRE, *Chronica*, I, 1, éd. LAVERTUJON, p. 3 :
« Il ne me coûte pas de l'avouer, je me suis servi des historiens profanes
aussi souvent que cela m'a paru nécessaire pour la distinction des temps
et la continuité du récit ». Bientôt l'appui du *De doctrina christiana*, II,
28, 42, *PL*, 34, 55-56 repris par ISIDORE DE SÉVILLE, *Etymologiae*, I, 43.

109. Cf. B. LACROIX, *La importancia de Orosio*, dans *Augustinus*, 2
(1957), p. 3-13; PIERRE LE MANGEUR accomplit pour l'enseignement de
l'histoire, grâce à son *Historia scolastica*, *PL*, 198, 1045 ss., ce que
Pierre Lombard fit pour la théologie et son prestige est si grand (cf.
B. SMALLEY, *The Study of the Bible*, Oxford, 1952, p. 196 ss.) que les
historiens (v.g. *Eulogium...*, éd. HAYDON, dans *RS*, 9, 1) n'hésitent pas
à le transcrire presque littéralement.

110. V.g. CLAUDE DE TURIN († *ca.* 827) avertit de ne pas donner
plus d'autorité aux sources chrétiennes qu'à la Bible; *Brevis chronica*,
début, dans *PL*, 104, 918. Plus tard, au XIIe siècle, l'auteur des
Annales Palidenses souhaite à son tour qu'on revienne sans cesse au
texte biblique authentique et purifié; *op. cit.*, prologue, dans *MGH-SS*,
16, p. 51-52.

111. GRÉGOIRE DE TOURS, *Historiarum libri X*, IV, 20, dans *MGH-
Script. rerum merov.*, I, p. 152-153. GUIBERT DE NOGENT (*Gesta Dei per
francos*, I, début, dans *PL*, 156, 684) compare la croisade avec les expéditions de Gédéon, comme GUILLAUME DE NEWBURG (*Historia rerum
anglicarum*, III, 15 et IV, 30) accumule les textes bibliques pour
expliquer les revers des croisés. Toute la chronique de FRA SALIMBENE
(*MGH-SS*, 32) serait à étudier sous cet aspect. De même il y aurait à

devient David et Godefroi de Bouillon, Judas Mac-
cabée; Richard Cœur de Lion, c'est Roboam; Henri
II, Salomon; Mahomet est Cyrus. Ainsi de suite.
Chaque fois l'historien trouve dans la complicité
des siens un terrain favori d'entente. L'emprise de
l'historiographie biblique est si forte et ses textes si
recherchés que Bède avertit le roi de ne pas se
limiter aux citations et aux allusions scripturaires de
l'*Historia ecclesiastica gentis angliae* :

> Je ne puis assez recommander à ton zèle de porter son
> attention non seulement aux passages scripturaires mais
> de voir à reconnaître aussi les gestes et les dits des an-
> cêtres [112].

Voici un autre exemple de la souveraineté de la
Bible en historiographie médiévale. A la distinguée
« maîtresse et souveraine » lombarde Adelperge (IXe
s.) qui lui a demandé des directives pour mieux
instruire son fils de l'histoire ancienne, Paul Diacre
conseille le *Breviarium* d'Eutrope qui résume assez
bien l'histoire romaine. Adelperge n'est pas satisfaite.
Le *Breviarium* est trop court et elle n'y trouve pas
de textes bibliques. Notre patient bénédictin se remet au travail [113]. Tout ce que subit Eutrope pour
s'accorder avec Moïse !

---

répertorier tous les « grands » de l'historiographie médiévale qui furent
en un sens ou l'autre apparentés aux « héros » bibliques.

112. *Op. cit.*, dédicace, éd. PLUMMER, 1896, t. 1, p. 5 : «...satisque
studium tuae sinceritatis amplector quo non solum audiendis scripturae
sanctae verbis aurem sedulus accommodas, verum etiam noscendis
priorum gestis sive dictis, et maxime nostrae gentis virorum inlustrium,
curam vigilanter impendis ». Cf. *Chroniques des comtes d'Anjou*,
dans *SHF*, p. 162.

113. Cf. *Historia romana*, dédicace, éd. CRIVELLUCCI, dans *Fonti per
la Storia d'Italia*, 51 (1914), p. 3 : « Domnae Adelpergae eximiae
summaeque ductrici Paulus Exiguus et supplex. — Cum ad imitationem
excellentissimi comparis, qui nostra aetate solus paene principum
sapientiae palmam tenet, ipsa quoque subtili ingenio et sagacissimo
studio prudentium arcana rimeris, ita ut philosophorum aurata eloquia
poetarumque gemmea tibi dicta in promptu sint, historiis etiam seu
commentis tam divinis inhaereas quam mundanis, ipse, qui elegantiae

Il a plu à ton Excellence que j'allonge un peu plus et que j'élargisse la même oeuvre, ça et là, sur des points appropriés, que j'y adapte, pour éclairer davantage la suite des temps, des passages de l'Ecriture Sainte. Et fasse le ciel que moi qui suis toujours à la disposition de tes ordres vénérés, j'aie réussi aussi efficacement que j'ai mis de bonne volonté à faire ce qui m'était demandé... Et parce qu'Eutrope n'a pu poursuivre la suite de son récit que jusqu'au règne de l'empereur Valens, de ma propre plume j'y ai ajouté, en utilisant les dires des anciens, six autres livres du même type, en autant que j'ai pu le faire; je me suis rendu jusqu'au temps de Justinien Auguste, tout en promettant, sous l'égide de Dieu, si cela est conforme à votre volonté comme à la mienne, et si la vie m'est accordée, de poursuivre la même histoire jusqu'à notre temps, afin que les dits de nos pères puissent être utiles... [114].

L'important, explique Paul Diacre, est de marquer toujours la priorité de la source biblique. Puisque Moïse les devance tous, les autres n'ont qu'à se soumettre aux Ecritures et leur accorder les droits du premier occupant.

D'abord, j'ai reculé à plus haut le point de départ de l'histoire, l'allongeant lorsqu'il le fallait, en y introduisant même, parfois, des emprunts à la loi divine et j'ai ainsi rendu le texte entier en accord avec l'histoire très sainte [115].

---

tuae semper fautor extiti, legendam tibi Eutropii historiam tripudians optuli. Quam cum avido, ut tibi moris est, animo perlustrasses, hoc tibi in ejus textu praeter immodicam etiam brevitatem displicuit, quia utpote vir gentilis in nullo divinae historiae cultusque nostri fecerit mentionem... ».

114. *Ibid. :* « ...placuit itaque tuae excellentiae, ut eandem historiam paulo latius congruis in locis extenderem eique aliquid ex sacrae textu Scripturae, quo ejus narrationis tempora evidentius clarerent, aptarem. At ego, qui semper tuis venerandis imperiis parere desidero, utinam tam efficaciter imperata facturus quam libenter arripui... Et quia Eutropius usque ad Valentis tantummodo imperium narrationis suae in ea seriem deduxit, ego deinceps meo ex majorum dictis stilo subsecutus sex in libellis, superioribus, in quantum potui, haud dissimilibus, usque ad Justiniani Augustini tempora perveni, promittens, Deo praesule, si tamen aut vestrae sederit voluntati, aut mihi, vita comite, ad hujuscemodi laborem majorum dicta suffragium tulerint, ad nostram usque aetatem eandem historiaum protelare. Vale... ».

115. *Ibid. :* « Ac primo paulo superius ab ejusdem textu historiae narrationem capiens eamque pro loci merito extendens, quaedam etiam

Le processus est le même toujours, jusqu'à la fin du moyen âge. Que fait Fréculphe de Lisieux ? Il récupère tout le passé humain même païen, depuis la création du premier homme jusqu'à la nativité du Christ [116]. Ses points de repère sont les héros bibliques, les rois, les prophètes, les juges et les patriarches hébreux. Toute l'histoire du monde profane se trouve ainsi absorbée et comme dissoute dans l'histoire « sainte » :

En conséquence, [tu m'as ordonné] de situer les royaumes assyriens dans la succession des temps, par rapport aux rois d'Assyrie, aux rois mèdes, perses et grecs, jusqu'à la monarchie d'Octave César; d'observer plus étroitement encore en ce qui regarde le peuple de Dieu le nombre des années en relation avec les rois et puis les prophètes, puis les juges et les patriarches ; de noter ce qui est arrivé entre temps dans les autres parties du monde ainsi que ce qui est digne de mémoire. Afin que l'on puisse toujours retrouver pour chaque époque ce qui s'est passé, tu m'as ordonné de montrer quand et où ces choses se sont produites, quels sont ceux qui dans les royaumes les plus célèbres les ont accomplies, qui étaient alors à la tête du peuple de Dieu [117].

L'emprise des premières Ecritures est si grande que le juif Flavius Josèphe, on l'appelle *maximus*

---

temporibus ejus congruentia ex divina lege interserens, eandem sacratissimae historiae consonam reddidit ».

116. Cf. *Chronicorum tomi duo*, I, préface, dans *PL*, 106, 917; *supra*, note 63. Voir C. F. Natunewicz, *Freculphus of Lisieux, His Chronicle and a Mont St. Michel Manuscript*, dans *Sacris erudiri*, 17 (1966), p. 90-134.

117. *Ibid.*, 917-918 : « ...Inde autem per reges Assyriorum, Medorum atque Persarum, sive Graecorum, et usque ad Octaviani Caesaris monarchiam, ad quae gestes Assyriorum derivando regnum per succedentia pervenit tempora : in populo autem Dei per patriarchas, judices, reges ac sacerdotes, iterumque reges, numerum custodire annorum cautius observarem, et ea quae gesta in saeculis mundi partibus, et memoria sunt digna, adnotarem; ut quaeque immortaliter per singula frequentantur tempora, quando vel ubi fuerint, qui tunc etiam impetraverint in eminentioribus regnis, vel qui populo Dei praefuerint, ostenderem ».

historiographus [118], lui doit sa fortune chrétienne et médiévale. Réhabilité par les Pères latins, saint Jérôme en particulier, il s'est trouvé en tête de la liste des historiens chrétiens à lire, liste préparée par Cassiodore à l'usage des moines du Vivarium [119]. On sait la suite : tous les autres noms de la même liste, la première du genre en occident chrétien, ont été choisis dans la même optique « biblique » : Eusèbe de Césarée et ses continuateurs; Rufin et Epiphane, traducteurs latins d'Eusèbe; Orose et Marcellin l'Illyrien, géographe et chronologue; les chroniqueurs Jérôme et Prosper d'Aquitaine, enfin

118. Cf. *Gesta Henrici archiepiscopi Treverensis*, prol., éd. WAITZ, 1879, dans *MGH-SS*, 24 (1879), p. 457; voir plus loin note 122. Aussi GUILLAUME DE TYR, *Historia rerum...* VIII, 2, dans *PL*, 201, 406. Voir COURCELLES, *Les lettres grecques en Occident de Macrobe à Cassiodore*, p. 71-74; sur le ps.-HEGESIPPE, traducteur de Josèphe, *ibid.*, p. 184 et 335. — À noter que Flavius Josèphe est encore un des premiers historiens à lire d'après MABILLON, *Traité des études monastiques*, Paris, 1691, deuxième partie, ch. 8, p. 229.

119. Cf. *Institutiones*, I, 17, 1-2, éd. MYNORS, 1937, p. 55-57. Le moyen âge ajoute ses noms; celui de Sigebert de Gembloux revient fréquemment. ROBERT DE TORIGNY, *Chronica*, prol., éd. HOWLETT, dans *RS*, 82, 4 (1889), p. 61-62 : « Hac de causa, licet aliae non desint, Moyses legislator in divina historia... Hoc non solum Moyses, sed et omnes divinae paginae tractatores, et in historicis et in moralibus libris faciunt, virtutes commendando vitia detestando, Deum timere simul et amare nos admonendo. Non igitur sunt audiendi, qui libros chronicorum maxime a catholicis editos, negligendos dicunt; in quibus tam utilis intentio... Hoc non ignorantes Cyprianus, Cartaginensis episcopus et martyr. Eusebius Caesariensis, Jeronimus presbyter, Sulpicius Severus, Prosper Aquitanicus, Gregorius Turonensis episcopus et, ut ad modernos veniam. Marianus Scotus Fuldensis monachus, et Sigibertus Gemblencensis, omnes non inutiliter chronica ediderunt. Fecerunt hoc et alii plures tam religiosi quam saeculares, quos causa brevitatis praetereo ». On trouvera une liste plus complète encore chez RANULPHE DE HIGDEN, *Polychronicon*, 1, 2, dans *RS*, 41, t. 1, p. 20-26. La liste de FRA SALIMBENE, *Chronica*, a. 1247, *de diversis historiarum scriptoribus*, dans *MGH-SS*, 32, p. 186-187, inclut un choix d'historiens bibliques, mais contrairement à celle de JEAN DE SALISBURY, *Historia pontificalis*, prol., éd. M. CHIBNALL, dans *Mediaeval Texts*, 1956, p. 2, s'arrête aussitôt à Orose et Augustin.

Gennade de Marseille, en tant que compilateur et informateur.

Les vrais créateurs de l'historiographie ecclésiastique sont deux commentateurs des Ecritures, Eusèbe de Césarée et Jérôme. « Tu es le modèle. Je suis la copie. Tu es la forme, je suis une transcription », écrit Haymon († 853) à l'adresse d'Eusèbe [120]. Intouchables [121], tous deux, Eusèbe et Jérôme sont promus à jamais *duces veritatis historicae*. L'auteur commode et rapide, le premier historien chrétien à offrir une récapitulation de toute l'histoire de l'humanité, qu'elle soit païenne, chrétienne, romaine ou barbare, est Orose qui supplante souvent les abrégés trop *païens* de Justin, de Florus et d'Eutrope [122].

D'autres noms font autorité. Chacun y représente une région de la nouvelle Europe. Pour les Francs,

---

120. *De christianorum rerum memoria libri decem*, préface, dans *PL*, 118, 820 : « Ignosce, beate Eusebii, ignosce... Sit igitur liber ille tuus exemplar, hic exemplum. Sit ille forma expressior, hic representatio et imago ».

121. *Annales Palidenses*, prol., dans *MGH-SS*, t. 16, p. 51, V.g. GUILLAUME DE NEWBURG, *Chronica*, prol., dans *RS*, 82, t. 4, p. 64 : ...« Verum quoniam indecens est scriptis virorum tantae auctoritatis, Eusebii et Jeronimi dico, aliquid extraneum addere... ». LAMBERT D'ARDRES (qui écrit entre 1194/98), *Historia comitum Ghisnensium*, dans *MGH-SS*, 24, p. 558 : « ...antiquiores nostri auctores, quorum primus invenitur et precipuus Eusebius, post quem imitator ejus Jeronimus, post quos Prosper et Sigebertus monachus et venerabilis presbiter Beda... Illi enim multorum regnorum, Hebreorum videlicet, gentilium et Latinorum, chronographiam sufficienter edocuerunt ». ORDERIC VITAL, *Historia ecclesiastica*, I, 22, éd. LE PROVOST et L. DELISLE, dans *SHF*, 1 (1838), p. 95-96; GUILLAUME DE NANGIS, *Chronicon*, prol., éd. GÉRAUD, dans *SHF*, 1 (1843), p. 1-2.

122. V.g. *Gesta archiepiscopi Henrici Treverensis*, prol., éd. WAITZ, dans *MGH-SS*, 24 (1879), p. 457 : « In historiis enim et chronicis conscribendis multi sapientes viri laborant, sicut Josephus hystoriographorum maximus et Orosius et multi alii tam philosophi quam prophete ». Voir B. LACROIX, *Orose et ses idées*, Montréal, 1965, avec une mise au point parfois discutable de Eugenio CORSINI, *Introduzione alle « storie » di Orosio*, Torino, 1968.

c'est Grégoire de Tours et son *Historiarum libri X* (fin du VIᵉ siècle); pour l'Espagne, Isidore de Séville († 636) et son *Historia de regibus gothorum wandalorum et suevorum;* pour l'Angleterre, Bède († 735) et son *Historia ecclesiastica britannicarum et maxime gentis anglorum;* pour les Lombards, Paul Diacre († 787) et son *Historia longobardorum* et l'*Historia romana.* Aimé du Mont-Cassin († 1093) reste avec Dudon de Saint-Quentin (*fl.* 1000) un des pionniers de l'historiographie normande.

De tous ces historiens qui ont créé ce qu'on appellerait aujourd'hui l'historiographie « nationale » de leur époque, Bède l'exégète est sûrement celui qui a eu le plus de prestige, en Angleterre surtout. Guillaume de Malmesbury († après 1142) [123], fort considéré lui aussi, et Henri de Huntingdon (*ca.* 1155) [124] s'en inspirent ouvertement; Guillaume de Newburg († après 1198) et Thomas Wykes (*ca.* 1293) résument :

Il n'est pas permis de douter de la sagesse et de la sincérité d'un tel historien à qui on devrait toujours s'en remettre et faire confiance [125].

---

123. Cf. *Gesta regum anglorum,* I, 47, dans *RS,* 90, t. 1, p. 46-47; V, 445, t. 2, p. 518. Sur celui qu'il considère comme un *insuspectus historicus,* voir JEAN DE FORDUN, *Chronica gentis scotorum,* I, 3, éd. SKENE, 1871, t. 1, p. 37.

124. Cf. *Historia anglorum,* IV, 14, éd. ARNOLD, dans *RS,* 74 (1879), p. 117 : « Hucusque auctoritatem venerabilis Bedae presbyteri in hac nostra historia contexenda secuti sumus, et maxime in iis omnibus quae de rebus ecclesiasticis dicta sunt : in aliis etiam semper quantumcunque potuimus. Hinc igitur, quae in scriptis veterum diligenti scrutinio collectis invenire potuimus, ad instructionem posteritatis literis mandare studuimus. Namque sicut in prologo *Historiae anglorum* doctissimus Beda testatur : 'Vera lex historiae est simpliciter id quod fama vulgante colligitur, scribendo posteris notificare' ». Aussi *Gesta consulum andegavensium,* préface, dans D'ACHERY, *Spicilegium,* III, 235.

125. « Ut ergo eidem Bedae, de cujus sapientia et sinceritate dubitari fas non est, fides in omnibus habeatur ». *Historia rerum anglicarum, prooemium,* éd. HOWLETT, dans *RS,* 82, 1 (1884), p. 18; *ibid.,* p. 11. Précieux témoignage de THOMAS WYKES sur l'historiographie anglo-

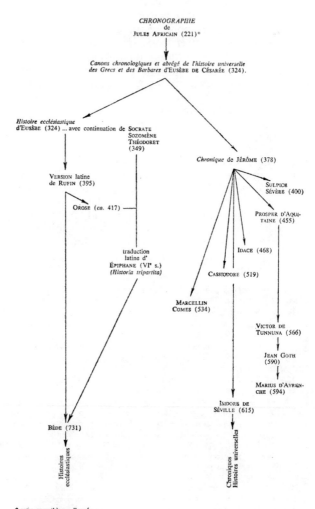

CHRONOGRAPHIE
de
JULES AFRICAIN (221)*

Canons chronologiques et abrégé de l'histoire universelle
des Grecs et des Barbares d'EUSÈBE DE CÉSARÉE (324).

Histoire ecclésiastique
d'EUSÈBE (324) ... avec continuation de SOCRATE
SOZOMÈNE
THÉODORET
(349)

Chronique de JÉRÔME (378)

VERSION latine
de RUFIN (395)

SULPICE
SÉVÈRE (400)

OROSE (ca. 417)

PROSPER D'AQUI-
TAINE (455)

IDACE (468)

traduction
latine d'
ÉPIPHANE (VIᵉ s.)
(Historia tripartita)

CASSIODORE (519)

MARCELLIN
COMES (534)

VICTOR DE
TUNNUNA (566)

JEAN GOTH
(590)

MARIUS D'AVREN-
CHE (594)

ISIDORE DE
SÉVILLE (615)

BÈDE (731)

Histoires
ecclésiastiques

Chroniques
Histoires universelles

* entre parenthèses : l'année
où l'auteur arrête son récit

Parce que les auteurs bibliques et chrétiens n'ont pu tout savoir ni tout raconter du passé profane en particulier, une troisième catégorie de sources écrites s'impose, celle des historiens païens à qui d'ailleurs l'on reconnaît, depuis plusieurs siècles, l'inestimable mérite d'avoir aidé même l'historiographie judéo-chrétienne. Saint Augustin rassure les timides :

Par suite, tous les renseignements que nous donne la science appelée histoire sur l'ordre des temps écoulés, nous sont d'un très grand secours pour comprendre les Livres Saints, même si on les apprend en dehors de l'Eglise dans une école pour enfants [126].

Isidore de Séville répète Augustin. Toujours à propos de sources historiques païennes :

Les histoires des Gentils, parce qu'elles rapportent des choses utiles, ne font pas tort à ceux qui les lisent. Plusieurs hommes sages ont, en effet, écrit l'histoire des gestes d'autrefois, dans le but d'être utiles à leurs contemporains. De plus, grâce à cette histoire, on connaît le nombre d'années écoulées et leur comput; la succession des années et celle des rois nous apprennent plusieurs renseignements nécessaires [127].

---

latine : « Et licet venerabilis Beda, Willelmus de Newburge, Mathaeus de Parys, et plerique praedecessores nostri historiographi famosissimi gesta Anglorum sufficienter conscripserunt, nihil memorabile relinquentes... ». *Chronicon, a. 1066*, éd. LUARD, dans *RS*, 36, 4 (1869), p. 7.

126. Cf. *De doctrina christiana*, II, 27, 42, dans *PL*, 34, 55 : « Quidquid igitur de ordine temporum transactorum indicat ea quae appelatur historia, plurimum nos adjuvat ad sanctos Libros intelligendos, etiamsi praeter Ecclesiam puerili eruditione discatur »; cf. *Epist. 101*, 2, dans *PL*, 33, 368-69. On se souviendra volontiers de l'argument traditionnel du pillage des Égyptiens par les Hébreux d'après *Exode*, II, 2, dans RANULPHE DE HIGDEN, *Polychronicon*, I, 1 (9), dans *RS*, 43, t. 1, p. 16; aussi *De doctrina christiana*, II, 39-40, et GRÉGOIRE LE GRAND, *In primum Regum expositiones*, V, 30, dans *PL*, 79, 355-56).

127. *Etymologiae*, I, 43 : « Historiae gentium non impediunt legentes in iis quae utilia dixerunt. Multi enim sapientes praeterita hominum gesta ad institutionem praesentium historiis indiderunt. Se quidem et per historiam summa retro temporum annorumque supputatio comprehenditur, et per consulum regumque successum multa necessaria perscrutantur ». Cf. *De doctrina christiana*, II, 28, 42, dans *PL*, 34, 55-56; RABAN MAUR, *De institutione clericorum*, III, 17, dans *PL*, 107,

De tous les historiens païens qui ont pu être utilisés comme sources du moyen âge, Salluste, grâce à l'autorité d'Augustin encore, est le mieux connu [128]. Nous rencontrons aussi, pour les besoins immédiats de la narration, les épitomés, les abrégés repris par Orose, quelquefois Tite-Live [129], Quinte-Curce, Suétone [130]. La méfiance traditionnelle à l'égard de ces sources *étrangères et séculières* est endossée officiellement par quelques textes de Jérôme et de saint Augustin [131]. Il s'agit d'un rite théorique [132]; au fond chacun prend les textes là où il les trouve. Nous pourrions même parler de nostalgie chez quelques historiens désolés de ne pas pouvoir faire aussi bien que les « païens ». Le mot célèbre des écoles de France revient :

Nous sommes des nains portés sur des épaules de géants [133].

393; HUGUES DE SAINT-VICTOR, *Didascalicon* VI, 3, éd. BUTTIMER, p. 114; RANULPHE DE HIGDEN, *Polychronicon*, I, 1, dans *RS*, 41, t. 1, p. 16-18. Voir note précédente.

128. Cf. R. B. C. HUYGENS, *Accessus ad Auctores*, dans *Latomus*, 12 (1953), p. 296-311; 460-484. Sur Salluste au moyen âge, avec H. I. MARROU, *Saint Augustin et la fin de la culture antique*, p. 19, note 5; J. FONTAINE, *Isidore de Séville et la culture classique...*, vol. 1, p. 182-185; à la fin du moyen âge (P. BURKE, *A Survey of the Popularity of Ancient Historians*, dans *History and Theory*, 5 (1966), p. 135-152) Salluste est encore en tête. Qu'on relise seulement les prologues des *Chroniques des comtes d'Anjou*, publiées par Louis HALPHEN et René POUPARDIN (*Collection de textes...*), Paris, 1913, et l'on aura encore une bonne idée de l'usage que l'on faisait de Salluste à l'époque.

129. Peut-être à cause de QUINTILIEN, *Inst. oratoriae*, X, 1, p. 31-35.

130. V.g. ORDERIC VITAL, *Hist. ecc.*, prologue, t. 1, p. 1, nomme d'abord Moïse, Daniel, Darès de Phrygie, Trogue-Pompée, puis Eusèbe, Orose, Bède, Paul Diacre. Voir note 128.

131. V.g. THÉOPHILE D'ANTIOCHE, *A Autolycus*, II, 8, 12 et 33; III, 1, 2, 24, 26; BASILE DE CÉSARÉE, *Aux jeunes gens...*, III, VIII; SULPICE SÉVÈRE, *Chronica*, I, 1, éd. LAVERTUJON, p. 3, et toujours le *De doctrina christiana* II, 28, 42; ISIDORE DE SÉVILLE, *Etymologiae*, I, 42, etc.

132. V.g. HENRI DE HUNTINGDON, *Historia anglorum*, préf., éd. ARNOLD, dans *RS*, 74 (1879), p. 1-2 : puisque les *autorités* reçues sont là, pourquoi s'inquiéter des autres : *Sed quid in alienis moremur ?*

133. V.g. *Gesta Henrici Treverensis*, éd. WAITZ, dans *MGH-SS*,

LA CRITIQUE DES SOURCES. —

Evidemment la critique des médiévaux ne se réduira pas à l'examen des seules sources écrites; elle touchera davantage le témoin oculaire et la tradition orale [134]. Que de remarques déjà autour de la validité de tel ou tel témoin ! Qui peut tout voir, se demande Guibert de Nogent [135] ? Les noyés de la Manche raconteront-ils leur mort ? Les soldats préféreront se battre plutôt que d'aller compter leurs morts [136]. Qui est capable de cerner l'ensemble d'une situation ?

Nous estimons que parmi tous ceux qui assistaient au siège d'Antioche [en 1198], nul sans doute n'eût pu voir de ses propres yeux tout ce qui se passait autour des murailles de cette ville, de manière à en saisir l'ensemble et à connaître les gestes de Dieu dans leur ordre [137].

---

24 (1879), p. 457 : «...Horum igitur vestigia cupiens imitari, quantum possum, licet segnicies ingenii et tarditas intellectus obscuri repugnent, attamen nanus gyganteis suppositus humeris longuis longiore conspicit, et piger dextrario insidens celere celerius currit. Sed frequenter, quod istorum exhylarat animos, illorum efficit tediosos. Quis ergo tutus a morsibus emulorum ? »; voir RANULPHE DE HIGDEN, *Polychronicon*, I, 1 (9), dans *RS*, 41, t. 1, p. 14. Cf. *Standing on the Shoulders of the Giants* de Raymond KLIBANSKY, dans *Isis*, 26 (1936), p. 147-49; É. JEAUNEAU : «Nani gigantum humeris insidentes ». *Essai d'interprétation de Bernard de Chartres*, dans *Vivarium*, 5 (1967), p. 79-99.

134. Sur la méthodologie de l'historien, voir M. SCHULZ, *Die Lehre von der historischen Methode bei den Geschichtsschreibern des Mittelalters*, Berlin, 1909. LAMBERT D'ARDRES, *Historia comitum Ghisnensium...* prol., dans *MGH-SS*, 24, 557 ss., note que les anciens ne se demandaient pas d'où empruntaient Ovide et Virgile; ils acceptaient tout simplement leurs écrits.

135. Cf. *Gesta Dei per francos*, VIII, 14, dans *PL*, 156, 832.

136. *Historia ecclesiastica*, X, a. 1102, éd. LE PROVOST et L. DELISLE, dans *SHF*, 4 (1852), p. 137. Avec ENGUERRAND DE MONSTRELET, *Chronique*, prol., éd. L. DOUET-D'ARCQ, dans *SHF*, t. 1 (1857), p. 2-3.

137. « Quae facta sunt in Antiochena obsidione, nemini relatu possibilia existimamus, quia inter eos qui ibidem interfuerunt, nullus profecto potuit reperiri, qui cuncta, quae circa eamdem urbem agi potuerunt, valuisset pervidere, et ita ad integrum comprehendere, sicut se habet ordo gesta rei ». GUIBERT DE NOGENT, *Gesta Dei per francos* V, début, dans *PL*, 156, 749.

Combien peuvent se vanter d'être des observateurs de la qualité d'un César ou d'un Hirtius [138] ? Comme disait Guibert de Nogent encore :

Il n'est pas étonnant que nous nous trompions en rapportant les faits extérieurs à nous quand nous ne pouvons même pas nous assurer de la justesse de nos propres pensées et de nos propres actions [139].

Des trois sources de l'historien du moyen âge la tradition orale est celle qui se prête davantage à une attitude critique [140]. Les récits miraculeux, les chansons de gestes, les cantilènes, certains héros comme Arthur, Charlemagne et d'autres : voilà un matériau important à évaluer si l'on s'est donné pour rôle de

---

138. *Ibid.*, VIII, 14, 832 : « Caeterum, si quidpiam ab his minus quae assolet Julius Caesar cum Hircio Pansa, in Historia Gallici, Hispanici, Pharsalici, Alexandrini Numicidique belli, diligenter putabitur explicatum, nimirum perpendi debet eosdem ipsos qui fecerint et qui scripserint bellis interfuisse ». Parce que difficile la vérification par témoins oculaires reste quand même rare. À titre d'exemple : Boncompagno († 1218), *Liber de obsidione Ancone,* éd. Zimolo, dans *RIS*, VI, 3 (1937), p. 8-9.

139. *Gesta Dei per francos*, préf., 683 : « Quid enim mirum si fallimur, dum aliena facta referimus, cum nos ne nostras ipsorum quidem cogitationes ac opera, non dico verbis exprimere, sed ne colligere tacita saltem mente possimus ? ».

140. V.g. Bède : « Ut autem in his, quae scripsi, vel tibi, vel ceteris auditoribus sive lectoribus hujus historiae occasionem dubitandi subtraham, quibus haec maxime auctoribus didicerim, breviter intimare curabo ». *Historia ecclesiastica...*, dédicace, éd. Plummer, 1 (1906), p. 6. Matthieu Paris, *Chronica majora*, VI (1249), éd. Luard, dans *RS*, 57, 5 (1880), p. 87 : « Diebus quoque sub eisdem increbuerunt rumores, jocundissimi, quod videlicet potentissimus Tartarorum rex, praedicante et diligenter persuadente Petro Nigri... Item tempore sub eodem, alii rumores umbratiles et ficti ad consolandum Christianos et forte ad animandum cruce signatos, ut transfretantes regem Francorum sequerentur, cismarinorum regna pervolarunt... ». Guillaume de Newburg : « Ad hoc mera quorundam opinio est, quam petulanter velut perpicuam veritatem sparserunt in vulgus ». *Historia rerum anglicarum*, I, 26, éd. Howlett, dans *RS*, 82, 1 (1884), p. 80-81. On verra à la fin du moyen âge encore les historiens français comme Jehan Le Bel, Froissart, Mathieu d'Escouchy avertir leurs lecteurs de se méfier des récits de jongleurs comme de tout ce qui tend à l'épique et au légendaire.

ne raconter que *ce qui est arrivé*. Tout ce que les croisades, les reliques, les désastres, peuvent susciter de récits et de racontars pour exalter les chrétiens quand les choses vont bien et les consoler quand elles vont mal [141] ! « Croire innocemment à tout ce qu'on dit, tromper derechef l'auditeur de bonne volonté, n'est pas digne du vrai historiographe » [142]. Mais ne doit-on pas aussi tenir compte de l'opinion publique, qui est un fait par elle-même [143] ? comment opérer la distinction qui s'impose entre le fait qui relève de l'historiographie et le fait inventé pour édifier et amuser [144] ?

---

141. *Histoire de la guerre des Albigeoys*, début, éd. BOUQUET, *Recueil des historiens des Gaules*, XIX, p. 115.

142. GUILLAUME DE MALMESBURY, *Gesta regum anglorum*, IV, 382, éd. STUBBS, dans *RS*, 90, 2 (1889), p. 447 : « Omnia vero indulgenti famae credere, et facilitatem auditorum fallere, veracis historici non debet esse ». — Aussi GUIBERT DE NOGENT, *Gesta Dei per francos*, XIX, 14, *PL*, 156, 832 : « Qui si uspiam, aliorum secuti opiniones, falsi sumus, studio nequaquam fallendi id fecimus ».

143. À retenir cette conclusion bien typique de GUILLAUME DE MALMESBURY, *Hist. novella*, I, 453, dans *RS*, 90, 2, p. 530 : « Nec vero haec iccirco dixerim quod credam vera fuisse verba hominis, qui se unicuique tempori pro volubilitate fortunae accommodare nosset : sed sicut verax historicus opinionem provincialium scriptis appono ». Comme plus tard, OLIVIER DE LA MARCHE, *Mémoires* I, 24, dans *SHF*, 1, p. 145, n'ose pas rejeter la légende d'Arthur parce que tout le monde en parle depuis si longtemps.

144. « Vulgo canitur a joculatoribus de illo cantilena; sed jure praeferenda est relatio authentica, quae a religiosis doctoribus solerter est edita, et a studiosis lectoribus reverenter lecta est in communi fratrum audientia ». ORDERIC VITAL, *Hist. eccl.*, VI, 3, t. 3, p. 6. — « Inde merito jureque culpant eum litterae; nam ceteras infamias, quae post dicam, magis resperserunt cantilenae ». GUILLAUME DE MALMESBURY, *Gesta regum anglorum*, II, 148, dans *RS*, 90, 1, p. 165. — « Et haec quidem fide integra de rege conscripsi : sequentia magis cantilenis per successiones temporum detritis, quam libris ad instructiones posterorum elucubratis, didicerim. Quae ideo apposui, non ut earum veritatem defendam, sed ne lectorum scientiam defraudem : ac primum de nativitate referendum ». *Ibid.*, II, 138, p. 155. Jusqu'à la fin du moyen âge, v.g. JEHAN LE BEL, *Chronique*, II, 61, éd. VIARD et DEPREZ, 1884-85, dans *SHF*, 2 (1884-85), p. 10.

Les meilleurs ont vu ces problèmes; leur vocabulaire mériterait d'être étudié de près, car il révèle un sens critique réel en même temps qu'un profond malaise :

> ...*Integre scribo... Sola veritas historiae... Mera quorundam opinio est... Non historia, sed panegyricum scripsit... Parum diffinio... Non temere diffinio... Quod magis videtur opinioni blandiri volaticae, quam stabilitat convenire historicae... Praecipitatam affirmationem non emitto... Credo, nec tamen affirmo... Pro solido non asserui... Non solide affirmo... Veritatis notitia labeat in dubio, etc...* [145].

C'est que l'historien peut faire taire ou peut contribuer à répandre telle ou telle nouvelle insolite [146]. Quelle responsabilité ! Guillaume de Malmesbury ne peut s'empêcher de penser aux croisés : ont-ils vraiment besoin de tant de mensonges pour être grands ? Pourquoi ne se limiterait-on pas toujours aux seuls faits certains [147] ? Si seulement ceux qui doutent pouvaient le dire ! [148] Jean le Bel, à propos d'une tradition orale en cours : « Je ne scay se oncques en fust rien à la vérité, mais la manière du fait en fit pluseurs gens souspeçonnés » [149]. Prudence, répliquerait l'autre. « Les jugements de communauté ne sont mie toujours à approuver, mais sont souventes

---

145. Simplement chez Guillaume de Malmesbury, voir *Gesta regum anglorum*, I, 44, 49, 67; II, 124, 138, 148, 167, 169, 188, 194, 204, 206, 208; III, 287; IV, 332, 346, 348, 382; V, prologue; *Historia novella*, I, 452; III, 514; etc.

146. V.g. Guillaume de Malmesbury, *Gesta regum anglorum*, II, 138, éd. Stubbs, dans *RS*, 90, 1 (1889), p. 155; Gauthier de Thérouane, *Vita Caroli comitis Flandriae*, prol., éd. Koepke, dans *MGH-SS*, 12, p. 538.

147. V.g. *ibid.*, I, 35, dans *RS*, 90, 1, p. 35, note 1. On retrouvera des hésitations semblables chez Guibert de Nogent, Orderic Vital, Guillaume de Tyr, etc.

148. L'auteur d'une *Historia regum* de Norvège (XIIIe s.) est plus conciliant et accorde une certaine crédibilité aux chansons, gestes et cantilènes : d'autant plus, dit-il, que des hommes très graves croient à ces textes. *MGH-SS*, 29, p. 330.

149. *Chronique*, II, 87, éd. J. Viard et E. Deprez, 1885, t. 2, p. 200.

fois à reprover comme desraisonnables » [150]. *Vox populi, vox diaboli !* N'est-ce pas l'opinion publique qui a crié à Pilate : « Crucifie-le ! » [151] ?

Quoi faire ? que conclure ? « Si en suivant les opinions des autres, nous avons erré en quelque sorte, nous ne l'avons pas fait avec l'intention de tromper », écrit Guibert de Nogent [152]. Il convient « de ne pas rabaisser leur qualité de chrétiens en adoptant légèrement les fables répandues dans le peuple » [153]. Un chroniqueur a fait son devoir en racontant; le lecteur fera le sien en acceptant ou en refusant le récit qui vient de lui être offert [154]. Guillaume de Newburg peut transcrire en paix tous les racontars possibles à propos d'un crucifix qui serait apparu dans le ciel, un 9 août 1188, et dont on parle encore ici et là [155] : le lecteur verra bien, et il décidera. Antonio Morosini, qui s'y connaît et s'informe par-

---

150. JEAN LE MAINGRE († 1421), *Les livres des faits du bon Messire Jean Le Maingre dit Mareschal de Boucicaut,* III, ch. 14, éd. J. F. MICHAUD et J. J. P. POUJOULAT, dans *Coll. des Mémoires,* 1ère série, II (1836), p. 103.

151. *Ibid.*

152. *Gesta Dei per francos,* préf., dans *PL,* 156, 682-3 : « Quod si quidpiam aliter dictum quam se res habet, constiterit, incassum fateor mendacii probra callidus deprehensor objecerit, cum me fallendi desiderio nulla dixisse, sub Dei testimonio scire possit ».

153. *Ibid.,* VIII, 9, dans *PL,* 156, 822 : « ...quatenus nequaquam, fide vulgi fabulis attributa, Christiana gravitas levigetur ».

154. V.g. *Gesta Stephani regis anglorum, a. 1138,* dans *RS,* 82, 3, p. 45; *Polychronicon,* I, cap. 1, prol., 8, dans *RS,* 41, 1, p. 15. C'est une attitude que nous avons rencontrée chez plusieurs historiens dont Richard de Poitiers. Cf. *Chronica,* lettre du début, dans *MGH-SS,* 26, p. 76-77.

155. *Historia rerum anglicarum,* I, 28, éd. HOWLETT, dans *RS,* 82, 1 (1884), p. 82 : « Nec praetereundum videtur inauditum a seculis prodigium, quod sub rege Stephano in Anglia noscitur evenisse. Et quidem diu super hoc, cum tamen a multis praedicaretur, haesitavi; remque vel nullius vel abditissimae rationis in fidem recipere ridiculum mihi videbatur : donec tantorum et talium pondere testium ita sum obrutus, ut cogerer credere et mirari, quod nullis animi viribus possum attingere vel rimari ».

tout de ce qui est arrivé à Jeanne la Pucelle, estime lui aussi que là où rien ne s'oppose à la foi et aux moeurs, chacun est libre d'accepter ou de refuser le récit qu'on lui offre [156].

Certains historiens voudront quand même vérifier. Guibert de Nogent mesure à la lettre ce que Foucher raconte [157]. Othon de Freising envoie un chapelain auprès de Frédéric I à propos de l'expédition de Milan dont il a entendu parler [158]. Encore plus rigoriste, Guillaume de Newburg veut rencontrer le chanoine qui est, semble-t-il, au départ d'une chaîne de récits dont il veut avoir le vrai [159]. Enguerrand de Monstrelet [160] codifie et accumule les récits; il interroge ceux dont l'honneur et la gentillesse lui inspirent confiance; ce n'est qu'à la fin qu'il peut rédiger à l'intention de ses lecteurs les récits qu'il croit plus vraisemblables.

L'idéal ne serait-il pas de réunir autour d'un même récit, et la tradition orale et le témoin oculaire ? Mais est-ce possible ? Leur foi est si instinctive que les historiens les plus sérieux, Orderic Vital [161], Guillaume de Malmesbury [162], d'autres encore, fa-

---

156. Cf. *Chronique d'Antonio Morosini* [1429], éd. Dorez, dans *SHF*, 3 (1901), p. 127 : « Quant à moi, comme j'ai dit, la puissance de Dieu est grande; je ne sais si je dois croire ce qu'on me dit ici, et il y en a qui croient le contraire; chacun est libre de penser à sa guise, car ni l'un ni l'autre ne damnent »; cf. *infra*, note 193.

157. Cf. les premières pages des *Gesta Dei per francos*, dans *PL*, 156, 679-684.

158. Cf. *Chronica...*, dédicace, éd. Hofmeister, dans *SRG in usum...*, p. 3.

159. Cf. *Historia rerum anglicarum* I, 26, éd. Howlett, dans *RS*, 82, 1, p. 80-81.

160. *La chronique d'Enguerrand de Monstrelet*, prol., éd. L. Douet-d'Arcq, dans *SHF*, 1 (1857), p. 2-3.

161. Cf. *Hist. eccl.*, IX, fin, dans *SHF*, 3 (1901), p. 622-624.

162. V.g. *Gesta regum anglorum*, II, 200, dans *RS*, 90, 1, p. 246. Même attitude chez G. Chastellain, *Chronique*, prol., éd. Kervyn de Lettenhove, 1 (1863), p. 11-12.

vorisent comme de soi les récits entendus; ils ne se croient pas obligés d'aller plus loin. Croire est la voie première et toute naturelle du savoir historique [163].

Le problème se pose encore à propos du merveilleux, objet des plus tenaces traditions orales de l'époque [164], avec cette précision importante qui remonte au moins à saint Augustin [165], qu'on appelle *merveilleux,* non pas ce qui le serait effectivement mais — tradition orale encore — ce qui paraît être tel [166]. Notons tout de suite que le moyen âge s'étonne aussi facilement qu'il croit, d'autant plus qu'il ignore les lois de la nature; le merveilleux court partout dans les textes de ses historiens, il va de la plus simple surprise jusqu'à l'absurde. Comme nos historiens furent souvent hagiographes, ils n'ont pas toujours l'habitude de distinguer entre le vrai et le possible [167]. Faut-il d'autre part se justifier d'introduire le merveilleux en historiographie, voici

163. V.g. GUILLAUME DE MALMESBURY, *Gesta regum anglorum,* IV, 332, éd. STUBBS, dans *RS,* 90, 3 (1889), p. 377 : « Multa de ipsius nece et praevisa et praedicta homines ferunt, quorum tria probabilium relatorum testimonio lecturis communicabo »; *ibid.,* I, 49, 57, 67; II, 124, 132, 138, 167, 169, 170, 188, 197; III, 263, 287, 290; IV, prol., 332, 346, 348, 382; V, prol.

164. L'étude du merveilleux chez les historiens du moyen âge est à faire. On pourrait s'inspirer d'abord de quelques textes comme ceux de Thucydide (*Histoires,* I, 22), Polybe (*Histoires,* XV, 36), Tite-Live (préface de *Ab urbe condita*), sans oublier la critique de Sénèque (*Questions naturelles,* VII, 16, 1-2) pour rejoindre la justification de RANULPHE DE HIGDEN (*Polychronicon,* I, 1, 9, dans *RS,* 43, 1, p. 16 et 18), tenant compte en particulier des articles de Paul Rousset (voir page 275). Nous n'oublions pas que plusieurs historiens furent aussi des hagiographes éminents, à commencer par Sulpice Sévère, Grégoire de Tours, Bède, etc.

165. V.g. *Epist. 169,* 6-9, dans *PL,* 33, 706-708.

166. GUILLAUME DE NEWBURG, *Historia rerum anglicarum,* I, 28, éd. HOWLETT, dans *RS,* 82, 1 (1884), p. 82 : « Mira vero hujusmodi, dicimus non tantum propter raritem, sed etiam quia occultam habent rationem ».

167. V.g. René AIGRAIN, *L'hagiographie : ses sources, ses méthodes, son histoire,* Paris, 1953, p. 125 ss.

aussitôt ouverte la Bible et consultés les anciens [168]. Tout peut être enseignement [169]; un historien raconte ce qu'on lui a dit, il n'a pas à légiférer; il n'est pas devin non plus [170]. Giraud le Cambrien est gêné, mais puisqu'*ils* le disent, il transcrit [171]. Le mieux est d'avertir. Matthieu Paris, qui doit par exemple raconter un tremblement de terre qui eut lieu en 1247 en Angleterre et surtout à Londres, se demande si la terre a tremblé vraiment. S'agit-il d'un émerveillement collectif autour d'un fait fictif ? C'est peut-être normal que la terre tremble dans un pays où les moeurs sont à la baisse. Faut-il invoquer la fin des temps et le jugement dernier ? Un peu embarrassé, mais lucide, Matthieu Paris conclut :

Le tremblement de terre se fit sentir en Angleterre dans divers lieux, principalement à Londres et surtout sur les bords de la Tamise. Ce tremblement de terre qui ébranla beaucoup d'édifices, fut aussi fâcheux que terrible; car on le regardait comme quelque chose de prodigieux et de surnaturel dans ces pays occidentaux où un pareil phénomène était inouï, puisque le sol compact de l'Angleterre est exempt de ces cavernes souterraines, de ces mines profondes et de ces concavités dans lesquelles, au rapport des philo-

---

168. *Eulogium, prooemium*, éd. HAYDON, dans *RS*, 9, 1, p. 5 : « Si tamen aliquid fuerit absurdum vel monstruosum in hoc codice contentum, scrutemini antiquas scripturas et invenietis emulationem cujuscumque rei in hoc libello insertam ».

169. Cf. *Gesta Stephani regis anglorum*, a. *1138*, éd. HOWLETT, dans *RS*, 82, 3 (1886), p. 33. Cf. *infra*, note 177.

170. V.g. GUILLAUME DE NEWBURG, *Historia rerum anglicarum*, IV, 6, p. 308 : « Interpretetur quisque ut voluerit signum mirabile, cujus utique didici simplex esse narrator, non etiam praesagus interpres; quid enim Divinitas eo significare voluerit nescio ».

171. GIRAUD LE CAMBRIEN : « Scio tamen et certus sum, me nonnulla scripturum quae lectori vel impossibilia prorsus, vel etiam ridiculosa videbuntur. Sed ita me Dii amabilem praestent, ut nihil in libello apposuerim, cujus veritatem vel oculata fide, vel probatissimorum et authenticorum comprovincialium virorum testimonio, cum summa diligentia non elicuerim ». *Topographia hibernica*, II, éd. DIMOCK, dans *RS*, 21, 5 (1867), p. 74. Voir aussi l'anecdote charmante d'un GUIBERT DE NOGENT, *Gesta Dei per francos*, VIII, 9, dans *PL*, 156, 822, et la conclusion de son narrateur.

sophes, naissent ordinairement les tremblements de terre;
aussi n'en pouvait-on pas découvrir la raison, et l'on se
crut, selon les menaces de l'Evangile, à la veille de voir
finir ce monde vieilli, dont la ruine s'annonçait en divers
lieux. On considéra par conséquent ce tremblement de terre
comme présageant véritablement un grand changement dans
ce monde, afin que les éléments fussent agités conformé-
ment aux agitations des hommes et troublés par des com-
motions inaccoutumées [172].

Si on voyageait davantage, observe l'auteur de
l'*Eulogium,* peut-être aurait-on moins à s'émerveiller [173]. Giraud le Cambrien s'amuse à prévoir l'é-
tonnement de la postérité quand elle lira des récits
aussi invraisemblables que ceux de son temps [174].
Vrai ou faux, peu ou très vraisemblables, peu importe, dirait Ranulphe de Higden, ces récits servent
l'éducation spirituelle de l'homme [175]; pourquoi s'in-
quiéterait-on quand la foi et la morale ne sont pas
en cause [176] ? D'ailleurs, des « miracles », des *mirabilia,* il y en a toujours eu et partout; qu'on relise
les *Livres des Nombres,* les écrits des Pères du désert, saint Jérôme, Grégoire le Grand, le *De civitate
Dei,* les *Etymologies* d'Isidore de Séville et chez les
païens Valère-Maxime, Trogue-Pompée, Pline ou

---

172. Cf. *Chronica majora, a. 1247,* éd. Luard, dans *RS,* 57, 4 (1877),
p. 603.

173. « Revera si aliqua mirabilia vel inaudita monstra lecta sint vel
narrata raro fides est adhibita, quia patriam natalem semper inhabi-
tantes raro videbunt mirabilia quae videre possent si in exteris regionibus
itinerassent ». *Eulogium, prooemium,* éd. Haydon, dans *RS,* 9, 1 (1858),
p. 4.

174. Giraud le Cambrien, *Expugnatio hibernica, introitus,* éd.
Dimock, dans *RS,* 21, 5 (1867), p. 211.

175. Cf. *Polychronicon,* I, 1, éd. Babington, dans *RS,* 41, 1 (1865),
p. 16-18; Guillaume de Newburg, *Historia rerum anglicarum,* IV, 6,
éd. Howlett, dans *RS,* 82, 1 (1884), p. 308.

176. D'après Paul, *Romains,* XV, 4 : « Quaecumque enim scripta
sunt, ad nostram doctrinam scripta sunt... »; cf. *Polychronicon, ibid.,*
p. 18; Jacques de Vitry, *Historia hierosolymitana,* I, 92, éd. Bongors,
1611, t. 1, p. 112, estime qu'on peut tout croire de ce qui se raconte
des pygmées et des cyclopes pourvu que la religion ne soit pas mise en
cause. Voir note précédente.

Solin [177]. Il vaudrait peut-être mieux profiter de tout ce matériel extraordinaire pour réfléchir en compagnie de Jérôme et d'Augustin sur la nature elle-même, créature divine remplie de secrets et de puissances imprévues [178].

La critique du document écrit arrive en dernier lieu : est-elle nécessaire maintenant puisque l'écrit repose déjà sur des sources avant tout audio-visuelles ? Relisons ce qu'en pense Guillaume de Tyr après quinze livres de récits, car dans son esprit tout se ramène aux premières sources, et l'écrit suit :

Les événements que nous avons racontés jusqu'à ce moment ne nous ont été connus que par les relations des hommes qui avaient conservé un fidèle souvenir de ces temps anciens; aussi, semblable à celui qui va mendiant les secours étrangers, avons-nous éprouvé beaucoup plus de difficulté à reconnaître la vérité, la série des faits, et à constater l'ordre des années. Nous n'avons négligé aucun soin dans tout le cours de notre travail, pour demeurer toujours narrateur fidèle. Tout ce qui va suivre maintenant, nous l'avons vu en partie de nos propres yeux, ou bien les hommes qui ont assisté eux-mêmes aux événements nous en ont informé par un fidèle récit. Fort de cette double autorité, nous espérons avec l'aide de Dieu pouvoir écrire avec plus de facilité et d'exactitude les faits qui nous restent à raconter pour la postérité... [179].

177. Cf. *Expugnatio hibernica*, début, éd. DIMOCK, dans *RS*, 21, 5 (1867), p. 209-211; *De invectionibus*, 6, 5, éd. DAVIES, 1920, dans *Y Cymmrodor*, 30 (1920), p. 207, où il est rappelé que l'Écriture elle-même contient des rêves et des visions. Avec BEZZOLA, *Les origines et la formation de la littérature courtoise...* III, t. 1, p. 62-70.

178. *Ibid.*, p. 211.

179. *Historia rerum...* XVI, préf., dans *PL*, 201, 639 : « Quae, de praesenti hactenus contexuimus historia, aliorum tantum quibus prisci temporis plenior adhuc famulabatur memoria, collegimus relatione; unde cum majore difficultate, quasi aliena mendicantes suffragia, et rei veritatem, et gestorum seriem, et annorum numerum sumus consecuti : licet fideli, quantum potuimus, haec eadem recitatione scripto mandavimus. Quae autem sequuntur deinceps, partim nos ipsi fide conspeximus oculata, partim eorum qui rebus gestis, praesentes interfuerunt, fide nobis patuit relatione. Unde gemino freti adminiculo, ea quae restant auctore Domino, facilius fideliusque posterorum mandabimus lectioni ». *Ibid.*, IX, 16, 448; XIX, 18, 764.

C'est vrai que la manière de traiter les Ecritures et les anciens en général n'encourage guère l'oeuvre critique [180]. De soi, l'écrit impose respect et attention. La confiance aux écrits reçus, sauf ceux des hérétiques, est si absolue et la peur de l'inédit si grande, au moins chez les historiens, qu'il y a comme une répulsion naturelle à toucher à ce qui est écrit. Devant un texte accepté par la tradition et l'usage, c'est la passivité pure. Sans fichiers, sans bibliothèques, avec quelques ardoises et tablettes, et déjà porté à adhérer à tout ce qu'il lit, comment notre historien aurait-il pu, dans ces circonstances, envisager la critique de ces écrits, telle que du moins nous l'entendons maintenant ?

Par ailleurs, le même historien, chroniqueur ou annaliste, peu importe, qui remonte jusqu'à Adam et compare quelque peu ses documents d'emprunts ne manque pas d'y constater beaucoup de diversité pour ne pas dire davantage. A peine si un auteur s'accorde avec un autre, dira non sans impatience l'auteur des *Annales palidenses* [181] ! Qui a fondé

---

180. Cf. H. DE LUBAC, *Le fondement de l'histoire*, dans *Exégèse médiévale. Les quatre sens de l'Écriture*, I, 1, p. 425-487, et, plus spécialement, sur la conception de l'histoire en fonction du sens critique, p. 467-478.

181. *Annales Palidenses, auctore Theodoro Monacho*, prologue, éd. PERTZ, 1858, dans *MGH-SS*, 16 (1858), p. 51-52 : «...Plurimi enim in augmento vel diminutione numerorum, in transpositione vel omissione nominum, aut cum ab alio gesta alteri attribuuntur, in tantum a considerantibus varietati inveniuntur, ut vix sit aliquis qui concordet cum altero. Quorum auctores computationibus suis fidentes et catalogis, pontificum et ordini regum a quibusdam inconsiderate compositis adtendentes, a directo deviaverunt; qui si omissis omnibus ceteris Eusebium in cronicorum opere, quem sanctus Jeronimus commendat transfert et augmentat, et ecclesiasticum historiae ordinem inspexissent, profecto duces veritatis secuti, plurimis quaestionibus suos sequaces obsolvissent. Idcirco veritatis amatores sint admoniti, ut quia his doctoribus omnis ecclesia fidem jure accommodat, caeteris postpositis libris ac auctoribus, ab his ordinem et numerum personarum et annorum assumant. Scriptores quoque, qui librarii dicuntur, studiose attendant,

Rome ? Qui a fondé Poitiers ? Qui a fondé Padoue et Trèves [182] ? Que valent les écrits sur Arthur et autres héros du genre ? Il n'y a pas fumée sans feu : quelque chose s'est passé [183].

La réponse est souvent simpliste. Nos chroniqueurs ne semblent pas connaître, ils ne les appliquent pas du moins, les procédés du *sic et non* et du *diversi non adversi* en cours dans les écoles [184]. Leur rôle se limite à informer et à juxtaposer ce qu'ils ont appris : *Historia est narratio*. L'attitude est la même jusqu'à la fin. Devant le matériel accumulé à l'abbaye Saint-Denis, Georges Chastellain « fait concordance et espluchemens de verite, oste le super-

---

ut inventam veritatem sua diligentia conservent; quia ut dicit sanctus Ieronimus, saepe vicium scriptoris imponitur auctori, et sciant Iudici vero se negligentia debitores, quorum vitio veridicus auctor falsificatur et posteris via erroris et contentionis aperitur ».

182. V.g. OTHON DE FREISING, *Chronica...* I, 25 ss., éd. HOFMEISTER, 1912, p. 56 ss.

183. V.g. OLIVIER DE LA MARCHE, *Mémoires* I, 23, éd. BEAUNE et J. D'ARBAUMONT, 1883, dans *SHF*, 1 (1883), p. 121 : « Et combien que ces choses sont estranges à croire à pluseurs, toutesfois, il ne faut pas ignorer que le Roy Artus n'aist esté Roy d'Angleterre, par les fondacions qu'il a faictes et par sa sepulture en l'abbaye de Glasonbery. Et aussy qu'en toute la crestienté il est figuré l'un des IX preux (du monde) et le premier des trois preux crestiens, comme cy devant j'ay dit. Parquoy j'ay conclut que l'on doit bien peser (devant que) rebouter et contredire ès choses escriptes et mises en ramentevances soubs ung sy noble Roy et sy renommé que le Roy Artus, et, que plus est, vous trouverez grans appreuves des choses dessusdictes par les cronicques de Belges et de Rome. Et n'est à croire ne à penser que les grans et solemnels volumes fais et enregistrez des choses advenues du temps du Roy Artus (ayant esté publiés en vain et) que les acteurs eussent volu perdre tant de temps pour choses frivoles trouvées et non advenues, combien que non le croire ne charge point la conscience... ».

184. Cf. H. SYLVESTRE, *Diversi sed non adversi*, dans *Recherches de théologie ancienne et médiévale*, 31 (1964), p. 124-132; PARÉ, BRUNET, TREMBLAY, *La renaissance du XIIe siècle. Les écoles et l'enseignement* (*Publications de l'Institut d'études médiévales*, III), Paris-Ottawa, 1933, p. 109-138. Cf. M. SCHULZ, *Die Lehre...*, p. 42 ss. On lira non sans intérêt J. G. PRÉAUX, *Rodulphe de Saint-Trond et les principes de la critique historique*, dans *Latomus*, 5 (1946), p. 151-153.

flu, radoube le mauvais »; ce qu'il fait, il le fait pour d'autres raisons que la critique historique, « non par propre arrogance ny par confutation d'autrui, mais par donner obéissance à mon prince, avec affection que avoye à le complaire » [185]. S'il y a des contradictions évidentes, on peut dire toujours qu'elles viennent d'ailleurs [186]. Bède ne trouve pas d'autres manières de rassurer son roi que de lui transcrire la liste de ses sources écrites [187]. De toute manière celui qui trouve le temps de dépister les contradictions des autres, est un téméraire et un vaniteux à qui Fréculphe de Lisieux répond fièrement :

> Qu'il ne nous reprenne pas témérairement avant d'avoir lu plus attentivement les auteurs dont nous nous inspirons et auxquels nous le renvoyons comme aux témoins de notre véracité [188].

Le même Fréculphe signe un pacte avec ses lecteurs : ou les sources écrites qu'il utilise s'accordent, et il les résume, il les abrège, les cite par extraits prélevés ici et là; ou il y a discordances, il les signale et les regrette. Beaucoup d'autres font comme lui [189],

---

185. *Chronique,* prol., éd. KERVYN DE LETTENHOVE, 1863, I, p. 11.

186. V.g. BÈDE, *Historia ecclesiastica...,* préface, éd. PLUMMER, 1896, p. 8, après l'énumération de ses sources : « Lectoremque suppliciter obsecro, ut, si qua in his, quae scripsimus, aliter quam si veritas habet, posita reppererit, non hoc nobis imputet... ». ORDERIC VITAL s'en prendra lui aussi à ses prédécesseurs : v.g. *Hist. ecclesiastica,* VI, début, t. 3, p. 1-3; VI (561), t. 3, p. 67-68; VINCENT DE PRAGUE, *Annales, incipit,* éd. WATTENBACH, dans *MGH-SS,* 17 (1857), p. 659.

187. « Ut autem in his, quae scripsi, vel tibi, vel ceteris auditoribus sive lectoribus hujus historiae occasionem dubitandi subtraham, quibus haec maxime auctoribus didicerim, breviter intimare curabo ». *Hist. eccl...,* préface, p. 6.

188. « Nec temere reprehendat, antequam diligentius eos legerit auctores ex quibus nos haec decerpsimus et ad quos eorumdem quoque fidem referimus ». *Chronicorum tomi duo,* préface, dans *PL,* 106, 920,

189. V.g. *Gesta regum anglorum,* II, 133, éd. STUBBS, dans *RS,* 90, 1 (1889), p. 144; JEAN DE FORDUN, *Chronica,* début, éd. SKENE, X, 1, x, ss.; c'est parfois l'attitude de Basin, celle de Chastellain devant Bourguignons, Français et Anglais.

le plus honnête étant de rapporter les textes des auteurs discordants.

Ces noms d'auteurs, dont j'ai emprunté ce qui se trouve dans les sept livres, je ne les ai pas insérés partout, comme tu me l'as demandé, parce que là où ils semblaient concorder, je me suis plutôt efforcé, devant faire un compendium, de rappeler brièvement ce qui était dit de ceux que j'acceptais. J'ai décidé de signaler parmi les écrivains, les nôtres ou les Gentils, dont je reproduisais les phrases telles qu'elles se trouvent dans leurs oeuvres, les noms de ceux qui semblaient être discordants [190].

Une occasion par excellence de critique des sources écrites aura été, à propos de l'origine des héros et des fondateurs de villes, évêchés et monastères, de comparer les sources qui les rappellent. Othon de Freising [191] est sûrement un de ceux qui ont été les plus préoccupés d'en venir à une décision sur ces points délicats. Que fait-il ? D'abord il rapporte les témoignages; il les offre tels quels aux lecteurs. Faut-il introduire Arnoul ou le rejeter de la liste des empereurs romains ? Othon cite les opinions, offre la sienne qu'il appuie sur Virgile, mais il n'insiste pas. De même, à propos de la *translatio imperii,* de l'origine des Francs, du nom à donner à la Germanie : il y a de quoi hésiter encore, et le lecteur est mis au courant [192]. L'autre manière, plus élégante

---

190. « Porro nomina auctorum ex quibus ea collegi quae in septem libris conclusi, idcirco non ubique inserui (ut praemonuisti), quoniam in his in quibus concordare videbantur, sensum eorum quae elegeram compendiose complexus sub brevitate dictare studui. Eorum autem nomina adnotare decrevi, sive nostrorum, sive gentilium, sententiasque illorum assumpsi, ut in suis habentur libris, qui variando a ceteris exorbitare videntur... ». *Ibid.,* 918-919. WIPO, *Gesta Chuonradi II, epist.,* dans *SRG in usum...,* 1878, p. 4, ss., trouve des textes scripturaires pour justifier l'usage de diverses versions.

191. V.g. *Chronica...* I, 8, 13, 25; VI, 1, 30 ss. Avec P. BREZZI, *Ottone di Frisinga,* dans *Bulletino dell' Istituto storico Italiano,* 54 (1939), p. 129-328.

192. ORDERIC VITAL, *Hist eccl.,* IX (1005), dans *SHF,* 3, p. 451, hésite entre anciens et modernes, mais opte pour les traditions; par

certes, mais fort risquée, serait de résumer tout ce qui a été écrit sur tel fait, tel nom, sans faire état des divergences. On n'offrirait au lecteur que la substance de la tradition. Ainsi fit Frédégaire, le pseudo-Frédégaire, qui avait devant lui la chronique de Jérôme, celle d'Idace, un abrégé d'Isidore, un *Liber generationis* peut-être, les dix livres d'*Histoires* de Grégoire de Tours. Il s'assure de la chronologie, énumère les royaumes et les rois, il abrège afin que le lecteur ne soit pas distrait par les divergences de ses sources.

Nous pourrions produire quelques exemples plus rares de critique des textes, telle que nous la concevions au début du siècle. Ainsi, à propos des origines de Reims, Hincmar rapporte les « versions » de Tite-Live, de César, de Lucain, d'Eutrope et d'Isidore de Séville. Qui exactement, d'après des témoignages, est le vrai *fondateur de Reims* ? Aucun en particulier. Surtout pas Rémus. La conclusion est typique de la critique simpliste d'une époque qui mélange tout :

Nous voulons rappeler à la mémoire ceux qui sont au principe de notre foi ainsi que les pères de notre église. Il nous a semblé hors de propos de rechercher les auteurs et les fondateurs de ces lieux, puisqu'ils n'ont rien fait pour notre salut éternel et qu'ils ont plutôt laissé gravées sur la pierre les traces de leurs erreurs. Au sujet du nom de notre ville et de son fondateur, je ne crois pas devoir endosser l'opinion commune qui veut que Rémus, le frère de Romu-

---

ailleurs GUILLAUME DE MALMESBURY, *Historia novella*, III, 514, dans *RS*, 90, 2, p. 590, a horreur de transmettre une incertitude; s'il ne peut conclure, v.g. *Gesta regum anglorum*, II, 165, *ibid.*, 1, p. 190, il en avertit aussitôt le lecteur. Sur le même genre d'incertitude historique, voir en particulier RANULPHE DE HIGDEN, *Polychronicon*, I, 9, dans *RS*, 41, 1, p. 13 ss. Au lecteur de juger, diront souvent Jehan Le Bel, Froissart et d'autres. On pourrait démontrer à partir des divers récits sur Jeanne d'Arc, ceux de Antonio MOROSINI en particulier (cf. *Chronique*, éd. DOREZ, dans *SHF*, 3, 1901), comment on est porté à s'en remettre encore au lecteur; mêmes attitudes de THOMAS BASIN, *Histoire de Charles VII*, II, 9, dans *CHFMA*, 15, p. 126 ss.

lus, en soit l'auteur et qu'il soit celui qui a institué cette ville. [193].

Aussi longtemps, une fois de plus, que la religion et les mœurs ne sont pas en cause, l'attitude normale de l'historien est d'accepter les textes tels qu'il les trouve et de les transmettre ainsi à ses lecteurs. L'autorité de Jérôme endosse cette démarche. De nul autre que Ranulphe de Higden :

> Nous ne devons pas condamner les historiens ni leurs commentateurs de s'exprimer différemment. L'erreur provient des anciens. Jérôme nous autorise plutôt à accorder notre confiance à tout ce qui chez eux ne contredit pas la foi religieuse et les mœurs. Dès lors je reprends à mon compte, mais sans courir le péril d'en garantir la véracité, tout ce qui relève de l'histoire et tel que je le lis chez différents auteurs [194].

CHRONOLOGIE. —

Une fois le matériau recueilli, il faut le ranger, l'ordonner en vue de l'écriture. Chronologie et géo-

---

193. « Fidei nostrae fundamina proditurus ac nostrae patres ecclesiae memoraturus, moenium locatores nostrorum vel instructores exquisisse, non ad rem adeo pertinere videbitur, cum ipsi salutis aeternae nil nobis contulisse, quin immo erroris sui vestigia lapidibus insculpta reliquisse doceantur. De urbis namque nostrae fundatore seu nominis inditore non omnimodis a nobis approbanda vulgata censetur opinio, quae Remum, Romuli fratrem, civitatis hujus institutorem ac nominis tradit auctorem... ». *Historia remensis ecclesiae*, I, 1, éd. WAITZ, 1881, dans *MGH-SS*, 13 (1881), p. 412-414.

194. « Unde nec historicos nec commentarios varie loquentes condemnare debemus, quia antiquitas ipsa creavit errorem. Illorum igitur dictis, secundum Hieronymum, quorum religio fidei et moribus non praejudicat, nec veritati agnitae contradicit, fidem convenit adhibere. Quamobrem in hac assertione historiae periculum veri statuendi per omnia mihi non facio, sed quae apud diversos auctores legi sine invidia communico ». *Polychronicon*, I, 1, prol., éd. BABINGTON, dans *RS*, 41, 1 (1865), p. 18. Cf. *supra*, note 155.

graphie s'imposent [195]. Cicéron l'a dit [196]. Sans sa date, un événement n'est même pas historique [197].

Lorsqu'un historien ne s'attache pas à l'ordre naturel des faits, écrit le moine Richer, l'erreur risque de déconcerter le chercheur en le détournant de la suite régulière des événements et en même temps de l'égarer [198].

Au premier coup d'oeil, on dirait bien que la chronologie est le moindre de leurs soucis. C'est l'impression de Guizot : « Le désordre du temps a passé dans leurs écrits; ils nous ont transmis les faits comme ils les avaient vus ou recueillis, c'est-à-dire pêle-mêle, s'assujettissant à peine à un faible lien chronologique, interrompant le récit incomplet d'une guerre pour parler de la querelle d'un évêque avec son métropolitain ou des délibérations d'un concile

---

195. Voir V. GRUMEL, *La chronologie*, Paris, 1958, p. 5 ss.; C. W. JONES, dans *Bedae opera de temporibus*, Cambridge, 1943, p. 68-70; cf. M. SCHULZ, *Die Lehre...*, p. 8-9.

196. *De oratore*, II, 15, 63 : « Rerum ratio ordinem temporum desiderat, regionum descriptionem ». On se souviendra que Cicéron reste le maître incontesté de la Rhétorique, et sur le *De oratore* dans les bibliothèques, voir LESNE, *Histoire de la propriété ecclésiastique en France*, t. IV : *Les livres...*, Lille, 1938, p. 127 ss.

197. D'après HUGUES DE FLEURY; citation de VINCENT DE BEAUVAIS, *Speculum majus*, prol., ch. 5 : « Illae quippe res gestae ut dicit Hugo Floriacensis quae nulla regum, ac temporum certitudine commendantur, non pro historia recipiuntur ». HUGUES DE SAINT-VICTOR, *Didascalicon*, VI, 3, éd. BUTTIMER, 1939, p. 113-4 : « Sic nimirum in doctrina fieri oportet, ut videlicet prius historiam discas et rerum gestarum veritatem, a principio repetens usque ad finem quid gestum sit, quando gestum sit, ubi gestum sit, et a quibus gestum sit, diligenter memoriae commendes ». Aussi de W. M. GREEN, *Hugo of St. Victor : De tribus maximis circumstantiis gestorum*, dans *Speculum*, XVIII (1943), p. 49 : « La connaissance des faits historiques dépend de trois facteurs principaux : des personnes qui sont au principe des faits, du lieu où les faits sont arrivés et du temps où ils se sont passés. Voilà les trois points que chacun retiendra dans sa mémoire. Il y trouvera bon fondement à partir duquel il pourra ensuite, en lisant, augmenter sans difficultés son savoir, saisir rapidement et retenir d'une façon normale ».

198. « Ubi enim rerum ordo non advertitur, tanto nitentem error confundit, quando a serie ordinis errantem seducit ». RICHER, *Histoire de France*, prol., éd. LATOUCHE, dans *CHFMA*, 12 (1930), p. 2-3.

sur quelque point de dogme ou de discipline qu'ils indiquent sans l'expliquer, laissant là le concile assemblé pour raconter une incursion de quelques bandes de Normands, passant tout à coup des désastres des Normands aux négociations des rois, des négociations des rois à la révolte de quelque duc ou aux débats de quelques comtes, jetant çà et là un miracle, une éclipse, l'état de l'atmosphère, les ravages des loups dans des campagnes, ne prenant nul soin de rien éclaircir, de rien arranger, étrangers enfin à tout travail de composition, à toute suite dans le récit, livrant seulement à leurs lecteurs tous les renseignements qu'ils ont pu recueillir du fond de leur monastère, et aussi confus, aussi dépourvus d'enchaînement et de régularité que l'étaient alors les actions des hommes et les affaires du monde » [199].

A tout ceci Orose [200] a déjà répondu, dès 417 : la réalité est elle-même confuse, incertaine et insaisissable et c'est bien la raconter que de la montrer telle qu'elle est. Grégoire de Tours abonde dans le même sens :

Comme nous suivons l'ordre des temps, nous rapportons pêle-mêle et confusément aussi, aussi bien les miracles des saints que les massacres des peuples. Je ne pense pas qu'on trouve insensé que nous rapportions ainsi la vie heureuse des saints au milieu des calamités des misérables puisque ce n'est pas la fantaisie de l'écrivain mais bien la succession chronologique qui l'a imposé [201].

---

199. Dans *Collection des Mémoires relatifs à l'histoire de France*, IV, p. 119-20.

200. Cf. *Historia adversus paganos*, III, 2, éd. ZANGEMEISTER, 1882, dans *CSEL*, 5 (1882), p. 144 : «...quoniam tanto, ut video, inordinatius scripsi, quanto magis ordinem custodivi ».

201. *Historiarum libri X*, II, début, éd. B. KRUSCH et W. LEVISON, 1951, p. 36 (trad. LATOUCHE, dans *CHFMA*, t. 27, p. 72-73) : «Prosequentes ordinem temporum, mixte confusequae tam virtutes, sanctorum quam strages gentium memoramus. Non enim inrationabiliter accipi puto, se filicem beatorum vitam inter miserorum memoremus excidia, cum idem non facilitas scripturis, sed temporum series praestitit ». *Supra,* note 48.

Dans ce cas que veulent dire exactement *ordo historiae, ordo temporum, series temporum, series praeteritorum* et autres expressions du genre [202] que nos historiens et chroniqueurs utilisent à tout propos ? L'ordre historique est avant tout, pour eux du moins, l'ordre naturel et quotidien de la succession des jours répartis en semaines, en mois, saisons et années. Ordre astral, calculs gréco-romains, dates juives, tout a été récapitulé par Isidore et Bède [203] :

En 583 on raconte que...

En 584 on raconte que...

En 586, c'est la vingt-quatrième année du roi et on raconte que...

A chaque date si possible un nom et des faits « mémorables ». Ici et là, l'historien s'arrête pour raconter, nommer, parler de son roi, de son abbé, de son évêque et du quotidien; il ajoute à l'occasion quelques détails sur la température et certains prodiges arrivés dans le ciel. C'est toujours le même processus, toujours la même manière, les années s'ordonnent d'elles-mêmes à mesure qu'elles se présentent :

Je rapporterai dans l'ordre convenable, de quelle manière et dans quelle année eut lieu cet événement, et ne cesserai d'écrire jusqu'à ce que j'aie, si Dieu le permet, inséré dans

---

202. La terminologie est uniforme et constante. OTHON DE FREISING écrit : *ordo historiae;* ORDERIC VITAL : *ordo narrationis;* GUILLAUME DE MALMESBURY : *ordo materiae* et *ordo temporum.* Pour exprimer la suite des temps, la continuité historique, on dira plutôt : *series narrationis, series temporum,* ou *series praeteritorum,* etc.

203. V.g. *Etymologiae,* V, 28 ss.; VI, 17 ss.; XI, 2. Surtout Bède; *Bedae opera de temporibus,* éd. C. W. JONES, Cambridge, 1943. Plus tard, v.g. Marien Scot, Robert de Torigny, bien d'autres encore. Voir POTTHAST, à *chronographia, chronologia, kalendarium, necrologium,* etc. Fra Salimbene invoque pour sa part l'autorité de Moïse qui lui aussi a écrit à la suite. Voir *Chronica, a. 1286,* dans *MGH-SS,* 32, p. 619.

ce livre tout ce que je souhaite y raconter et tout ce dont la vérité me sera bien connue [204].

Cette dictature de la date, contre laquelle Polybe avait autrefois protesté [205], n'est pas sans créer des difficultés. Le lien annalistique s'avère souvent fort artificiel. Si, par exemple, en 1012, un historien n'a pas obtenu toutes les informations qu'il désire, devra-t-il attendre avant de poursuivre ? Jusqu'à quand attendra-t-il ? Et si sa mémoire le trahit ? Comment revenir en arrière quand le folio qui correspond à l'an 1025 est déjà rempli de faits et que tout à coup en 1030 se présente une information capitale sur l'an 1025 ? Que de fois notre historien profite de la mention d'une personne ou d'un lieu pour grouper autour une suite d'informations qui débordent nettement la date prévue [206] ! Il récapitule tout à coup, à la manière de Salluste, et, plus tard, de Grégoire de Tours [207], pour dire à propos d'un per-

---

204. Ps. — FRÉDÉGAIRE, *Chronicorum...*, IV, 81, éd. KRUSCH, dans *MGH — Scriptores rerum merovingicarum*, II (1887), p. 162 : « Quemadmodum haec factum fuissit aeventum, anno in quo expletum est in ordene debeto referam et scribere non selebo, donec de his et alies optata, si permiserit Deus, perficiam, uius libelli cumta mihi ex vereitate cogneta inseram ».

205. Cf. *Histoires*, I, 4. Au chapitre suivant, Polybe concède qu'il faut s'en remettre au moins à une première date qui déterminera les autres.

206. Ainsi, GUIBERT DE NOGENT profite de la mention de tel duc, tel abbé, pour récapituler : *Gesta Dei per francos*, III, 6, dans *PL*, 156, 728-730; IV, 17, 747. GUILLAUME DE TYR profite de la mention du comte de Tripoli pour en résumer la biographie : « Et quoniam de comite nobis sermo, rerum serie sic exigente, se obtulit, dignum est ut de eo quae pro certo comperimus, posteris memoriae mandemus; non quod panegyricos propositum sit scribere, sed ut quantum compendiosae historiae sermo patitur succinctus, quis qualis que fuerit edoceamus ». *Historia rerum...*, XXI, 5, dans *PL*, 201, 818. Etc.

207. V.g. dans *Bellum Jugurthinum*, XCV, SALLUSTE venant à parler soudainement de Sulla, écrit : « Puisque le sujet nous a fait mentionner ce grand homme, il nous a paru à propos de dire quelques mots de sa personne et de son caractère : nous n'avons pas l'intention en effet d'écrire ailleurs l'histoire de Sulla ». Ainsi GRÉGOIRE DE TOURS, dans *Hist. des Francs*, IV, 46, à propos d'un certain Andarchius : « Je crois

sonnage tout ce qu'il sait, de sa naissance à sa mort. « Il m'est plus pénible de revenir aux mêmes matières que de les traiter une fois pour toutes », explique Guillaume de Malmesbury [208]. Guillaume de Tyr sait combien les historiens peuvent être bavards. Il préfère, pour sa part, les inconvénients de l'ordre « naturel » au laisser-aller des récits insérés sans points de repères stables :

Le devoir des annalistes est de consigner les faits par écrit non tels qu'ils voudraient qu'ils arrivent mais tels qu'ils se présentent dans la suite des temps [209].

Quant aux historiens qui ont tenté de *périodiser* l'histoire et de la diviser en âges [210], en « monarchies », en décades [211], ils sont plutôt l'exception.

---

devoir rappeler d'abord son origine et sa patrie »; *ibid.*, 48, au sujet de Landaste : « Mais auparavant je dois devoir rappeler sa naissance, sa patrie, son caractère »; V, 50 : « J'aurais dû parler plus haut de mon entretien avec le bienheureux évêque Sauve; mais comme j'ai oublié de le faire, ce n'est pas un sacrilège, je pense, d'en parler un peu plus tard ». GUIBERT DE NOGENT, *Gesta Dei per francos*, II, 8; RAOUL DE CAEN, *Gesta Tancredi*, 53; OTHON DE FREISING, *Historia de duabus civ.*, IV, 5, 6; ORDERIC VITAL, *Historia ecclesiastica*, II, 18 (il espère obtenir de meilleures informations plus tard); GUILLAUME DE MALMESBURY, *Gesta regum anglorum*, I, 87; *ibid.*, III, 288, t. 2, p. 343 : « Verum de his (sur le caractère d'Henri IV) dicturum lector praestoletur, cum series narrationis expetierit ». JEAN DE WINTERTHUR, *Chronica*, début, dans *SRG, nova series*, III, p. 1-2, avoue qu'il est lié à la suite de ses informations plutôt qu'à celle des faits.

208. *Gesta regum anglorum*, I, 87, éd. STUBBS, dans *RS*, 90, 1, p. 86 : « Sed ideo hoc faciam, quia difficilius contexo interrupta, quam absolvo instituta ».

209. *Historia rerum...*, XXIII, préf., dans *PL*, 201, 890 : « Annalium enim conscriptiones non qualia optant ipsi, sed qualia ministrant tempora, mandari solent litteris, ex officio ».

210. *Infra*, p. 91.

211. MATTEO PALMIERI († 1475) désire surtout briser avec les procédés annalistiques reçus et grouper si possible par durées successives les temps privilégiés de la continuité historique. « Je ne ferai pas qu'indiquer les années de notre salut; mais je les *grouperai par décades* afin que tout soit plus clair et que l'on voit plus vite quand tel ou tel fait s'est produit. Mais de peur qu'il y ait confusion dans l'écriture parmi tant de détails, je verrai à bien séparer la suite des chiffres,

En général, on sait l'ordre des années, à l'intérieur duquel s'insèrent les grands jours liturgiques [212], les fêtes de saints [213], les anniversaires royaux et épiscopaux. Toutes les dates reposent, comme toute chronologie normale, sur une première date [214] et comme le moyen âge dépend d'Eusèbe et de Jérôme, eux-mêmes inspirés par la pensée juive et Jules Africain, la première date est, nous l'avons vu, celle du premier récit du premier historien de tous les temps, Moïse :

> Doué d'un esprit prophétique, Moïse a décrit en lettres hébraïques dont il est lui-même l'inventeur, le commencement du monde et les faits merveilleux du premier et du second âge de l'univers... [215]

Chaque « période », qu'elle soit grecque, romaine, barbare ou musulmane, découle de la même première et unique histoire; et vient en quelque sorte préciser, compléter le même schéma biblique de la *Genèse*

---

j'indiquerai la séparation en utilisant les couleurs rouge et noir et ainsi la séparation sera évidente d'un bout à l'autre grâce au chiffre vermillonné. Chaque item sera ainsi au clair. Je demande à qui transcrira ce livre de le faire avec soin, dans l'ordre indiqué et que les corrections soient reportées à l'exemplaire ». *De temporibus*, préf., éd. CARDUCCI et FIORINI, dans *RIS*, 26, 1, p. 6.

212. Qu'on lise par exemple l'*Histoire de saint Louis* de JEAN SIRE DE JOINVILLE, éd. N. DE WAILLY, Paris, 1881.

213. À la manière du *De civitate Dei*, OTHON DE FREISING termine sa chronique par un exposé sur les lendemains apocalyptiques. sur la mort des hommes et des empires. Cf. éd. HOFMEISTER, dans *SRG in usum...*, 1912, p. 390- 457.

214. Cf. POLYBE, *Histoires*, I, 5.

215. « Inter omnes historiographos novi ac veteris Testamenti Moses sanctus obtinet principatum, qui divino Spiritu prophetiae, Hebraicis litteris, quarum Deo revelante, ipse auctor exstitit mundi descripsit exordium, et primae aetatis ac secundae facta... nobis adduxit in medium ». ROBERT LE MOINE, *Historia hierosolymitana*, prologue, dans *PL*, 155, 669. Sur la primauté de Moïse dans l'antiquité chrétienne et au moyen âge, Henri DE LUBAC, *Exégèse médiévale. Les quatre sens de l'Écriture*, I, 1, p. 76 ss.

à l'*Apocalypse* [216]. Coûte que coûte il faut s'entendre avec Moïse premier historien du monde [217]; tout remonte à lui, en dérive [218]. Chaque homme, chaque moine, chaque clerc, chaque roi, et aussi chaque monastère, chaque évêché, chaque ville, est issu d'Adam. Ceux qui se limitent à leur temps, Guibert de Nogent, Robert le Moine, Ptolémée de Lucques et d'autres, restent l'exception et tout indique qu'ils ont toujours à l'esprit les données bibliques traditionnelles [219]. D'après Orose [220], si souvent copié et recopié, le monde durerait en tout 6000 ans; de Adam à Ninus on compte déjà près de 4000 années; la naissance du Christ, événement capital, aurait eu lieu en la 42e année de César et en l'an 752 de Rome; d'Abraham au Christ il se serait écoulé 2015 années. Grégoire de Tours recommence à compter; si les calculs varient, la perspective est la même :

La somme totale des années du monde est donc la suivante :

De la création au déluge :	2242 années
Du déluge au passage des fils d'Israël dans la Mer Rouge :	1404 années
De ce passage de la mer jusqu'à la résurrection du Seigneur :	1538 années

---

216. Cf. *Etymologiae*, I, 42 : « *De primis auctoribus historiarum.* Historiam autem apud nos primus Moyses de initio mundi conscripsit... ». Avec Jacques FONTAINE, *Isidore de Séville et la culture...*, I, p. 183 ss. *Supra*, note 52.

217. HENRI DE HUNTINGDON, *Historia anglorum*, préface, éd. TH. ARNOLD, dans *RS*, 74 (1879), p. 3.

218. C'est poursuivre les perspectives de Tatien, Théophile d'Antioche, Jules Africain, Eusèbe, Jérôme, Augustin, Orose, etc. Cf. A. PUECH, *Recherches sur le Discours aux Grecs de Tatien*, Paris, 1903, p. 82-89; J. RIVIÈRE, *Saint Justin et les Apologistes du second siècle*, Paris, 1907, p. 108-115. Toute l'oeuvre de MARIEN SCOT (avec les commentaires de ORDERIC VITAL, *Hist. eccl.*, fin du livre III) pourrait être lue dans ce sens.

219. Guibert de Nogent commença ses *Gesta Dei per francos* avec Mahomet; Robert le Moine, avec le Concile de Clermont; Ptolémée de Lucques, avec le pape Alexandre III.

220. Cf. *Historia adversus paganos*, I, 1, p. 5 ss. (B. LACROIX, *Orose et ses idées*, p. 52-56). Un exemple : FRÉCULPHE DE LISIEUX, *Chronicorum tomi duo*, I, préface, dans *PL*, 106, 917-918.

De la résurrection du Seigneur au décès de saint Martin :	412 années
Du décès de saint Martin jusqu'à l'année mentionnée ci-dessus, c'est-à-dire la vingt et unième de notre ordination qui a été la cinquième de Grégoire, pape romain, la trente et unième du roi Gontran, la dix-neuvième de Childebert le jeune :	197 années
De ces années la somme totale est :	5792 années [221]

C'est le thème des six âges transmis tour à tour par Isidore, Bède et par tant d'autres computistes [222]; dans son énoncé officiel, il remonte à saint Augustin bien que son contenu soit d'inspiration juive.

Le premier (âge) va de l'origine du genre humain, c'est-à-dire d'Adam, premier homme créé jusqu'à Noé, constructeur de l'arche, au temps du déluge. Le second s'étend de Noé à Abraham, appelé certes le Père des Nations qui imiteraient sa foi, mais plus particulièrement père du peuple juif, en raison de la descendance illustre de sa chair. Ce peuple, en effet, avant la profession de foi par les Gentils fut le seul, parmi tous les peuples de la terre, à adorer l'unique vrai Dieu, et c'est de lui que devrait venir, selon la chair, le Christ sauveur. Ces deux premiers âges sont mis en pleine lumière dans l'Ancien Testament. Les trois autres sont évoqués non moins clairement dans l'Evangile, quand y est rappelée la généalogie de Notre Seigneur Jésus-Christ. Le troisième en effet va d'Abraham jusqu'au roi David. Le quatrième, de David jusqu'à cette captivité qui fit émigrer à Babylone le peuple de Dieu. Le cinquième va de cette émigration jusqu'à l'avènement de Notre Seigneur Jésus Christ. C'est de cet événement que part le sixième âge... [223].

---

221. Cf. *Libri historiarum decem*, X, 30, trad. LATOUCHE, dans *CHFMA*, 28, p. 326.

222. La division patristique et quadripartite : *ante legem, sub lege, sub gratia, in gloria*, n'a que peu d'adeptes chez les historiens. Voir J. SPÖRL, *Grundformen Hochmittelalterlicher Geschichtsanschauung*, p. 120-121. Commentaires de É. GILSON, *L'esprit de la philosophie médiévale*, p. 369-370 (avec les notes).

223. *De catechizandis rudibus*, XXII, 29. Lire aussitôt ISIDORE DE SÉVILLE, *Etymologiae*, V, 38 : « Aetas autem proprie duobus modis dicitur : aut enim hominis, sicut infantia, juventus, senectus; aut mundi, cujus prima aetas est ab Adam usque ad Noe; secunda a Noe usque ad Abraham; tertia ab Abraham usque ad David; quarta a David usque

Nous nous retrouvons tous au sixième et dernier âge : *Era Christi, era incarnationis* [224], ère de grâce par excellence avant le Sabbat éternel du monde [225] ! Cet âge débute par la naissance du Christ qui devient comme le point tournant de toutes les chronographies, surtout depuis que Bède le premier l'a insérée dans ses tables et adaptée à l'historiogra-

---

ad transmigrationem Juda in Babyloniam; quinta deinde (a transmigratione Babylonis) usque ad adventum Salvatoris in carne; sexta, quae nunc agitur, usque quo mundus iste finiatur.. ».

224. Sur l'introduction de l'ère de l'Incarnation en Occident, R. L. POOLE, *Chronicles and Annals*, Oxford, 1926; C. VOGEL, *Introduction aux sources de l'histoire du culte chrétien au moyen âge*, Spoleto, s.d., p. 268-69; R. L. POOLE, *The Beginning of the Year in the Middle Ages*, dans *Studies in Chronology and History*, Oxford, [1969], p. 1-27.

225. Allusion et références (chez Augustin) aux textes de la *Genèse* I, 27; VI, puis XVII, 4; et à *Matthieu*, I, 17. — Les passages où AUGUSTIN élabore le mieux sa division de l'histoire en âges sont les suivants : *De Genesi contra man.*, I, 42, *PL*, 34, 190 ss.; *De catechizandis rudibus*, XXII, 39; *De civitate Dei*, XXII, 30; etc. Textes principaux où il parle des six âges de la vie de l'homme (*infantia, pueritia, adolescentia, juventus, gravitas, senectus*) dans *De civitate Dei*, X, 14; *De div. quaest.*, I, 58; *De vera religione*, 50; *De Genesi contra man.*, I, 39, etc. Cf. A. LUNEAU, *L'histoire du salut chez les Pères de l'Église*, Paris, 1964. Le dossier « médiéval » du thème des six âges du monde, ses sources historiques, sa popularité durant tout le moyen âge, tant chez les historiographes que chez les théologiens (v.g. Bonaventure), ses implications doctrinales, son influence sur l'esprit de l'historiographie médiévale, tout cela pourrait faire l'objet d'une intéressante enquête. Outre les références déjà indiquées, on pourrait ajouter du ps.-FULGENCE (VIe siècle ?), le *De aetatibus mundi et hominis* (voir *Une bibliothèque scolaire du XIe siècle* de Jean GESSLER, Paris, 1935, p. 58-59); de JULIEN (VIIe siècle), un *De comprobatione aetatis sextae libri tres*, *PL*, 96, 537-586; ISIDORE DE SÉVILLE, *Etymologiae* V, 38 ss.; surtout BÈDE, *De temporibus liber* (703), *De temporum ratione* (725), à étudier dans l'édition annotée de C. W. JONES, *Bedae opera de temporibus*, Cambridge, 1934. On trouvera sans doute d'autres textes comme celui de Paul Diacre qui achève son poème acrostiche à Adelperge, fille de Didier VIII, par le thème des six âges (cf. *MGH-Poetae lat,*, I, p. 35). — Par ailleurs quel déploiement verbal pour annoncer une date comme la prise de Jérusalem ! V.g. FOUCHER DE CHARTRES, *Gesta francorum*, I, 14 ss., dans *PL*, 155, 847 ss.; MATTHIEU PARIS, répétant GUILLAUME DE TYR, dans *Chronica majora, a. 1099*, dans *RS*, 57, 2, p. 92 ss.

phie latine [226]. Ce qui avait autrefois heurté Denys
le Petit († 556) promoteur de la nouvelle ère en
Occident, est qu'on ait pu dater des faits chrétiens
à partir d'événements aussi païens que les règnes
d'Auguste et d'Hérode [227]. L'étonnement sera aussi
grand dans le pays de Bède quand à la fin du XIᵉ
siècle, Marien Scot († 1082/83), recommençant à
compter [228], voudra contester la date même de l'Incarnation [229]; il voulait corriger une inexactitude
mais il énerva tout le monde [230]. Gervais de Canter-

---

226. Voir V. GRUMEL, *Mediaeval Chronology*, dans *New Catholic
Encyclopedia*, III, 664-675; R. L. POOLE, *Mediaeval Reckonings of Time*,
Londres, 1918; ID., *Studies in Chronology and History*, Oxford, [1969],
p. 28-37.

227. « Noluimus circulis nostris memoriam impii et persecutoris
innectere; sed magis eligimus ab Incarnatione Domini nostri Jesu
Christi annorum tempora praenotare ». *De ratione Paschae, epist. 1*,
dans *PL*, 67, 20. Sur Denys le Petit, ses sources, les textes et l'ère de
l'Incarnation, voir C. W. JONES, *Bedae de temporibus*, p. 69-73.

228. V.g. BÈDE, *Hist. eccl.*, I, 11, p. 24 : « Anno ab incarnatione
Domini CCCCVII, tenente imperium Honorio Augusto, filio Theodosii
minoris... ». Ou RAOUL GLABER, *Histoires*, début (lettre à Odilon), éd.
PROU, 1886, p. 2 (trad. POGNON, dans *L'An mille*, Paris, 1947, p. 45) :
« Je dirai brièvement que si la série des années depuis l'origine du
monde selon les histoires des Hébreux n'est pas la même que dans la
traduction des Septante, du moins avons-nous la certitude que l'an 1002
de l'Incarnation du Verbe est le premier du règne d'Henri, roi des
Saxons, et que l'an 1000 du Seigneur fut le treizième du règne de Robert,
roi des Francs ».

229. SIGEBERT DE GEMBLOUX, *Liber de scriptoribus ecclesiasticis*, 159,
dans *PL*, 160, 584 : « Marianus Scottus, peregrinens pro Christo in
Gallias, et factus monachus apud Moguntiam, multis annis inclusus,
scripsit Chronicam a nativitate Christi usque ad annum nati Christi
millesimum octogesimum secundum, mira subtilitate ostendens errorem
priorum chronographorum, ita ponentium nativitatem Christi ut annus
passionis ejus, quantum ad rationem computi, non concordet veritati
evangelicae. Unde ipse apponens, XXIII annos illi anno ubi priores
scribunt fuisse natum Christum, ponit in margine paginae alternatim
hinc annos falsae priorum computationis, ut non solum intellectu, sed
etiam visu possit discerni veritas et falsitas »; cf. *ibid.*, 171, 588. Cf.
Alfred CORDOLIANI, *L'activité computistique de Robert, évêque de
Hereford*, dans *Mélanges René Crozet*, Poitiers, 1966, I, p. 333-340.

230. Avec GUILLAUME DE MALMESBURY, *Gesta regum anglorum*,
III, 292, dans *RS*, 90, 2, p. 345 : « Sub isto imperatore regnante floruit

bury trouve qu'on a perdu trop de temps à rediscuter
cette question dont l'essentiel, le fait même de la
naissance du Christ et son incarnation dans le temps,
ne faisait pas doute [231].

D'autres thèmes les préoccupent : les origines,
l'hérédité, les successions. C'est qu'ils accordent un
grand prestige à la durée qui annoblit autant que
le sang. Cela ne les empêche pas de distinguer entre
le passé et le présent [232], mais leur culte de l'héritage est si fort qu'il les entraîne aussitôt à chercher
leur première raison d'être dans un événement d'autrefois. Quel apôtre n'a-t-on pas fait voyager en
Occident en le nommant aussitôt fondateur d'une
église locale ? Quel monastère ne voudrait pas démontrer une filiation directe avec saint Benoît ?
Quelle ville n'a pas réclamé l'honneur d'un fondateur
apostolique ? Une bonne dose de naïveté vient rejoindre des vanités locales et la piété. Les origines
légendaires font partie d'un vieil héritage [233]. Jean
Bodin a raison : « Aucune question n'a plus tour-

Marinianus Scottus, qui primo Fuldensis monachus, post apud Magon-
tiacum inclusus, contemptu praesentis vitae, gratiam futurae demere-
batur. Is, longo vitae otio chronographos scrutatus, dissonantiam cyclo-
rum Dionysii exigui ab evangelica veritate deprehendit; itaque, ab initio
seculi annos singulos recensens, viginti duos annos qui circulis praedictis
deerant superaddidit, sed paucos aut nullos sententiae suae sectatores
habuit. Quare saepe mirari soleo cur nostri temporis doctos hoc respergat
infortunium, ut in tanto numero discentium, in tam tristi pallore lucu-
brantium, vix aliquis plenam scientiae laudem referat. Adeo inveteratus
usus placet; adeo fere nullus novis, licet probabiliter inventis, sereni-
tatem assensus pro merito indulget; totis conatibus in sententiam veterum
repetatur, omne recens sordet; ita, quia solus favor alit ingenia, cessante
favor obtorpuerunt omnia ». — Aussi MATTHIEU PARIS, *Chronica
majora, a. 1081,* éd. LUARD, dans *RS,* 57, 2 (1874), p. 18.

231. Cf. *Chronica,* prol., éd. STUBBS, dans *RS,* 90, 1 (1887), p. 88-89.

232. V.g. GAUTIER MAP, *De nugis curialium,* 1, 30, éd. JAMES,
Oxford, 1914, p. 59 : « Nostra dico tempora modernitatem hanc, horum
centum annorum curriculum, cujus adhuc nunc ultime partes extant ».

233. Sur les origines légendaires, on voudra bien se reporter aux
études bien connues des spécialistes Meyer, Faral, Bédier, etc.

menté les historiens que celle de l'origine des peuples... » [234]. Aussi, quand un historien réussit à faire
remonter les Francs à Priam [235], à faire voyager Enée
de Troie en Italie et Brutus en Bretagne [236], il obéit
peut-être à des étymologies douteuses, mais on sait
que ses lecteurs, autant que lui, adorent ces perspectives qui rassurent. On n'en finirait pas de fournir
des exemples [237]. Flodoard prétend que saint Sixte
fut envoyé à Reims par saint Pierre lui-même pour
devenir — quel honneur ! — le premier évêque de
l'église locale [238]. Othon de Freising ose citer sur
ces questions d'origine fort discutées Homère, Virgile, Pindare, Lucain [239]. Qui osera le contredire ?
Quand Jean Bodin proteste, il est déjà trop tard :
« c'est une grave illusion pour un prince que de
chercher les véritables titres de sa noblesse dans
l'extrême antiquité de sa race, ou d'espérer qu'elle
sera éternelle » [240].

Ces chroniqueurs médiévaux si imbus d'origines
par généalogies et dynasties ont-ils été tout autant
obsédés par la fin des temps, voire par l'an Mil [241] ?

---

234. *Methodus ad facilem...*, IX, éd. MESNARD, 1951, p. 240 : « Nulla
quaestio magis exercuit historiarum scriptores, quam quae habetur de
origine populorum ».

235. Par exemple, OTHON DE FREISING, sur les origines légendaires
des Francs, dans *Chronica*, I, 25, éd. HOFMEISTER, dans *SRG in usum...*,
p. 57; *ibid.*, IV, 32, p. 223 ss.

236. Cf. J. S. P. TATLOCK, *The Legendary History of Britain*, Berkeley, 1950.

237. On lira avec profit les remarques de ÉTIENNE PASQUIER
(† 1615), *Des recherches de la France*, I, 14, éd. de 1567, Orléans,
p. 62-64.

238. *Historia Remensis ecclesiae*, I, 3, éd. WAITZ, dans *MGH-SS*, 13
(1881), p. 414; aussi *Chronica*, IV, 1, de ANDRÉ DANDULI, dans *RIS*,
12, 1, p. 9-10, sur la venue de saint Marc en Italie.

239. *Supra*, note 235.

240. *Methodus...*, ch. 9, éd. MESNARD, 1951, p. 253.

241. V.g. *L'An mil*, présenté par Georges DUBY, Paris, 1967 (choix
de textes en traduction française). Norman COHN, *The Pursuit of the
Millennium*, Londres, 1957, p. 21-32; J. P. DOLAN, *Millenarism*, dans

Les Ecritures et les Pères de l'Eglise leur demandent de ne pas compter [242]; mais il leur est bien difficile d'obéir à la consigne, d'autant plus qu'ils croient au symbolisme des chiffres. A chaque cataclysme le réflexe normal est celui d'une fin possible des temps et du retour imminent de l'Antéchrist à identifier [243]. De toute manière le sixième et dernier âge est en voie de s'écouler. Grégoire de Tours veut pour cette raison « indiquer clairement le nombre d'années écoulées depuis le commencement du monde en recueillant dans les chroniques et les histoires un résumé des faits passés », pour rassurer « ceux que désespère l'approche de la fin du monde » [244]. Que les malheurs diminuent, tout est oublié et l'on recommence à s'intéresser aux origines, à la suite des faits plutôt qu'à la fin des temps. Nous pourrions à ce propos citer en exemple le sage cistercien Othon, évêque de Freising; il a pensé, lui aussi, un certain moment, que la fin des temps était imminente, mais les succès de son neveu Frédéric Barberousse l'ont fait changer d'idée et se réjouir jusqu'à croire que rien désormais ne manque au bonheur du monde sinon l'immortalité [245]. La véritable obses-

---

New Catholic Encyclopedia, IX, 852. M. REEVES, Prophecy in the Later Middle Ages, Oxford, 1969, en vient aux mêmes conclusions sur l'attente de l'Antéchrist et du jugement dernier.

242. Cf. Actes des Apôtres, I, 7; II Cor., III; voir le commentaire de saint JÉRÔME, Epistola 72, Ad Vitalem presbyterum, 5, dans PL, 22, 676. L'avertissement avait été donné par Eusèbe (Eusebii Chronicarum, I, éd. SCHOENE, I, Berlin, 1885, col. 3) : « Non est vestrum nosse horas et tempora quae Pater posuit in sua potestate (Act., I, 7). Sed ille velut Deus ac Dominus non solum de mundi fine, sed (etiam ut) mihi videtur, de omnibus temporibus hanc paucis verbis sententiam protulit; ut eos, qui ejusmodi vanam disquisitionem conari (et) audere inclinant, impediret ». PIERRE DAMIEN († 1072) généralise. Cf. De perfectis monachis (écrit après 1035), PL, 145, 324.

243. V.g. ORDERIC VITAL, Hist. ecclesiastica, V, 1086-1128, éd. LE PROVOST et L. DELISLE, 1840, dans SHF, t. 2, p. 302 ss.

244. Historiarum libri X, I, début, éd. B. KRUSCH et W. LEVISON, dans MGH-Script, rerum merovingicarum, I (1951), p. 3.

245. Sur OTHON DE FREISING et la fin des temps, voir De duabus

sion des historiens du moyen âge, si nous voulons absolument leur en trouver une, serait, à notre avis, celle du jugement dernier et du sort réservé à chaque vie humaine dans l'au-delà.

En général, ils anticipent peu. Ils moralisent plutôt les événements à mesure qu'ils les racontent, tout en évoluant dans la perspective d'un temps continu et linéaire, la distinction entre l'Ancien et le Nouveau Testament n'étant pas tellement marquée dans leurs considérations éthiques. C'est d'ailleurs le même temps quotidien de la durée biblique qui les invite à prévoir tout de suite par des jugements particuliers souvent douteux le jugement général qui leur révélerait les derniers secrets de leur Juge souverain, Dieu [246].

GÉOGRAPHIE. —

La chronologie en historiographie appelle la géographie comme une alliée essentielle [247]. Une fois de plus le moyen âge obéit à l'antiquité [248]. Ici l'historien ordinaire [249] s'en tient à Orose, Isidore de Séville

---

civitatibus I, prol., éd. HOFMEISTER, 1912, p. 7; *Gesta Frederici primi*, *prooemium*, éd. WAITZ, dans *SRG in usum...*, 1912, p. 8-9.

246. Cette hypothèse, partagée aujourd'hui par plusieurs médiévistes, est amplement confirmée par les historiens de l'art. Encore ne faudrait-il pas généraliser, puisque la pérennité de l'Église est aussi un point d'intérêt majeur : avec R. C. PETRY, *Three Mediaeval Chroniclers : Monastic Historiography and Biblical Eschatology in Hugh of St. Victor, Otto of Freising and Orderic Vital*, dans *Church History*, 33 (1965), p. 282-293.

247. CICÉRON, *De oratore*, II, 15, 63); cf. HUGUES DE SAINT-VICTOR, *Didascalicon*, VI, 3, éd. BUTTIMER, 1939, p. 114 : « Haec enim quattuor praecipue in historia requirenda sunt, persona, negotium, tempus et locus ».

248. Cf. G. H. KIMBLE, *Geography in the Middle Ages*, Londres, 1938; J. LELEWEL, *Géographie du moyen âge*, Bruxelles, 1852-1857. Voir A. C. CROMBIE, *Augustinus to Galileo*, Londres, 1952.

249. V.g. RANULPHE DE HIGDEN, *Polychronicon*, I, 4, éd. BABINGTON, dans *RS*, 41, 1 (1865), p. 30.

et autres récapitulateurs de la sorte [250]. En fait l'historiographie médiévale compte peu de géographes et peu de cosmographes authentiques [251]. Les informations géographiques, résumées et condensées au début d'une oeuvre, sont réduites au minimum. L'intérêt de l'historien, comme celui du lecteur sans doute, est si mince qu'il n'y a pas à faire davantage. Guibert de Nogent peut ainsi s'en remettre sans décevoir les lecteurs des *Gesta Dei per francos* à la seule description des lieux scripturaires [252]. Guillaume de Tyr, Commynes, Froissart et d'autres parlent d'abondance des lieux et des villes qu'ils ont vus, mais ils écrivent en mémorialistes plutôt qu'en géographes. Même les mieux informés, comme Sigebert de Gembloux, Vincent de Beauvais, répètent ce qu'ils ont lu. Quand Gildas et le pseudo-Nennius écrivent l'histoire des Bretons, que Jordanès et Cassiodore parlent des Goths, et Isidore de Séville des Suèves et des Vandales, ou que Bède se consacre aux Anglais, Paul Diacre aux Lombards et Aimé

---

250. V.g. Isidore de Séville, *Etymologiae*, XIV, 1 ss.; Bède, *Historia ecclesiastica*, I, 1, éd. Plummer, 1906, t. 1, p. 9-13; Paul Diacre, *Historia gentis longobardorum*, I, 1 ss., éd. Waitz, dans *MGH-Script. rerum longobardicarum et italicarum*, 1878, p. 47 ss.

251. V.g. vers 1188-89, *Topographia hibernica*, éd. J. F. Dimock, dans *RS*, 21, 5 (1867), p. 3 ss.; vers 1194, une *Descriptio Kambriae*, *ibid.*, 6, p. 155 ss.; Gervais de Tilbury, *Otia imperialia*, éd. Waitz, dans *MGH-SS* 27 (1884), p. 363 ss. L'examen attentif des sources de la géographie du *Polychronicon*, I, 2 ss. de Ranulphe de Higden (*RS*, 41, 1, p. 20 ss.; avec John Taylor, *The Universal Chronicle of Ranulf Higden*, p. 51 ss.) indique comment les historiens s'en remettent presque toujours aux sources de l'antiquité.

252. Cf. *Gesta Dei per francos*, prol., dans *PL*, 156, 683-4, sur la difficulté du même Guibert de Nogent à se fier, pour les noms orientaux, à la géographie populaire. Jacques de Vitry, *Hist. hierosolymitana*, préf., éd. Bongors, I, p. 1048, indique qu'il « décrit les races des habitants, les villes et autres lieux dont j'ai reconnu qu'il était fait mention plus fréquemment dans les diverses Écritures, et cela m'a paru plus convenable pour la plus grande intelligence des choses qu'elles contiennent...». Aussi Matthieu Paris, *Chronica majora, a.d. 1099*, éd. Luard, dans *RS*, 57, 2 (1874), p. 107-110.

du Mont-Cassin aux Normands, ils ont la chance
d'innover, et pourtant ! Que les gens de chaque
province des Îles se retrouvent dans ses récits et
cela suffit, écrit Bède [253]. Pourquoi Orderic Vital
s'appesantirait-il sur la description des pays étrangers quand lui-même ne sait pas trop où commence
et finit le sien [254] ? En Germanie, on ne sait pas,
encore au XIIᵉ siècle, où sont exactement les frontières, puisque depuis Clovis et surtout à cause des
luttes entre descendants de Charlemagne, on se dis-
pute sans cesse. Y aurait-il trois Gaules et deux
sortes de France ? La Germanie ne serait-elle pas
simplement la Gaule orientale [255] ? Enfin, c'est par
curiosité et simplement parce qu'il a entendu parler
d'elles par des hommes très réputés, que l'auteur
anonyme de l'*Historia regum* de Norvège (1178-
1241) décrira un peu plus longuement les terres
boréales [256].

Quelques historiens de l'époque ont regretté ce
manque d'intérêt pour la description des lieux [257].
Il faut comprendre : les voyages sont difficiles et
les distances bien grandes. Un clerc est attaché à
son diocèse et ce territoire lui suffit. Un moine bénédictin occupe le même monastère toute sa vie : com-

---

253. Cf. *Historia ecclesiastica gentis anglorum*, dédicace, éd. PLUM-
MER, 1906, t. 1, p. 5.

254. Cf. *Hist. ecclesiastica*, V, 1, éd. LE PROVOST et L. DELISLE,
t. 2, 1840, p. 299-30. Mêmes doutes de GUILLAUME DE MALMESBURY,
dans *Gesta regum anglorum*, III, prol., éd. STUBBS, dans *RS*, 90, 2,
p. 283-4

255. V.g. OTHON DE FREISING, *Chronica...*, VI, 17, éd. HOFMEISTER,
dans *SRG in usum...*, 1912, p. 276.

256. *Ex Snorronis Historia regum norwegiensium dicta Heimskrin-
gla*, prologue latin, éd. *MGH-SS*, 29, p. 330.

257. V.g. « Inter descriptores historiarum rari inveniuntur, qui rebus
gestis descriptionis fidem integram solvant ». *Chronica slavorum*, II,
préf., dans *MGH*, 21, p. 87; *Chronica boemorum*, III, début, dans
SRG, nova series, 2, p. 160; RANULPHE DE HIGDEN, *Polychronicon*, I,
1, 8, prologue, éd. BABINGTON, dans *RS*, 41, 1 (1865), p. 16.

ment apprendrait-il la géographie de la nouvelle Europe ? Orderic Vital explique pour sa part :

> Quoique je ne doive pas m'occuper de chercher à raconter tout ce qui s'est passé de digne à Alexandrie, à Rome ou dans la Grèce, puisque moine confiné dans un cloître d'après mes propres voeux, je suis forcé de suivre sans infraction la règle monacale; cependant, avec l'aide de Dieu, je travaille à présenter à l'examen de nos descendants les événements que j'ai vus de mon temps, et ceux qui, arrivés dans les régions voisines, sont parvenus à ma connaissance [258].

Il y a plus. Les historiens du moyen âge n'ont pas notre conception de la patrie et il ne s'y mêle que peu d'idéologie : Grégoire de Tours et Bède ne sont ni Michelet ni Ranke [259]. Leur amour de la terre natale est réel, mais il est primitif, dévot, maternel, dirait-on [260]; ce qui les invite moins à la description des lieux qu'à la considération des personnes. Giraud le Cambrien a peut-être plus que d'autres décrit les lieux, mais il le fait pour des raisons qui tiennent surtout à leurs habitants et à leur amour immédiat des îles du Nord [261]. Un historien du XIIᵉ siècle aime la France d'abord parce que la France a des rois bons et célèbres qui ont choisi Dieu pour Seigneur [262]. Nous sommes à la fin du

---

258. « Quamvis enim res Alexandrinas, seu Graecas, vel Romanas, aliasque relatu dignas indagare nequeam, quia claustralis coenobita ex proprio voto cogor irrefragabiliter ferre monachilem observantiam; ea tamen quae nostro tempore vidi, vel in vicinis regionibus accidisse comperi, elaboro conibente Deo simpliciter et veraciter enucleare posterorum indagini »..., dans *Historia ecclesiastica*, prol., éd. LE PROVOST et L. DELISLE, t. 1, 1838, p. 3. Voir aussi ROBERT LE MOINE, *Historia hierosolymitana*, préf., dans *PL*, 155, 670.

259. V.g. Jean LESTOCQUOY, *Histoire du patriotisme en France des origines à nos jours*, Paris, 1968, p. 15-41.

260. V.g. RORICON, *Gesta francorum*, prol., dans *PL*, 139, 589 : « Nec imputetur garrulitati, si gesta parentum praeconiis aliquibus extulero, quoniam ordini debetur et naturae ut prudentiam facta parentum extollat devotio filiorum ». *Infra*, p. 166.

261. *Supra*, note 251.

262. RORICON, *Gesta francorum*, II, prol., 594, considère comme un luxe de s'intéresser aux pays voisins; GUILLAUME DE MALMESBURY, *Gesta*

moyen âge et un Nicolas Gilles († 1503) écrit
encore pour honorer les rois très chrétiens de France [263]. Le pays c'est avant tout les hommes qui y
vivent et qui y meurent; c'est les ancêtres, le peuple,
les clercs et non point d'abord les institutions, les
lois et les richesses économiques [264]. Aussi voyons-
nous nos mêmes historiens, depuis Grégoire de Tours
jusqu'à Commynes, se passionner dans la description
des petits groupements humains : l'intérêt pour les
rivalités locales, les vertus et les vices des hommes,
dépasse celui qu'on attendait vis-à-vis de la région
terrestre habitée par ces mêmes minorités. Quand
Guillaume de Malmesbury compare Anglais et Normands, que Salimbene et Commynes comparent les
Italiens avec les Français, que Thomas Basin rap-
proche Anglais et Français, que Froissart y ajoute
les Gascons, nous nous retrouvons avec beaucoup
de détails de géographie humaine, fort importants
en histoire des mentalités; mais nous apprenons peu

---

regum anglorum, I, 67, dans *RS*, 90, 1, p. 69, s'intéresse aux rois francs
parce qu'ils sont ses voisins, qu'on en parle partout, qu'ils ont des
origines légendaires et ainsi il pourra être plus utile à ses lecteurs.

263. Cf. *Annales et chroniques de France depuis la destruction de
Troyes*, éd. D. SAUVAGE, 1549, fol. 1 : « Ce qu'Empereurs, Roys, ny
autres Princes ou nation chrétienne, oncques ne ferient. A cause de
quoy ils ont aussi par singulière prééminence, dits, nommez et appelez
très chrétiens, et le bras dextre de l'Église catholique et militante ».

264. Les exemples fourmillent, v.g. *Compilatio Ovetensis, a. 883*,
éd. MOMMSEN, dans *MGH-Auct. Ant.*, 11, p. 390; RICHER, *Histoire de
France*, I, 3, éd. LATOUCHE, 1930, p. 8-11; ORDERIC VITAL, *Historia
ecclesiastica*, IX, a. 1096, dans *SHF*, 3, p. 474; *ibid.*, IV, a. 735, t. 2,
p. 207. GUILLAUME DE MALMESBURY constate même des divergences de
style entre les peuples; les français ne s'expriment pas comme les
anglais : « Denique Graeci involute, Romani circumspecte, Galli splendide, Angli pompatice dictare solent ». *Gesta regum anglorum*, I, 31,
éd. STUBBS, dans *RS*, 90, 1, p. 31. Sur les rapports de groupes entre
Anglais et Normands, *ibid.*, III, 248, t. 2, p. 308; II, 198, t. 1, p. 240.
Du style des français encore OTHON DE FREISING écrit : « gallicanam
subtilitatem et eloquentiam redolentia ». *Chronica*, IV, 8, éd. HOF-
MEISTER, dans *SRG in usum...*, 1912, p. 194; MATTHIEU PARIS, *Chronica
majora, a. 1254*, éd. LUARD, dans *RS*, 57, 5, p. 450; SALIMBENE, *Chronica, a. 1287*, éd. HOLGER-EGGER, dans *MGH-SS*, 32, p. 652; etc.

de géographie physique; même il est convenu que l'information géographique ne doit que brièvement appuyer l'événement. Richer résume la mentalité courante :

J'espère donner satisfaction au lecteur en exposant tous les faits d'une manière intelligible, claire et brève. Je résumerai de mon mieux les faits diffus. Mais je n'aborderai le début de mes récits qu'après avoir indiqué brièvement les divisions du globe terrestre et la distribution des diverses parties de la Gaule, puisque ce sont les moeurs et l'histoire des habitants de ce pays que je me propose d'écrire [265].

Cette géographie physique si peu élaborée, est empruntée et conçue plutôt en fonction du monde méditerranéen. Résumons : la terre, centre du Cosmos, est un globe, d'une surface ronde, entièrement entourée d'eau; au-dessus la cuve du firmament. Trois continents font l'univers : l'Europe, l'Asie et l'Afrique. Le centre politique et culturel du monde se déplace; de l'est il s'achemine vers l'ouest : l'Occident succède à l'Orient. Les empires et les cultures passent : après Babylone, Carthage, les Mèdes, les Perses, les Grecs, les Romains; voici les Gaulois, les Espagnols, et pour Othon de Freising [266] du moins, les Germains. Rome reste au centre de l'univers :

---

265. *Histoire de France,* début, éd. LATOUCHE, 1930, dans *CHFMA,* 12, p. 4-5; *ibid.,* 1, 1 ss. Plus tôt OROSE, *Historia adversus paganos,* 1, 1, éd. ZANGEMEISTER, 1882, dans *CSEL,* 5 (1882), p. 8 : « Je crois devoir donner d'abord la description du monde que la race humaine habite, d'après la triple division des anciens et procéder au dénombrement des régions et des provinces qui le composent. De cette façon, celui qui le désire, pourra, lorsque nous ferons la description des désastres locaux, récits de guerre ou de maladies, s'enquérir plus facilement non plus seulement des événements et des dates mais aussi de la géographie des lieux ».

266. V.g. OTHON DE FREISING, *Gesta Frederici,* I, prol., éd. WAITZ, 1912, p. 12 : « Si qua vero ex aliis regnis aeclesiasticae secularisve personae gesta incidenter interserta fuerint, ab hujus negotii materia aliena non putabuntur, dum omnium regnorum vel gentium ad Romanae rei publicae statum tanquam ad fontem recurrat narratio ». Cf. *ibid.,* dédicace, p. 7-8; V, prol., p. 227-8. Voir W. GOEZ, *Translatio imperii...,* Tübingen, 1958, avec le compte-rendu de P. A. VAN DEN BARR, dans *Revue d'histoire ecclésiastique,* 56 (1961), p. 920-927.

Si, incidemment, au cours de mes récits, il est question de faits de quelques personnes ecclésiastiques ou séculières en dehors de ce royaume, qu'on ne les croie pas étrangers à notre propos, puisque le récit de tous les royaumes et de tous les peuples nous conduit en quelque sorte, comme à sa source, au fait de la république romaine [267].

Les vides de la géographie médiévale ne doivent pas faire oublier, cependant, un des aspects les plus pittoresques de son historiographie : celui des rapports de l'homme et du cosmos [268]. Autrefois on consignait les éclipses dans les livres officiels et dans les archives royales et l'historiographie ancienne est remplie des phénomènes cosmiques de la sorte. L'histoire du moyen âge vit à sa manière du même héritage : en bas, sous terre, le schéol, l'enfer, le séjour des morts; en haut, au delà du ciel visible, sont les saints, les anges, le Christ, Dieu. Entre ces deux « mondes » reliés par Dieu et les esprits, habite l'univers visible des astres et de la terre, solidaire de l'homme autant dans le bien que dans le mal, à la fois témoin et associé amical et vengeur. Le cosmos participe aux conduites humaines en même temps qu'il annonce les volontés de Dieu. Une lecture littérale de la Bible et de l'Ancien Testament en particulier le porte à croire qu'il en fut ainsi depuis toujours. Ou l'univers combat pour les justes, et ce sont les saisons bienfaisantes, les heureuses récoltes, les guérisons subites, les orages qui se calment, une floraison particulièrement abondante, et

---

267. *Gesta Frederici primi, prooemium*, éd. WAITZ, dans *SRG in usum..*, 1912, p. 9.

268. W. VON DEN STEINEN, *Der Kosmos des Mittelalters*, Berne et Munich, 1959. Ouvrage utile pour le contexte, bien que l'auteur ne traite pas des historiens. Sur l'habitude de noter les éclipses, GUIBERT DE NOGENT, *Gesta Dei per francos*, II, 8, dans *PL*, 156, 712. Il est difficile de percevoir toutes les intentions du moyen âge lorsqu'il observe et raconte l'univers physique qui l'entoure. Cf. W. J. BRANDT, *The Shape of Medieval History*, Londres, Yale University Press, 1966, p. 52-65.

tout. Ou *l'Univers lutte contre les insensés* [269], et c'est le vent, le feu, le tonnerre, le froid, la neige, les éclipses, la sécheresse, etc.

Il n'y a personne qui, aujourd'hui, je crois, ne reconnaisse le fait que Dieu ayant placé l'homme dans le monde, celui-ci se trouve incommodé à la suite d'une inconduite et que cette terre que nous habitons soit punie [270].

Ce n'est plus Orose seulement qui pense de cette façon, mais presque tous les historiens qui, à sa suite d'ailleurs, et depuis Grégoire, évêque de Tours, jusqu'aux laïcs Nithard, Joinville ou Commynes, le suivent, l'imitent et accumulent ainsi une information géographique qui reste minime, mais assez unique en son genre.

STYLE. —

La grande préoccupation après le choix et la codification des faits est celle du style [271]. Comment « faire oeuvre d'orateur » [272] ? Eginhard se souvient de son maître, Cicéron :

Consigner par écrit ses pensées quand on est incapable de les ordonner, de les mettre en valeur et de procurer le

---

269. *Sagesse,* V, 21. On verra un Matthieu Paris ouvrir des paragraphes entiers pour traiter de la température, de la dernière inondation, de telle éclipse, non sans souligner au passage, on s'en doute bien, la responsabilité des humains.

270. *Historia adversus paganos,* II, 1, éd. ZANGEMEISTER, dans *CSEL,* 5 (1882), p. 81 : « Neminem jam esse hominum arbitror, quem latere possit, quia hominem in hoc mundo Deus fecerit, unde etiam peccante homine mundus arguitur ac propter nostram intemperantiam conprimendam terra haec, in qua vivimus, defectu ceterorum animalium et sterilitate suorum fructuum castigatur ». Cette géographie cosmique qui associe l'univers à toute l'activité humaine et donne souvent son sens à l'histoire mériterait d'être étudiée de très près.

271. Cf. Marie SCHULZ, *Die Lehre...,* p. 84 ss.; P. LE GENTIL, *Réflexions sur la création littéraire au moyen âge,* dans *Studia romanica,* 4 (Heidelberg, 1963), p. 9-20.

272. CICÉRON, *De oratore,* II, 15, 62.

moindre agrément au lecteur, est le fait d'un homme qui abuse sans mesure de ses loisirs [273].

Le double héritage dont vit le moyen âge est toujours là. Les rhéteurs romains l'invitent à bien écrire et les boutades de plusieurs Pères de l'Eglise, saint Augustin et saint Jérôme en particulier, qu'Isidore lui rappelle [274], le mettent en état de défiance. A quoi bon le beau style quand on sait tout le mal qu'il fait ? La vérité d'un récit ne se suffit-elle pas ? Mal écrire et dire la vérité ne valent-ils pas mieux que de se taire ou raconter des faussetés ? *Sancta rusticitas, amica veritatis...* : [275] La vérité seule est

---

273. *Vita Caroli*, prol., éd. HALPHEN, dans *CHFMA*, 1 (1938), p. 7 : « Mandare quemquam litteris cogitationes suas, qui eas nec disponere nec inlustare possit nec delectatione aliqua adlicere lectorem, hominis est intemperanter abutentis et otio et litteris ». Citation empruntée aux *Tusculanes*, 1, 3, 6. Voir GUILLAUME DE TYR, *Historia rerum...*, prol., dans *PL*, 201, 211, avec Benoît LACROIX, *Guillaume de Tyr : unité et diversité dans la tradition latine*, dans *Études d'histoire littéraire et doctrinale*, quatrième série (*Publications de l'Institut d'études médiévales*, XIX), Paris-Montréal, 1968, p. 205.

274. ISIDORE DE SÉVILLE, *Sententiae...*, 13, dans *PL*, 83, 685-689. *Non eloquimur magna, sed vivimus*, disait déjà MINUTIUS FÉLIX, dans *Octavius*, 38. Voir JÉRÔME, *Epist. 21*, 42, trad. LABOURT, I, p. 110; *ibid.*, 18, p. 57; AUGUSTIN, *De doctrina christiana*, IV, 2, *PL*, 34, 89. CONRAD D'HIRSAU qui écrit peu avant 1150, commente *Exode*, III, 22, et répète ce que les auteurs chrétiens écrivaient en substance depuis plusieurs siècles : « Literatura secularis in pulchris verbis et sententiis metallum est Egiptiacis non ignotum immo acceptissimum incolis. Cum igitur te tuaque deo obtuleris, quicquid in te manet disciplinae vel assumptae vel naturalis divinis convenit donariis, si hoc juste sancte discrete loco suo vel tempore ad divinum cultum ordinaveris... » *Dialogus super auctores*, éd. HUYGENS, 1955, p. 65. Cette défiance vis-à-vis des belles lettres durera longtemps, à l'état de principe du moins. Tel auteur des *Annales monastici* (cf. *Annales Prioratus de Wigornia*, éd. LUARD, dans *RS*, 36, 4, p. 356) : « Magis sensui quam verbis incumbere... fructui potiusquam foliis ».

275. JÉRÔME, *Epist. 18*, éd. J. LABOURT, *Lettres de saint Jérôme*, Paris, 1949, t. 1, p. 57 : *Melius est vera rustice quam deserte falsa proferre* (332). « Sic semper veritatis amica sancta sit rusticitas ». OTHON DE FREISING, *Chronica*, prol. éd. HOFMEISTER, dans *SRG in usum...*, 1912, p. 10; aussi GUIBERT DE NOGENT, *Gesta Dei per francos*, prol., dans *PL*, 156, 681.

aimable [276]. Le fruit de l'arbre vaut bien ses feuilles [277]. Mieux est *ce qui édifie* que *ce qui enfle* [278]. Une seule goutte d'eau pure servie dans un vil bocal est préférable aux poisons de l'erreur jetés dans une coupe dorée [279].

Même si elles sont superficielles ces remarques créent un climat, d'autant plus que le public n'est pas toujours tendre ni bien éduqué. Nos historiens se défendront tant bien que mal ou de mal écrire ou de vouloir bien écrire. L'auteur de l'*Historia Britonnum* invite ses amis à chercher la perle de vérité à travers ses mots boueux [280]. Décidément on n'écrit plus comme autrefois, le pseudo-Frédégaire le sait autant que Dudon de Saint-Quentin [281]. La renaissance carolingienne et la création des écoles ont peut-être promis de nouveaux Cicérons et des Sallustes [282], on s'adonne déjà avec enthousiasme à l'étude de la grammaire [283], mais il n'est pas donné

---

276. SALVIEN DE MARSEILLE, *De gubernatione Dei*, préface, éd. PAULY, dans *CSEL*, 8 (1883), p. 2 : « Nos autem, qui rerum magis quam verborum amatores... ».

277. Cf. GUILLAUME DE MALMESBURY, *Gesta regum anglorum*, II, 173, éd. STUBBS, dans *RS*, 90, 1 (1887), p. 203; I, 82, p. 82.

278. L'opposition *quae inflat* et *quae aedificat* renvoie au verset 4 du *Psaume C*; cf. GUILLAUME DE TYR, *Hist. rerum...*, prol., dans *PL*, 201, 213.

279. PS. - NENNIUS, *Historia brittonum*, préf., dans *MGH-Auct. Ant.*, 13, p. 126; voir ROBERT LE MOINE, *Historia hierosolymitana*, début, dans *PL*, 155, 670 : « Notificare ei volumus quia apud nos probabilius est abscondita rusticando elucidare quam aperte philosophando obnubilare... ».

280. *Ibid.*, p. 127.

281. *Chronicarum quae dicuntur Fredegaris...*, prol., éd. KRUSCH, 887 dans *MGH-Script. rerum merovingicarum*, II (1887), p. 123 : « ...ne quisquam potest hujus tempore nec presumit oratoribus precedentes esse consimilis »; cf. *De gestis normanniae ducum*, préface, dans *PL*, 141, 612; voir *MGH-SS*, 4, p. 93.

282. « Sed quoniam diebus nostris magna erat Salustiorum et Ciceronum copia... ». *Hist. hierosolymitana*, début, dans *Recueil des historiens des croisades : Historiens occidentaux*, IV, p. 9.

283. Cf. *Gesta Dei per francos, epist.*, dans *PL*, 156, 680.

à tout le monde de devenir Cicéron, Augustin ou Jérôme [284]. Si on attend les bons écrivains pour raconter les faits, on attendra longtemps, note non sans humour Paul Diacre [285].

Au fait, chacun fait ce qu'il peut. On s'excuse, on s'accuse, on supplie. Plusieurs avouent ne pas savoir écrire. Déjà Grégoire de Tours demande pardon « de ne pas avoir soit dans les lettres soit dans les syllabes respecté les lois de la grammaire qui ne me sont pas très bien connues » [286]. « Barbare à peine initié au maniement de la phrase latine », Eginhard espère « écrire de façon décente et convenable » [287]. Y réussira-t-il ? Le voeu de Guibert de Nogent est plus généreux que réaliste : « Je n'aurais pas voulu, du moins en ce qui me concerne, rester à une trop grande distance des historiens anciens » [288] :

Quoique je ne doive transmettre à nos descendants qu'une oeuvre imparfaite, écrit Raoul de Caen au début de ses *Gesta Tancredi*, j'espère que la postérité bienveillante ornera ce que les hommes de nos jours m'ont abandonné dénué d'ornement. Ainsi donc, ô lecteur, nous nous devons réciproquement moi de te supplier humblement, toi de m'excuser, si mon récit est maigre, si ma Minerve, maintenant bien engraissée comme on dit, demeure trop en arrière d'un sujet aussi brillant, car les choses auxquelles l'élévation de

---

284. Cf. Orderic Vital, *Historia ecclesiastica*, IV (1045), à propos de Lanfranc, éd. Le Provost et L. Delisle, dans *SHF*, 2 (1840), p. 210-11.

285. Cf. *Historia romana*, éd. C. Rivelluci, 1914, dans *Fonti per la storia d'Italia*, 51, p. 3-4.

286. « Sed prius veniam legentibus praecor, si aut in litteris aut in sillabis grammaticam artem excessero, de quo ad plene non sum inbutus ». *Historiarum libri X, incipit*, éd. B. Krusch et W. Levison, dans *MGH-Scriptores rerum merovingicarum*, 1 (1951), p. 3.

287. *Vita Caroli*, prol., éd. Halphen, dans *CHFMA*, 1 (1938), p. 5-7 : « ...quod homo barbarus et in Romana locutione perparum excercitatus, aliquid me decenter aut commode latine scribere posse putaverim... ».

288. « Unde a veteribus historicis noluissem, si facultas suppeteret, discrepare ». *Gesta Dei per francos*, début, dans *PL*, 156, 680.

Virgile suffirait à peine, une langue inhabile va essayer de les dire en balbutiant [289].

Guillaume de Tyr écrit assez bien, mais il n'est pas satisfait :

Du reste, nous ne pouvons pas le nier : nous nous attaquons à une oeuvre qui nous dépasse. Notre style n'est pas au niveau de la grandeur de notre sujet. Mais, au moins, nous faisons quelque chose. Les peintres inexpérimentés et non initiés aux secrets de leur art, ont l'habitude d'essayer les couleurs et de ne tracer d'abord que les premières lignes de leur dessin; ils laissent à une main plus habile le soin de la dernière touche. C'est ce que nous voulons faire bien soigneusement, tout en observant les règles de la vérité que nous ne voulons pas trahir. Une fois les fondements posés, un architecte plus habile pourra élever un édifice plus convenable [290].

Que de prétextes [291] ! Que d'excuses aussi [292] ! Tel se dit trop occupé pour pouvoir bien écrire; tel

---

289. *Op. cit.*, dans *PL*, 155, 493-494 : « ...Licet incomptam rem ad posteros transmittam; ornabit, auguror, benigna posteritas quo hodierni in ornatum mihi reliquerunt. Unde invicem, o lector, debemus, ego tibi supplicare : tu ignoscere mihi, quod nunc jejuna oratio nunc pinguis, ut aiunt, Minerva a suae fastu materiae longe degeneravit; quippe cum, haec vix Maronis pertingant vertices, illas ferme inutilis lingua balbutit ».

290. « Nam de reliquo jam non licet ambigere quod ad impar opus inprudentur enitimur et quod ad rerum dignitatem nostra non satis accedit oratio. Nonnichil est tamen quod egimus. Nam et in picturis rudes et ad artis archana nondum admissi luteos primum solent colores substernere et prima liniamenta designare, quibus manus prudentior fuscis nobilioribus decorem consuevit addere consumatum. Prima enim cum summo labore jecimus fundamenta, quibus sapientior architectus, observata veritatis regula quam in nullo deseruimus, egregio tractatu artificiosa magis poterit superedificare triclinia », *Historia rerum...*, dans *PL*, 201, 211, ou éd. HUYGENS, 1964, dans *Studi medievali*, 3e serie, V, 1 (1964), p. 341.

291. V.g. Grégoire de Tours, Ps-Frédégaire, Éginhard, Guibert de Nogent, Guillaume de Jumièges, Orderic Vital, Robert le Moine, et jusqu'à Jehan Le Fèvre, Olivier de la Marche qui regrettent de ne pas avoir le style d'un Chastellain ou d'un Molinet.

292. V.g. GRÉGOIRE DE TOURS, *Historiarum libri X*, X, 31, dans *MGH-Script. rer. mer.*, I, p. 536. Aussi FRÉCULPHE DE LISIEUX; cf. *Chronicorum tomi duo*, t. 1, préf., dans *PL*, 106, 918 : « lingua praepeditus, sensu obtusus, hoc tam magnum ineruditus tiro arripui opus... ».

autre invoque la guerre, l'invasion, le pillage [293].
Même avec la meilleure volonté du monde, Fréculphe de Lisieux écrit mal, pourtant il écrit par
obéissance [294] ! Agnellus, prêtre à Ravenne, est plus
optimiste : il pense sérieusement que les prières des
siens ont porté fruit, c'est-à-dire qu'il écrit bien [295].
Dieu a déjà fait parler des muets et même un
âne [296] : pourquoi un pareil miracle n'arriverait-il pas
à Ravenne [297] ? Guibert de Nogent estime que l'Esprit de Dieu qui a déjà conduit bien des gens en
Orient, l'aidera à mieux écrire les récits de la première croisade [298] : il lui faut écrire coûte que coûte,
car le thème de ses récits est si grandiose qu'il
trouvera bien le style qui lui convient :

En entreprenant d'écrire ce petit ouvrage, j'ai mis ma confiance non dans ma science littéraire, laquelle est sans doute
infiniment légère, mais bien plutôt dans l'autorité d'une
histoire spirituelle [299].

Prier aide. Certains clercs pensent même que parler
d'un saint est déjà mériter son appui [300]. Enfin, il y

---

293. *Infra*, p. 140 ss.

294. Cf. *Chronicorum tomi duo*, lettre à son précepteur, dans *PL*,
106, 917 : « Obsecro itaque candidum lectorem ne praesumptioni
tribuat meae imbecillitatis si quid in his ei displicuerit libris, sed obedientiae »; aussi préf. au ps-NENNIUS, *Historia britonnum*, éd. MOMM-
SEN, dans *MGH-Auc. Ant.*, 13 (1898), p. 127 : « sed haec actenus
praelibata sufficiant; cetera supplex obedientia pro viribus supplebit ».

295. Cf. *Liber pontificalis...*, prol., éd. RASPONI, dans *RIS*, II, 3
(1934), p. 17-18.

296. Cf. *Chronicorum tomi duo*, I, praef., dans *PL*, 106, 918 :
« Igitur auxilio Dei adjutus, qui facit mutos loqui, non temeritatis, sed
obedientiae gratia, hoc tam ingens parva cum cymba ignarus nauta
pelagus navigare coepi ».

297. Cf. *Vita Karoli comitis Flandriae*, prol. éd. PERTZ, dans *MGH-
SS*, 12, p. 538.

298. Cf. *Gesta Dei per francos*, préf., dans *PL*, 156, 681.

299. *Ibid.* : « Ad praesentis opusculi exsecutionem multum mihi
praebuit ausum, non scientiae litteralis, cujus apud me constat forma
pertenuis, ulla securitas, sed historiae spiritualis auctoritas ».

300. D'après LOUP DE FERRIÈRES, *Correspondance*, *Epist. 6*, éd.
LEVILLAIN, dans *CHFMA*, 10 (1964), p. 52-53.

a toujours la possibilité d'un pacte avec le lecteur : je prie pour lui, et lui me pardonne mon mauvais style [301]. Grégoire de Tours est prévoyant :

Qui que tu sois, prêtre de Dieu, si notre Martianus (Capella) t'a instruit dans les sept arts... et si tu es tellement exercé à toutes ces sciences que notre style te paraisse barbare, nous t'en supplions encore, n'efface pas ce que nous avons écrit [302].

Une minorité d'écrivains cherche à détourner l'attention du lecteur en accusant les confrères de mal écrire. Guibert de Nogent en veut à Foucher de Chartres d'avoir raconté la première croisade « en termes plus négligés que de raison, qui souvent d'ailleurs offensent les règles de la grammaire » [303]. « Cet homme n'écrit que des mots longs d'un pied et demi et il délaie dans de pâles couleurs les frivoles figures de son style » [304]. Guillaume de Malmesbury [305] a quelques remarques sur le style de ses prédécesseurs. Plus audacieux encore, Fra Salimbene relance des auteurs aussi intouchables que Marc l'évangéliste et Orose, à cause d'obscurités verbales inutiles, paraît-il [306].

Quels sont les critères du « beau » style d'un historien du moyen âge ? Trois éléments entrent

---

301. Une longue enquête serait à entreprendre autour des réflexions nombreuses et souvent pittoresques des historiographes et des hagiographes qui veulent absolument se faire pardonner leur style.

302. *Historiarum libri X*, X, 31, éd. B. KRUSCH et W. LEVISON, 1951, dans *MGH-Scriptores rerum merovingicarum*, I (1951), p. 536 : « Quod si te, o sacerdos Dei, quicumque es, Martianus noster septem disciplinis erudiit... si in his omnibus ita fueris exercitatus, ut tibi stilus noster sit rusticus, nec sic quoque, deprecor, ut avellas quae scripsi ». Cf. Paul ANTIN, *Notes sur le style de Grégoire de Tours*, dans *Latomus*, 22 (1963), p. 273-284.

303. Cf. *Gesta Dei per francos*, préface, *PL*, 156, 681.

304. *Ibid.*, VIII, 9, 821.

305. *Gesta regum anglorum*, I, 31, dans *RS*, 90, 1, p. 32; II, 232, p. 144.

306. *Chronica, a. 1247*, éd. HOLDER-EGGER, dans *MGH-SS*, 32 (1912), p. 186.

aussitôt en ligne de compte : le fait qu'il veut raconter, le public et les genres littéraires. Il est entendu, au moins depuis Cicéron, *rex facundiae romanae* [307], que l'historiographie a un style propre :

En ce qui concerne l'expression, on recherchera un style coulant et large, s'épanchant avec douceur, d'un cours régulier, sans rien de l'âpreté que comporte le genre judiciaire, sans aucun des traits acérés dont la pensée s'arme au forum [308].

Quant à Quintilien [309] qui prévoit l'effet oratoire du bon morceau d'histoire et dans ce cas mieux vaut le style ferme, rapide et viril, il entre peu en ligne de compte. Le moyen âge lui préfère Cicéron et Salluste pour affirmer en premier lieu que le style d'un historien doit d'abord s'adapter aux faits [310]. S'agit-il, par exemple, de raconter un événement pieux, saint, mystique, le temps n'est pas au style bavard, et même poétique, encore moins aux mots vulgaires [311]. S'agit-il plutôt de faits ordinaires, il faut un style simple. Dans le cas des faits royaux, le respect des mots va de soi :

Il convient de faire bien attention pour que la grandeur de la matière ne souffre pas de l'incompétence de l'ouvrier

---

307. Cf. *Gesta regum anglorum*, II, 132, dans *RS*, 90, 1, p. 144.

308. Cf. *De oratore*, II, 15, 64 : « Verborum autem ratio et genus orationis fusum atque tractum et cum lenitate quadam aequabiliter profluens sine hac judiciali asperitate et sine sententiarum forensibus aculeis persequendum est ».

309. Cf. *Institutiones oratoriae*, IX, 4, 18 et X, 1, 31-32.

310. *De conjuratione Catilinae*, III : « primum, quod facta dictis exaequanda sunt ». Voir aussi *De oratore*, II, 15, 64.

311. *Gesta Dei per francos, epist.*, dans *PL*, 156, 680 : « Decet enim, licetque prorsus operosa historiam verborum elegantia coornari; sacri autem eloquii mysteria non garrulitate poetica, sed ecclesiastica simplicitate tractari »; aussi OTHON DE FREISING, *Chronica* I, prol., p. 10; encore GUIBERT DE NOGENT, *ibid.*, 681 : « Pro statu plane casuum sermo coaptari debet orantium, ut verborum acrimonia bellica facta ferantur; quae ad divina pertinent, gradu temperantiore ducantur ».

et que ce qui de soi semble ferme et riche ne devienne à cause d'un défaut de récit, vil et débile [312].

Guillaume de Tyr s'explique encore :

Un écueil que les historiens doivent fuir de toutes leurs forces est que la dignité des faits ne soit pervertie par une phrase aride et un style pauvre; les mots doivent convenir aux faits dont il s'agit. Il ne faut pas que la langue de l'écrivain ni son expression soit par son élégance même indigne de la noblesse du sujet que l'on traite [313].

La matière dicte la manière. C'est pour Guibert de Nogent du moins la seule et vraie solution à suivre :

Si j'avais pu réaliser ce que je voulais, j'aurais dû prévoir qu'il ne faudrait pas que le dieu de la guerre ne trouvât en rien qui fût indigne de ses illustres exploits et que jamais lorsqu'il s'agit de choses sacrées, la modestie de Mercure ne rencontrât rien de contraire à la gravité d'un tel sujet [314].

On ne s'en tirera pas toujours avec la versification. Au contraire :

---

312. « Ad hec nichilominus eque vel amplius formidabile historiarum scriptoribus solet discrimen occurrere, totis viribus fugiendum, videlicet ne rerum gestarum dignitas sermonis ariditate et oratione jejuna sui dispendium patiatur. Verba enim rebus, de quibus agitur, decet esse cognata nec a materiae nobilioris elegantia scriptoris linguam vel pectus oportet degenerare. Unde magnopere cavendum, ne amplitudo materie tractatus debilitate subcumbat et vitio narrationis exeat macilentum vel debile, quod in sui natura pingue solidumque subsistit ». GUILLAUME DE TYR, dans Historia rerum..., prol., dans PL, 201, 211, ou éd. HUYGENS, dans Studi medievali, 3e série, V, 1 (1964), p. 341. GUILLAUME LE BRETON, Gesta Philippi Augusti, début, dans SHF, 1, p. 169, écrira dans un style forcément simple; ne pouvant mieux faire, il souhaitera qu'un jour un style plus royal serve mieux son personnage.

313. Note précédente.

314. « Quae gemina, si facultas mihi suppeteret, forma, in hujus stadio operis excurrisse debueram, ut et facinorum suorum insignia nequaquam verbis recitata disparibus insolens Gradivus agnoscerit, et numquam gravitatis sibi inditae tonum, cum de pietate res agitur, modestia Mercurialis excederet ». Gesta Dei per francos, prol., PL, 156, 681. Sur la distinction entre le style d'historien et le style du commentateur de la Bible, ibid., 680 : « Longe alio, quam in Expositionibus Geneseos vel aliis opusculis tractoriis, me usum stylo nemo miretur... ». Cf. supra, note 311.

Maintenant que je suis plus avancé en âge et avec l'expérience, poursuit Guibert de Nogent, je n'ai point cru qu'il fallait dire ces choses en un langage sonore, ni employer le retentissement de la versification. J'ai pensé, au contraire si j'ose dire, que s'il était un homme à qui Dieu daignât accorder la faveur d'écrire convenablement sur un tel sujet, cet homme devrait chercher à prendre un ton plus grave que n'ont fait tous les historiens des guerres de la Judée [315].

Le deuxième critère du style est le public. Que faire : s'adapter à lui ou aux faits ? se faire « populaire » ou se faire plus « épique » ? A choisir entre les deux critères, s'il est nécessaire vraiment de choisir, notre historien opte pour ses lecteurs et ses auditeurs, « ignorants comme gens de lettres », préciserait Grégoire de Tours [316], *Vera lex historiae est simpliciter... litteris mandare* [317]. L'historien est au service des siens et non plus au service d'une rhétorique qui risque d'être artificielle. Qu'il écrive pour se faire comprendre, même des Francs les plus incultes :

On ne pouvait trouver un seul lettré assez versé dans l'art de la dialectique pour décrire tout cela en prose ou en vers métriques... Or, comme je ne cessais d'entendre ces réflexions et d'autres semblables, je me suis dit que pour que le souvenir du passé se conservât, il devait parvenir à la connaissance des hommes à venir même sous une forme grossière. Je ne pouvais pas taire les conflits des méchants ni la vie de ceux qui vivent honnêtement. J'ai été surtout stimulé parce que j'ai souvent entendu dire dans mon entourage, à ma surprise, qu'un rhéteur qui philo-

---

315. « At ego juventute, gradu, experientiaque provectior, non id verbis plausibilibus, non versuum crepitibus enuntiandum rebar, sed majori, si dicere audeam, quam omnes belli Judaici historias maturitate dignum digeri, si esset cui Deus copiam super hac re tribueret, arbitrabar ». GUIBERT DE NOGENT, *ibid.*, 682.

316. Cf. GRÉGOIRE DE TOURS, *Historiarum libri X*, préf. 1, éd. B. KRUSCH et W. LEVISON, dans *MGH-Script. rer. mer.*, I (1951), p. 1.

317. Cf. *Historia ecclesiastica*, préface, éd. PLUMMER, 1906, p. 8 (note 89); *ibid.*, III, 17, p. 161 : « ...sed quasi verax historicus, simpliciter ea, quae de illo sive per illum sunt gesta, describens... ».

sophe n'est compris que du petit nombre, mais que celui qui parle la langue vulgaire se fait entendre de la masse [318].

A quelques exceptions près, le lecteur, l'auditeur est la première option de l'historiographe [319]. Quelle que soit la grandeur du fait, il importe avant tout d'être compris. Guillaume de Poitiers a pourtant le héros qu'il faut pour un style épique, mais la majorité doit s'y retrouver :

Il vivra, oui, il vivra longtemps, Guillaume notre roi, dans les pages que nous voulons écrire en un style *simple,* afin de mettre à la portée d'un grand nombre ses actions d'éclat. Ne voit-on d'ailleurs pas les meilleurs orateurs, à l'éloquence grave et divine, user d'un style sobre dès qu'ils tracent des récits historiques [320].

Au moment où Frédéric Barberousse est vainqueur de l'Italie et où son oncle Othon de Freising veut raconter les succès de son neveu, c'est avec le plus grand sérieux du monde que ce dernier se demande si un style trop familier ne compromettra pas une matière aussi grandiose. La réponse est la même : avant tout pensons à ceux pour qui nous racontons :

Je n'ignore pas, qu'au moment où je m'efforce de rendre compte de la magnificence de tes actions, honneur des em-

---

318. GRÉGOIRE DE TOURS, *ibid.* : « Nec repperire possit quisquam peritus dialectica in arte grammaticus, qui haec aut stilo prosaico aut metrico depingeret versu... Ista etenim atque et his similia jugiter intuens dici, pro commemoratione praeteritorum, ut notitiam adtingerint venientum, etsi incultu effatu, nequivi tamen obtegere vel certamena flagitiosorum vel vitam recte viventium; et praesertim his inlicitus stimulis, quod a nostris fari plerumque miratus sum, quia philosophantem rhetorem intellegunt pauci, loquentem rusticum multi » (traduction LATOUCHE, dans *CHFMA,* 27, p. 31).

319. *Supra,* note 275.

320. *Histoire de Guillaume le Conquérant,* II, 32, éd. FOREVILLE, dans *CHFMA,* 23 (1952), p. 230 : « Vivet, vivet in longum rex Guillelmus, et in paginis nostris, quas tenui orationis figura scribere placet, ut res pulcherrimas dilucide plures intelligant. Praesertim cum praecipui oratores, quibus dicendi graviter copia magna fuit, humili sermone, dum historias scribunt, usi reperiantur ».

pereurs et des rois, le style même, à cause de ce thème, succombe sous le poids croissant du nombre de tes victoires. Mais entre les deux, j'ai pensé qu'une oeuvre souffrirait moins d'être écrite telle quelle que des faits glorieux d'être abandonnés à l'oubli [321].

Même mieux vaudrait mal dire que de taire ce qui mérite d'être raconté [322]. Le style simple et populaire est celui qui, comme à l'église, s'adapte le mieux à tous les niveaux de compréhension.

Ainsi donc, si notre ouvrage déplaît à quelque homme nourri dans les études académiques, par la rustique simplicité du langage modeste que nous avons adopté plus que de raison, écrit Robert le Moine, nous lui voulons notifier qu'il nous paraît plus raisonnable d'éclaircir grossièrement les choses cachées que d'obscurcir philosophiquement les choses claires. Un discours toujours soigné est toujours dépourvu d'agrément, car ce que l'intelligence comprend avec peine trouve moins l'oreille disposée à le recevoir. Nous voulons donc suivre dans le nôtre l'allure populaire, afin que quiconque l'entende puisse espérer en faire autant... [323].

C'est avec une joie maligne et presque trop facile que tel ou tel historien annonce dans un prologue, ou ailleurs, qu'il rejette la superfluité des mots,

---

321. *Gesta Frederici primi*, II, prol., éd. WAITZ, dans *SRG in usum...*, 1912, p. 102 : « Nam sum nescius, imperatorum seu regum decus, dum gestorum tuorum magnificentiam prosequi conor, crebrescentibus victoriis stilum materiae succubiturum. Inter duo tamen, ut ita dixerim, mala melius fore judicavi minus dicendo a materia opus superari quam cuncta tacendo gloriosa facta silentio tecta deperire ».

322. V.g. RAOUL DE CAEN, *Gesta Tancredi*, préface, *PL*, 155, 491. Voir notes suivantes.

323. « Unde, si cui academicorum studiis innutrito displicet haec nostra editio, ob hoc forsitan quod pedestri sermone incedentes plus justo in ea rusticaverimus, notificare ei volumus quod apud nos probabilius est, abscondita rusticando elucidare, quam aperta philosophando obnubilare. Sermo enim semper exactus, semper est ingratus; quia quod difficili intellectu percipitur, surdiori aure hauritur. Nos autem plebeio incessu sic volumus progredi sermonem nostrum, ut quivis cum audierit, speret idem... ». ROBERT LE MOINE, *Historia hierosolymitana*, préf., dans *PL*, 155, 670.

l'ornementation, la surcharge, voire la dialectique, pour un style plus plébéien [324], un *style de chaumière*, comme dirait Gervais de Canterbury [325]. Fra Salimbene [326] est convaincu que sa nièce elle-même, Agnès, pourra le lire et le comprendre.

Certains ont-ils perçu les dangers du relâchement et de la facilité ? Ils sont rares ceux qui peuvent en dire autant que Guibert ému encore des récits de croisés qu'il vient d'entendre :

Telle est la disposition de mon esprit qu'il recherche avec empressement, ce qui est un peu obscur et embarrassé, et évite une diction commune et négligée. J'estime beaucoup plus ce qui doit exercer mon esprit que ce qui est trop facilement saisi pour pouvoir se graver bien avant dans ma mémoire toujours avide de nouveauté [327].

---

324. REGINON DE PRÜM, *Chronicon*, préf. dans *MGH-SS*, 1, p. 543; GAUTIER, *Vita Karoli comitis Flandriae*, prol., éd. KÖPFE, dans *MGH-SS*, 12 (1856), p. 538 : « Conabor autem, quia etiam sic placet vobis, omni nevo falsitatis et vulgaris incerto opinionis evitato, simplici tamen, ut potero, narratione referre que acta sunt, quatinus et superfluis verborum faleris et rethoricorum ornamentis colorum exquirendis minus intentus, fastidiosam sic caveam prolixitatem, ne nemie brevitati studens, earum, quas vel ipse vidi vel virorum veracium testimonio indubitanter cognovi, rerum lectoris cognitioni dumtaxat necessariam occultare inveniar veritatem... »; GUILLAUME DE JUMIÈGES, *Historia northmannorum*, début, dans *PL*, 149, 779; GUILLAUME DE MALMESBURY, *Gesta regum anglorum*, II, 132, dans *RS*, 90, 1, p. 144.

325. Cf. *Chronica*, prol., éd. STUBBS, dans *RS*, 73, 1 (1879), p. 89 : « Non tamen omnia memorabilia notare cupio, sed memoranda tantum, ea scilicet quae digna memoriae esse videntur. Me autem inter cronicae scriptores computandum non esse censeo, quia non bibliotecae publicae sed tibi, mi frater Thomas, et nostrae familiolae pauperculae scribo ». Aussi *Gesta regum*, chronique abrégée, début, t. 2, p. 4.

326. Cf. *Chronica, a. 1247*, éd. HOLDER-EGGER, dans *MGH-SS*, 32 (1912), p. 187 : « Ego quoque scribendo diversas cronicas simplici et intelligibili stilo usus sum, ut neptis mea, cui scribebam, posset intelligere quod legebat; nec fuit michi cure de verborum ornatu, sed tantum de veritate historie conscribende ».

327. *Gesta Dei per francos*, V, 1, dans *PL*, 156, 749 : « Talis namque animo meo voluntas adjacet ut sit magis subobscurorum appetens, rudium vero et impolite dictorum fugitans. Ea quippe quae meum exercere queant animum pluris appretior quam ea quae captu facilia; nihil

Mettons à part le style généralement faux des prologues et des préfaces. La tendance est à laisser courir le récit à mesure qu'il se déroule [328]. Les meilleurs connaisseurs, Guillaume de Poitiers, Guillaume de Tyr, Ptolémée de Lucques [329] rappellent cependant qu'il faut être bref sinon on finit par perdre la confiance de notre premier juge, le lecteur :

Nous le savons : *les longs discours ne sont point exempts de péchés;* la langue des hommes est aisément sujette à fauter... Si nous nous attachions au détail de tous les faits, ... nous tomberions sans aucun doute dans l'énorme danger de paraître en quelque sorte peu digne de foi. Ce qui servirait au développement complet de la vérité historique, le lecteur, incrédule, ne manquerait pas de l'attribuer plutôt à une jactance trop verbeuse [330].

---

memorabile avido semper novitatis largiuntur ingenio ». GUILLAUME LE BRETON, *Gesta Philippi Augusti*, I, dans *SHF*, 1, p. 169, hésite à se faire appeler *chronographe* ou *historiographe* à cause justement de l'allure trop familière de ses récits *(plano quidem usuali eloquio); Rigord* aurait un style plus conforme *(luculente elegantis styli officio).*

328. V.g. GUIBERT DE NOGENT, *Gesta Dei per francos*, VII, 14, dans *PL*, 156, 834; HUGUES DE FLEURY, *Hist. ecclesiastica*, VI, prol., dans *MGH-SS*, 9, p. 357 : « Brevitatem in oratione custodiendam esse confiteor, si causa permittat, quia quorundam sensus hominum magis honerat oratio prolixa quam doceat. Segetem etiam nimia sternit ubertas, et ad maturitatem non pervenit nimia fecunditas : prevaricatio tamen dicenda est transire dicenda, et non minus servat modum perfectae orationis, qui strictius quam debet rem quam qui effusius dicit, cum alter materiam excessisse, alter dicitur non implesse. Peccat igitur uterque, sed alter viribus, alter peccat imbecillitate ».

329. *Annales*, début, éd. SCHMEIDLER, dans *SRG, nova series*, 8 (1955), p. 3 : « ...sed quia sermonis diffusio sepius fastidium generat ». Voir prologue des *Grandes Chroniques de France*, éd. VIARD, dans *SHF*, 1 (1920), p. 2 ss.

330. GUILLAUME DE TYR, *Historia rerum...*, prol., dans *PL*, 201, 21 : « Scientes tamen quoniam *in multiloquio non solet deesse peccatum* et miseri hominis lingua in lubrico posita penam facile meretur »... et HUGUES DE POITIERS, *Historia Vizeliacensis*, II, début, dans *PL*, 194, 1576-77 : « In quo dum brevitatem sectamur, arrogantiae supercilium omnino diffugimus : quoniam si juxta quod ipsa deposcit materia, rerum perfectioni incumberemus, ipsa procul dubio periculi enormitate quodammodo fidei derogare videremur, dum quod historiae integritati aliquatenus inserviret, loquaci jactantiae incredulus auditor deputaret ».

Le troisième critère d'écriture est le genre littéraire lequel postule en principe un style à lui :
l'*histoire* appelle un style plus ample, la *chronique*
est brève et les annales visent le juste milieu [331]. Telle
est la loi officielle encore au XIIIᵉ siècle, quoique
Gervais de Canterbury ne cache pas ses préférences
pour le style simplifié d'une chronique familière.
Sûrement que beaucoup sont du même avis :

En fait, historiens et chroniqueurs poursuivent un même
but et couvrent les mêmes matières, bien que leur manière
à chacun varie; ils ont leur façon de traiter leur sujet. Leur
unique intention, à l'un et à l'autre, est d'être vrai. La
forme du texte varie; l'historien vise à l'élégance et à l'explicite; le chroniqueur avance brièvement, simplement. L'historien « étale des termes ampoulés et des mots d'un pied
et demi »; le chroniqueur « essai un air silvestre sur un
léger pipeau ». L'historien va s'asseoir au milieu de ceux
qui répandent les grands mots de leur éloquence; le chroniqueur se repose plutôt sous la chaumière du pauvre sans
craindre de perdre son gîte [332].

Nous revenons à ce que nous avions constaté
déjà : le public attend, chacun fait ce qu'il peut et

---

331. Pour la méthodologie de l'historien médiéval telle qu'entrevue
dans les sources éditées dans *MGH*, voir M. SCHULZ, *Die Lehre von
der historischen Methode bei den Geschichtschreibern des Mittelalters*,
Berlin, 1909. Quant à la pratique du récit, on pourra la vérifier par J. P.
CHAUSSERIE-LAPRÉE, *Les structures et les techniques de l'expression
narrative chez les historiens latins*, dans *REL*, 41 (1963), p. 281-296;
L. P. PEPE, *Per una storia della narrativa latina*, Naples, 1959; A. D.
LEEMAN, *Le genre et le style historique à Rome. Théorie et pratique*,
dans *REL*, 33 (1955), p. 183-208.

332. Cf. *Chronica*, prol., éd. STUBBS, dans *RS*, 73, 1 (1879), p. 87 :
« Historici autem et cronici secundum aliquid una est intentio et
materia, sed diversus tractandi modus est et forma varia. Utriusque una
est intentio, quia uterque veritati intendit. Forma tractandi varia, quia
historicus diffuse et eleganter incedit, cronicus vero simpliciter graditur
et breviter. *Proicit* historicus *ampullas* et *sesquipedalia verba; cronicus
vero silvestrem musam tenui meditatur avena*. Sedet historicus *inter
magniloquos et grandia verba serentes*, at cronicus sub pauperis Ami-
clae pausat tugurio ne sit pugna pro paupere tecto ». Cf. HORACE, *Art
poétique*, 98; VIRGILE, *Bucoliques*, I, 2. Voir note 65.

c'est généralement le style ordinaire qui l'emporte. Nous en sommes même informés par l'annaliste et historien Ptolémée de Lucques († *ca.* 1327) [333] qui, d'une citation du livre des *Proverbes,* passe aux droits du style *opportun* et adapté[334]. Il faut, dit-il, savoir mesurer ses effets. Le matériau historiographique est déjà en soi varié et fort délectable, comme une bonne nourriture qui se renouvelle sans cesse. Au même menu, ajoutons parfois les *exempla* et les *miracula :* ce sont les épices de la narration. La qualité du style *opportun* consiste alors à ne compliquer rien, pour le plus grand profit de ceux qui nous liront et nous écouteront [335].

Y aurait-il un style propre à l'historien chrétien ? Cassiodore le croit, mais ses propos ne paraissent pas avoir eu tellement d'importance au moyen âge. La grande qualité du style « chrétien » serait une fois de plus la mesure :

Les lettres chrétiennes possèdent aussi des historiens, imbus de gravité ecclésiastique, qui racontent avec une pureté d'élégance, très mesurée cependant, les vicissitudes des événements et les changements de royaume [336].

---

333. Cf. *Die Annalen des Tholomeus von Lucca, incipit,* éd. B. Schmeidler, dans *SRG, nova series,* 8 (1955), p. 2-3. Citation de *Proverbes,* XV, 23.

334. *Ibid.,* p. 2 : « Tunc enim oportunus sermo optimus dicitur, quando delectabiliter legitur vel auditur; quod contingit vel ex sermonis materia, ... vel ex ipsius rei novitate tamquam singularis et insoliti cibi... ».

335. *Ibid. :* « In cibo autem aggeneratur delectatio, quando variatur; sic et de scriptura contingit, quia plus delectat, quando per successum temporis novi referuntur actus et gesta sive principum sive (civitatis seu) alicujus private persone propter sui excellentiam operis ». Aussi Guillaume de Malmesbury, *Gesta regum anglorum,* III, 304, éd. Stubbs, dans *RS,* 90, 2, p. 355.

336. Cf. *Institutiones,* I, 17, 1, éd. Mynors, 1937, p. 55 : « Habent etiam (post tractatores) diversos relatores temporum et studia christiana, qui ecclesiastica gravitate compositi per vicissitudines rerum mutabilitatesque regnorum lacteo quidem sed cautissimo nitore decurrunt ».

Que dire des imitateurs ? Forcément nos historiens se copient. Venus à l'historiographie un peu à l'improviste, à la suite d'une invitation, d'un événement plus ou moins heureux, ils ne sont pas souvent les hommes d'une seule tâche et d'un métier officiel : écrivains à la pige plutôt, ils se retrouvent tout à coup chargés de la mission de raconter : ils se répètent, alors il devient difficile de distinguer entre le style de l'un et le style de l'autre [337], d'autant plus que du point de vue stylistique l'imitation du modèle est de règle depuis toujours. Imiter est très ancien. Ce n'est pas plagier; c'est prendre son bien là où il est. La mentalité de l'époque veut que tout écrit soit à tous, tout comme l'histoire qui se poursuit depuis Adam est un peu celle de tous. Imiter c'est prendre possession de son bien [338].

Qui imitent-ils ? A travers les modèles chrétiens officiels, Eusèbe et Jérôme, Orose, Isidore, Grégoire de Tours, Bède ou Paul Diacre; nous retrouvons aussi Salluste, Tite Live, Suétone, et les récapitulateurs de l'histoire grecque et romaine. L'exemple « classique » reste la *Vita Caroli* d'Eginhard qui « avec toute l'audace d'un barbare à peine initié au maniement de la phrase latine » [339], veut écrire « de

337. Lire à la suite les notes 65 et 332 de ce chapitre, pour le témoignage de Gervais de Canterbury.

338. Pour la période médiévale, on pourra consulter Robert LATOUCHE, *Un imitateur de Salluste au Xe siècle, l'historien Richer*, dans *Études médiévales (Publications de la Faculté des lettres et sciences humaines*, Grenoble, 42), Paris, 1966, p. 69-81; J. SCHNEIDER, *Die Vita Heinrici IV und Sallust. Studien zum Stil und Imitatio in der mittellateinischen prosa (Deutsche Akademie der Wissenschaften zu Berlin. Schriften der Sektion für Altertumswissenschaft*, 49), Berlin, 1949. Pour sa part, Éginhard avait suivi à la lettre la *Vita Augusti* de SUÉTONE (avec HALPHEN, dans *CHFMA*, 1, notes d'édition); GUIBERT DE NOGENT, *Gesta Dei per francos*, lettre du début à l'évêque de Soissons, *PL*, 156, 679; *ibid.*, 681 : « Si quelqu'un n'est pas satisfait, qu'il nous donne des modèles pour bien écrire ».

339. ÉGINHARD, *Vita Caroli*, préf., éd. HALPHEN, dans *CHFMA*, 1947, p. 7.

façon décente et convenable » la vie de son empereur et ami, Charlemagne; le sujet mérite un style noble et le public sera exigeant. Alors, par transpositions matérielles de mots et de situations, Eginhard, ancien des écoles de Fulda, opère une véritable création conçue à l'intérieur même d'une imitation qui à plusieurs a paru servile. Tout ce que Grégoire de Tours, Widukind de Corbie, Richer, Orderic Vital, Guillaume de Malmesbury doivent à Salluste ! Tout ce que Lambert de Hersfeld doit à Tite-Live !

Imiter, c'est aussi transposer et amplifier. Nous savons comment Paul Diacre réussit à faire éclater le *Breviarium* d'Eutrope en *Historia romana* et finalement en *Historia miscella* [340]. Othon de Freising opère de la même manière : grâce à la *Cité de Dieu* et à l'*Historia adversus paganos,* il « crée » sa *Chronique des deux Cités* [341]. *Imitatio, amplificatio :* ce qu'on appelle à la fin du moyen âge : *faire de vieux bois nouvelle maison* [342].

L'usage de la citation [343] provient du même instinct collectif de suivre la tradition. Si on enlevait

---

340. Cf. PAUL DIACRE, *Historia romana,* dans *Fonti per l'historia d'Italia,* 51; LANDOLPHE LE SAGE, *Historia miscella,* éd. CARDUCCI et FIORINI, 1900, dans *RIS,* I. Résumons encore (*supra,* p. 60-62) : Eutrope dédiait dans la seconde moitié du IVe siècle, à l'empereur Valens († 378), un abrégé en dix livres de l'histoire romaine, à partir de ses débuts jusqu'à la mort de Jovien en 363; au VIIIe siècle, Paul Diacre remanie et développe l'ouvrage pour lui donner une allure plus chrétienne ainsi que le lui avait demandé la reine Adelperge. Plus tard, vers l'an 1000, le texte de Paul Diacre est retouché par Landolphe le Sage; l'*Historia romana* est continuée, de 565 où l'avait laissée Paul Diacre jusqu'en 806. De 10 livres qu'il était avec Eutrope, et de seize avec Paul Diacre, le *Breviarium* est passé avec Landolphe le Sage à 24 livres, avec ce nouveau titre, bien significatif, *Historia miscella.*

341. Cf. OTHON DE FREISING, *Chronica sive Historia de duabus civitatibus,* éd. HOFMEISTER, dans *SRG in usum...,* 1912, avec l'introduction de C. C. MIEROW, *The Two Cities...,* New York, 1928, p. 46-61.

342. Cf. JEAN DE BUEIL, *Le Jouvencel,* prol., éd. L. LECESTRE, 1886, t. 1, p. 17.

343. Cf. J. ANDRIEU, *Procédé de citation et de raccord,* dans *REL,* 26 (1948), p. 268-293. Pour le moyen âge, R. B. C. HUYGENS, *Accessus*

de l'historiographie médiévale tout ce qui est extrait et emprunt, que resterait-il ? Bien souvent que la partie contemporaine, la seule vraiment originale. Les grandes chroniques universelles, les compilations d'un Vincent de Beauvais par exemple, ne sont faites que d'extraits recodifiés et réordonnés. Les prologues eux-mêmes sont souvent « empruntés ». Leur façon de dire ce qu'ils veulent dire est de le faire dire par une *autorité* acquise. Un jour Guillaume de Malmesbury a expliqué : la citation rend le récit plus attrayant; il apparaît plus véridique, surtout si la citation est tirée, comme il se doit, d'une source autorisée [344].

La citation la plus appréciée est évidemment celle des auteurs bibliques et chrétiens. A partir du XIe siècle, Horace, Virgile et d'autres écrivains « célèbres » accompagnent et même supplantent en certains cas les citations reçues. L'allure générale du style en est modifiée [345]. Qui s'attendrait à trouver dans une chronique italienne du Xe siècle une citation du *De consolatione philosophiae* de Boèce, et chez Rigord de Saint-Denis un extrait latin du *Timée* [346] ? Quand même, la Bible et les Pères latins garderont jusqu'à la fin une priorité incontestée.

---

ad auctores, dans *Latomus,* 15 (1954); E. A. QUAIN, *The Mediaeval Accessus ad auctores,* dans *Traditio,* 3 (1945), p. 215-264.

344. Cf. *Gesta regum anglorum,* II, 173, éd. STUBBS, dans *RS,* 90, 1 (1887), p. 203. Aussi HENRI DE HUNTINGDON, *Hist. anglorum,* V, 18-19, dans *RS,* 74, p. 159-161, citerait en anglo-saxon pour des raisons esthétiques plutôt et pour récréer ses lecteurs.

345. GUIBERT DE NOGENT (*Gesta Dei per francos,* préface) parlant de la sagesse de Mercure, du dieu orgueilleux de la guerre (*ibid.,* VIII, 30), compare les victoires de Régulus et d'Alexandre; GUILLAUME DE POITIERS (*Histoire de Guillaume le Conquérant,* II, 7, éd. FOREVILLE, dans *CHFMA,* 23 (1952), p. 165; *ibid.,* 22, p. 199-201) rappelle Achille, Enée à travers Virgile; etc. E.-R. LABANDE, du Centre d'études supérieures de civilisation médiévale à Poitiers, poursuit une enquête sur l'usage des citations de poètes classiques même chez les historiens du haut moyen âge.

346. Cf. LIUTPRAND DE CRÉMONE, *Antapodosis,* I, 1, éd. BECKER, dans

Si la citation est *ad litteram* [347], elle se fait par
bloc de textes, documents officiels, chartes, traités,
sermons, etc. Pour abréger, par goût personnel,
certains ont pris l'habitude de ne retenir d'une citation, ou même d'un récit, que la substance de l'événement ou la *sententia* d'un auteur. ... *Scias, o lector,
quod si non eadem verba, mentem tamen et sententiam suorum protuli verborum* [348]. L'historien se
permettra aussi quelques initiatives et des libertés
qui répugnent à notre époque éprise de propriété
littéraire. Tout est légitime : abréger un texte, le
déflorer, le résumer, utiliser deux ou trois mots d'un
auteur pour continuer avec ses mots à soi [349]. La
citation n'a donc pas de statut propre, pourvu toujours, comme on vient de le dire, que la substance
du texte soit sauve. L'historien peut tout reprendre
à son compte, redire, répéter, fusionner. Comme
dirait un chroniqueur écossais du XV⁰ siècle : les

SRG in usum..., 1914, p. 4; aussi GUILLAUME DE MALMESBURY, *Gesta
regum anglorum*, II, 1967, éd. STUBBS, dans *RS*, 90, 1, p. 195; cf. GUIL-
LAUME LE BRETON, *Gesta Philippi Augusti*, dédic., éd. DELABORDE, dans
SHF, 1, p. 1-2. Il s'agit d'un passage bien connu de la *République*, V,
473cd, où Platon soutient que la république sera heureuse si les sages
deviennent rois.

347. GUILLAUME DE MALMESBURY, *Gesta regum anglorum*, II, 173,
éd. STUBBS, dans *RS*, 90, 1 (1887), p. 203 : « Quod profecto erit jocundius si ab antiquitate scriptum illius, qui passus est, apposuero; simul
et proprius vero videbitur quam si meis texuissem litteris. Praeterea non
indecens aestimo si multicolori stilo varietur oratio ». Ailleurs il veut
citer des vers qui paraîtront peut-être rudes pour les « modernes »
mais qui plaisaient autrefois (cf. *ibid.*, II, 122, p. 132). Voir aussi
HENRI DE HUNTINGDON, *Historia anglorum*, V, 18, éd. ARNOLD, 1879,
dans *RS*, 74 (1879), p. 159-160. Si ORDERIC VITAL, *Hist. ecclesiastica*, I,
22, éd. LE PROVOST et L. DELISLE, dans *SHF*, 1 (1838), p. 95, ne cite
pas textuellement sa source ancienne qu'il aime pourtant, c'est qu'il
faut être concis.

348. *Gesta Alberonis*, dans *MGH-SS*, 8, p. 258.

349. À ce propos, la typographie même de l'édition HOFMEISTER
(*SRG in usum...*) de la *Chronica* de OTHON DE FREISING donne une
excellente preuve visuelle de ce que nous voulons dire.

évangélistes n'ont fait que se répéter et se copier, et pourtant [350] !

La digression est une autre constante de l'historiographie antique [351]. Quel historien n'en a pas abusé depuis Hérodote et Salluste ? Bède, le sage Bède [352], suspend son récit pour transcrire un poème de jeunesse sur la virginité. Henri de Huntingdon [353] s'arrête pour parler de son père et jeter sur le parchemin quelques vers en son honneur. Orderic Vital n'a pas vu les siens depuis son adolescence : *Parce, quaeso, bone lector nec molestum tibi sit, precor, si de patre meo aliquid memoriae tradiderim litterarum* [354]. Tel saint a vécu à la période que l'on raconte, le temps est venu d'en parler [355]. Il faut aussi transcrire les textes, les documents qu'on doit aussitôt retourner à qui de droit [356]. On s'excuse à la

---

350. Cf. *Chronica gentis scotorum*, IV, 5-6, éd. SKENE, 1871, t. 1, p. 148 ss.

351. Relire QUINTILIEN, *Inst. oratoriae*, IV, 3.

352. *Hist. eccl.*, IV, 18, éd. PLUMMER, 1896, I, p. 247-8. Cf. *Historia ecclesiastica*, V, 13, éd. LE PROVOST et L. DELISLE, dans *SHF*, 2 (1840), p. 411-12.

353. Cf. *Historia anglorum*, VII, 27, éd. TH. ARNOLD, dans *RS*, 74 (1879), p. 238 : « Hoc ideo scriptor suo inseruit operi, ut apud omnes legentes mutuum laboris obtineat, quatenus pietatis affectu dicere dignentur : anima ejus in pace requiescat ! Amen ».

354. Cf. *Historia ecclesiastica*, V, 14, éd. LE PROVOST et L. DELISLE, dans *SHF*, 2, p. 423; *ibid.*, IV, *a. 1072*, p. 243 : « dulce est mihi cum magistris meis in hac saltem pagina nominare ».

355. Ainsi ORDERIC VITAL, *Hist. eccl.*, IV, 17, dans *SHF*, 1, p. 382, pour saint Martial; GUILLAUME DE TYR, *Hist. rerum...*, XX, 23, dans *PL*, 201, 801, qui tout à coup suspend ses récits pour écrire sur Thomas Becket.

356. Les meilleurs historiens comme Orderic Vital, Matthieu Paris, Guillaume de Tyr, Olivier de la Marche ne cessent de multiplier les digressions, distinguant tour à tour la suite de leurs récits des à-côtés tantôt utiles, nécessaires, s'excusant parfois (v.g. *Hist. rerum...*, XIV, 14, dans *PL*, 201, 594) d'avoir trop insisté; ou encore, comme RORICON avouant bien simplement avoir trop parlé des siens; cf. *Gesta francorum*, prol., dans *PL*, 139, 590. MATTHIEU PARIS, *Chronica majora*, *a. 1252*, dans *RS*, 57, 5, p. 337, concède qu'ici l'amertume l'a entraîné.

manière de Salluste, puis on recommence de plus
belle [357]. *Redeamus ad materiam... Diverticulum feci
... In disgressionibus peregrinatur narratio...* [358].

Le besoin de raconter les entraîne. Instruire son
lecteur, le récréer, satisfaire sa curiosité, l'édifier;
la morale à prêcher, la gloire de Dieu et du roi,
la reconnaissance qu'on doit à tel personnage, à
tel saint, même à tel bienfaiteur, la justification
d'un titre, d'une possession territoriale, le plaisir de
rendre hommage à ses ancêtres, à ses parents et
manifester en les nommant les mérites qu'ils ont eus;
autant de raisons et prétextes à tout dire ce qu'on
a appris, même s'il faut sortir du cadre annalistique
traditionnel. Guillaume de Tyr, pour l'église de Tyr,
et Orderic Vital, pour son monastère de Saint-
Evroul, entretiennent longuement leurs lecteurs de
l'histoire locale : que d'anecdotes ! Pour les mêmes
raisons, de longues listes d'abbés, d'évêques ont été
introduites ici et là ainsi qu'un matériau hagiogra-
phique assez lourd [359].

Les justifications ne sont pas difficiles [360], puisque

OLIVIER DE LA MARCHE, *Mémoires*, II, 9, dans *SHF*, 1, p. 291, estime
que ses propos seront reposants, honnêtes et éducatifs.

357. De ce point de vue les réflexions de Matthieu Paris ressem-
blent encore beaucoup à celles de Salluste. Voir note suivante.

358. V.g. GRÉGOIRE DE TOURS, *Hist. libri X*, II, 4 : *sed ad superiora
redeamus;* IV, 13 : *sed coepta sequamur.* Ou GUILLAUME DE MALMES-
BURY, *Gesta regum anglorum*, IV, 358, éd. STUBBS, dans *RS*, 90, 2
(1889), p. 415 : « Veruntamen quantum suscepti operis narratio postu-
lat, dicam ». Chez SALLUSTE, *Bellum Jugurthinum*, IV, fin : « Verum
ego liberius altiusque processi, dum me civitatis morum piget taedetque;
nunc ad inceptum redeo »; aussi, *ibid.*, XLII : *quam ob rem ad inceptum
redeo;* LXXIX : *nunc ad rem redeo.*

359. V.g. GUILLAUME DE MALMESBURY, *Gesta regum anglorum*, V,
prol., éd. STUBBS, dans *RS*, 90, 2 (1889), p. 466 : « praefata venia tam
longarum digressionum et in hoc et in aliis ».

360. V.g. GUILLAUME DE MALMESBURY : « Et quia diverticulum feci,
puto non inhonestum si dicam... ». *Gesta regum anglorum*, II, 173,
éd. STUBBS, *RS*, 90, 1 (1889), p. 203. GUILLAUME DE TYR : « Licet
paulisper ab historiae textu, non evagandi inutiliter gratia sed ut infe-

toute la tradition les approuve [361]. Liutprand en appelle à Boèce :

Car si je ne m'abuse, les yeux se fatiguent des rayons solaires directs et, à moins que l'on n'y interpose quelque chose de substantiel, la pureté de la vue en souffre. Ainsi en est-il de l'esprit des académiciens, des péripatéticiens et des stoïciens, qui s'affaiblira par une méditation trop constante de leur doctrine, à moins qu'on ne le revivifie, en le faisant rire, par un recours à la comédie ou à de belles histoires de héros [362].

S'il est de bonne pédagogie de divertir son lecteur [363], il n'y a pas à hésiter, quand on sait que Moïse et

---

ratur aliquid non absque fructu, discedere ». *Historia rerum...,* 21, 7, *PL,* 201, 820. Il s'en voudrait de ne pas parler un peu de son église puisque le proverbe dit que celui qui s'oublie prie mal. *Ibid.,* XIV, 14, 594. Encore GUILLAUME DE MALMESBURY : « Melius est interim spatiari in talibus, quam immorari in ejus rebus et ignavis et tristibus ». *Ibid.* On pourrait tout autant citer AIMOIN (dans *Historia francorum,* prol., *PL,* 139, 628; *ibid.,* II, 22-23, 681-2) qui s'excuse et poursuit. ORDERIC VITAL (dans *Hist. eccl.,* V, 9, éd. LE PROVOST et L. DELISLE, dans *SHF,* 2 (1840), p. 376) fait une longue digression sur les évêques de Rouen, pour mieux éclairer la postérité : « appetens pleniter enucleare posteris ».

361. Au dire de THUCYDIDE, *Hist.,* I, 22, le merveilleux, objet principal de la digression en histoire, est pour rendre cette dernière plus agréable à écouter. Thucydide aime aussi les discours. Polybe ne veut ni des uns ni de l'autre, même si on s'ennuie. Cf. *Histoires,* II, 26. Sénèque s'est durement moqué des historiens qui croient « que leur oeuvre ne se fera accepter et ne deviendra populaire que s'ils l'ont assaisonnée de fables »; cf. *Questions naturelles,* VII, 16, 1-2. *Infra,* note 357.

362. « Nam, ni fallor, sicut obtutus, nisi alicujus interpositione substantiae, solis radiis reverberatus obtunditur, ne pure, ut est, videatur, ita plane mens achademicorum, peripatheticorum, stoicorumque doctrinarum jugi meditatione infirmatur, si non aut utili comoediarum risu aut heroum delectabili historia refocilatur ». *Antapodosis,* I, 1, éd. J. BECKER, dans *SRG in usum...,* 1915, p. 4.

363. On lira le prologue significatif des *Grandes chroniques de France,* éd. VIARD, dans *SHF,* 1 (1920), p. 2 ss., avec la suite de ses récits. Le chroniqueur avait bel et bien l'intention d'être concis, puisque « longue parole et confuse plest petit à ciaux qui l'escoutent », et pourtant le plaisir de raconter et de divertir l'emporte vite.

les Écritures ont multiplié les digressions [364] et que
la morale n'en a été que mieux servie [365]; la plus
grande gloire de Dieu aussi [366]. Le fraternel et incomparable Fra Salimbene nous dit pourquoi les digressions sont un si grand bien, les siennes, du moins.
Primo : l'esprit souffle là où il veut et il ne faut pas
le brimer. *Secundo :* la digression est faite de récits
utiles et dignes, qui alimentent la narration. *Tertio :*
elle n'a rien qui puisse frustrer un lecteur, au contraire, elle est son plaisir et son *repos* [367].

Une autre manière — assez inattendue — de
soigner son style est de piller ses sources écrites
tout en les adaptant. La chose est courante lorsqu'il
s'agit des textes contemporains; on ose moins toucher aux anciens. Guibert de Nogent qui corrige

364. Cf. BÈDE, *Historia ecclesiastica gentis anglorum*, IV, 18, éd.
PLUMMER, 1895, I, p. 247 : « ...et imitari morem sacrae scripturae, cujus
historiae carmina plurima indita... ». FRA SALIMBENE, *Cronica, a. 1286*,
éd. O. HOLDER-EGGER, dans *MGH-SS*, 32 (1912), p. 619 : « Sic etiam
fecit Moyses in libris suis. Non enim omnia que ad sacrificia et obla-
tiones pertinent posuit simul, sed, sicut successive audiebat, a Domino,
ita scribebat et interdum alias interserebat hystorias ».

365. ORDERIC VITAL est prêt à toutes les digressions dès qu'il les
croit utiles à ses lecteurs tant au point de vue moral qu'historique;
v.g. *Hist. eccl.*, IV, *a. 1075*, éd. *SHF*, 11, p. 268.

366. V.g. HENRI DE HUNTINGDON (*Hist. anglorum*, I, 10, dans *RS*,
74, p. 14; IV, 27, p. 131; V, 19, p. 161) écrit quelques pages sur
l'Irlande qui n'est pas l'objet de son oeuvre; mais que ne ferait-il pas
pour la gloire de Dieu et pour reposer son lecteur malgré sa peur d'être
trop long ?

367. Cf. *Chronica*, fol. 287bc, éd. HOLDER-EGGER, dans *MGH-SS*, 32
(1913), p. 185 : « Et quia aliquando videmur digressionem facere
alicubi a materia inchoata, parcendum est nobis propter tria. Primo,
quia preter intentionem nostram talia nobis occurrunt, que quandoque
convenienter vitare non possumus, conscientia instigante, quia *spiritus
ubi vult spirat*, nec *est in hominis dictione prohibere spiritum*, ut
habetur *Jo.* III et *Eccle.* VIII. Secundo, quia semper dicimus bona et
utilia et digna relatu, et que possunt optime in historia computari.
Tertio, quia optime redimus postea ad materiam inchoatam et nichil
dimittimus propter hoc de veritate narrationis historie primitive ».
Citations : *Jean*, III, 8 et *Ecclésiastique*, VIII, 8.

Foucher [368], et avant lui Réginon de Prüm, et bien d'autres sûrement, auraient pu signer ce qui suit :

Ce que je viens de raconter, je l'ai recueilli d'un certain livre au style rustique et populaire que j'ai adapté grâce à des corrections partielles, à la règle latine [369].

Dans une lettre qu'il adresse à nul autre que Gerbert, Richer écrit, au sujet des sources qui inspirent son *Histoire,* mais qu'il trouve fort imparfaites :

Toutefois on reconnaîtra de toute évidence que je ne me suis pas servi des mêmes mots, mais que j'en ai mis d'autres à la place et que j'ai modifié complètement l'allure du style [370].

Quant à ceux qui ont cru qu'ils écriraient mieux, ou du moins qu'ils rendraient mieux compte des faits en versifiant leur récit [371], ils sont peu nombreux en fait, même s'il existe parmi eux d'excellents versificateurs [372] et qu'un récit en vers paraît en soi plus

---

368. Tout le début des *Gesta Dei per francos, PL,* 156, 681 ss., est consacré aux questions de style; quant à FOUCHER, *ibid.,* VIII-IX, 821 ss.

369. V.g. *Chronicon,* préf., éd. PERTZ, dans *MGH-SS,* I (1826), p. 566: «Haec quae supra expressa sunt, in quodam libello reperi, plebeio et rusticano sermone composita, quae ex parte ad latinam regulam correxi, quaedam etiam addidi... ». *Ibid.,* (avant 818), p. 543 : « ...et ubi ad praesentia tempora ventum est, stylo temperavi propter quorundam offensam qui adhuc sunt superstites, latius haec posteris exequenda relinquens ».

370. *Op. cit.,* prol., éd. LATOUCHE, dans *CHFMA,* 12 (1930), p. 5 : « at non verba quidem eadem, sed alia pro aliis longe divertissimo orationis scemate disposuisse res ipsa evidentissime demonstrat ».

371. On sait que pour dater la prise de Jérusalem en 1099, Foucher de Chartres passe de la prose aux vers.

372. V.g. *Carmen de bello Saxonico* du poète SAXO; ABBON, *Siège de Paris par les Normands, Carmen de gestis Frederici,* etc. La première tranche de l'historiographie normande et plusieurs textes des croisades sont en vers. Robert de Saint-Remy († 1122), voyageur d'Orient entre 1112 et 1118, résume en vers ce qu'il juge important dans son oeuvre. BARTHOLOMAEUS DE NEO CASTRO, *Historia sicula,* 1250-93, dans *RIS,* 13, 3, préfère qu'on garde la prose pour des raisons de clarté. Il semble que ce soit là l'opinion générale. Voir note 374.

noble [373]. Guibert de Nogent, qui avait fait beaucoup de vers durant sa jeunesse, trouve même des amis pour lui conseiller d'écrire l'histoire de la première croisade en vers. Pourquoi hésite-t-il ? Mieux vaut une bonne prose soignée que des vers mal accordés [374]. La prose offre plus de clarté au récit; la versification risque d'embrouiller [375]. C'est peut-être la raison pour laquelle plusieurs chroniqueurs français du XIVe siècle protesteront contre l'abus de la versification dans les récits d'histoire, qu'ils accuseront en plus de fausser la vérité.

Que dire, enfin, du latin de nos historiens, qui mériterait, bien sûr, de longues études [376] ! Résumons. C'est un latin assez déroutant. L'usage courant, les allusions bibliques, le vocabulaire traditionnel à côté des citations d'auteurs racés, l'improvisation de la tradition orale mêlée au texte de circonstance, sans compter tout l'artificiel des prologues et des préfaces, font que nous sommes au premier abord plutôt décontenancés. Comme nous sommes loin de la grande période d'un Tite-Live, de la concision d'un Tacite ! Le conseil du chroni-

---

373. Pour écrire dans un style plus élevé, on fera des vers, dit GUILLAUME LE BRETON, *Gesta Philippi Augusti*, éd. DELABORDE, dans *SHF*, 1 (1882), p, 169.

374. Cf. *Gesta Dei per francos*, début, dans *PL*, 156, 682. *Supra*, note 303 ss.

375. D'après ROLAND DE PADOUE, *Chronica Marchie Trivixane*, prologue, dans *RIS*, 8, 1, p. 7-8 : « Scribo quoque prosayce hac de causa, quia scio, que dixero, posse dici a me per prosam plenius quam per versus, et cum sit his temporibus dictamen prosaicum intelligibilius quam metricum apud omnes ».

376. Aucune étude générale n'a été entreprise à date. Excellentes monographies, comme celle de Max BONNET sur Grégoire de Tours, *Le latin de Grégoire de Tours*, Hildesheim, 1890. On lira aussi les notes et remarques de E. CURTIUS, *La littérature européenne du moyen âge latin*, Paris, 1956, *passim*. Rien ne remplace la lecture des « grands chroniqueurs » comme Grégoire de Tours, Orderic Vital, Matthieu Paris, Fra Salimbene, etc.

queur de Meaux est à retenir [377]; cherchons le charme du latin des historiens dans son allure populaire, dans ses procédés simples et ses mots de tous les jours. Le manque d'ablatifs initiaux tout autant que l'allure de la phrase nous font penser en effet au style parlé et libre de la causerie intime et du conteur populaire. Même quand les citations classiques, les comparaisons et les allusions font discerner — dans le cas des plus instruits — l'influence du latin d'école, les tons et les procédés de récit populaire dominent toujours [378].

---

377. *Chronicorum monasterii de Melsa continuatio, praefatio,* dans *RS,* 43, 3, p. 238.

378. GUILLAUME DE NANGIS († ca 1300) estime qu'il faut se mettre à la portée des gens ordinaires; *Gesta s. Ludovici,* début, dans *SHF,* 20, p. 311; GUILLAUME DE JUMIÈGES, aussi, *Hist. northmannorum,* début, dans *PL,* 149, 780; GUILLAUME DE MALMESBURY, *Gesta regum anglorum,* II, 152, dans *RS,* 90, 1, p. 144, parle de son style familier. GIRAUD LE CAMBRIEN, *Expugnatio hibernica, introitus,* éd. DIMOCK, dans *RS,* 21, 5, p. 207-8, voit aussi, et comme Guillaume de Nangis, l'avantage des « mots populaires » qui peuvent être compris autant des « grands » que des « simples ». Cf. BEZZOLA, *Les origines et la formation de la littérature courtoise en Occident,* 3e partie, t. 1, p. 149.

CHAPITRE DEUXIÈME

POURQUOI RACONTER ?

VÉRITÉ. —

Les Grecs, les Romains, Salluste, Tacite, tous l'ont dit et répété : le premier devoir de l'historien est de raconter les faits tels qu'ils sont arrivés, de « dire tout ce qui est vrai, ne rien oser dire de faux » [1]. *Veritas historiae, regula veritatis, veritas rerum, veritas gestarum, veritas nuda, integra rerum veritas, lucerna veritatis, verax historicus.* Autant d'expressions qui courent dans les documents de l'époque et qui indiquent assez bien l'intention première de ses historiens, quels qu'ils soient [2]. L'auteur des *Gesta*

---

1. CICÉRON, *De oratore* II, 15, 62; QUINTILIEN, *Inst. orat.*, II, 4, 2 : chez Hérodote et Thucydide, dans les prologues; POLYBE, *Histoires*, I, 35; III, 7, 31; V, 75; XII, 25; XV, 36; XVI, 20; SALLUSTE, *Bellum Jugurthinum*, IV-V; préface à l'*Hist. romaine* de TITE-LIVE : aussi TACITE, *Annales*, IV, 33; VI, 28; LUCIEN, *Comment on écrit l'histoire*, 39-41-63. Voir M. SCHULZ, *Die Lehre von der historischen Methode bei den Geschichtschreibern des Mittelalters*, p. 1-14. La *vérité* du récit est d'ailleurs ce qui distingue l'histoire des autres espèces de narrations.

2. Chez GUILLAUME DE MALMESBURY, *Hist. reg. anglorum*, I, prol.; I, 24; prol. au livre III; *Hist. novella*, prol.; III, 503. — Mieux : « Haec ideo sic in superioris anni gestis non apposui, quia clam conscientia mea erant : semper quippe horrori habui aliquid ad posteros transmittendum stilo committere, quod nescirem solida veritate subsistere ». *Hist. novella*, III, 514, dans *RS*, 90, 2, p. 590. Même idée exprimée négativement par GUIBERT DE NOGENT : « Quod si quidpiam aliter dictum quam se res habet, constiterit, incassum fateor mendacii mihi probra callidus deprehensor objecerit, cum me fallendi desiderio nulla dixisse sub Dei testimonio scire possit ». *Gesta Dei per francos,*

Cnutis regis (*ca.* 1012-1040) écrit à Emma, reine
et fille du duc de Normandie, Richard I :

On exige d'abord de l'histoire qu'elle ne s'écarte par aucun
faux sentier du droit chemin de la vérité. Si celui qui écrit
les gestes de quelqu'un tourne le vrai en faux, qu'il se
trompe, ou qu'il veuille plaire à certains, comme il arrive
souvent, il faut savoir dans ce cas qu'une seule personne
a profité du mensonge qui rend les faits dommageables aux
auditeurs. J'estime que les historiens doivent faire tout leur
possible pour ne pas trahir la vérité au profit de quelques-
uns sinon ils risquent de perdre le nom même qui les désigne. Le fait est source de vérité, et la vérité est adhésion
au fait [3].

Même s'il faut raconter des faits moins édifiants,
des faits païens, la vérité passe en premier. Ecrire
l'histoire, c'est accepter la réalité telle qu'elle est,
la suivre pas à pas en évitant parti-pris et faux
détours [4].

Quant à ceux qui par adulation mêlent impudemment le
mensonge aux récits des faits, écrit Guillaume de Tyr, leur
attitude paraît si détestable qu'ils ne doivent même pas être
reçus au rang des écrivains. Si cacher la vérité des faits
est déjà assez grave pour disqualifier un écrivain, la faute
qui consiste à tacher le vrai de mensonge, à transmettre à

---

prol., dans *PL,* 156, 682-683; ORDERIC VITAL, *Hist. eccl.,* I, 22; G. DE
TYR, *Hist. rerum...,* prol., dans *PL,* 201, 211 : « ...impetrata tamen
veritatis explicandae venia, citra quam omnis historia non solum auctoritatem, sed et nomen historiae demeretur ». Cf. GIRAUD LE CAMBRIEN,
Expugn. Hibernica, II, *praef.,* dans *RS,* 21, 5, p. 301.

3. *Gesta Cnutis regis, prologus,* éd. PERTZ, dans *MGH-SS,* 19 (1866),
p. 511 : « Hoc enim in historia proprium exigitur, ut nullo erroris
diverticulo a recto veritatis tramite declinetur; quoniam cum quis
alicujus gesta scribens veritati falsa quaedam seu errando, sive ut
sepe fit ornatus gratia, interserit, profecto unius tantum comperta
admixtione mendatii, auditor facta velut infecta ducit. Unde historicus
magnopere cavendum esse censeo, ne veritati quibusdam falso inter-
positis contra eundo, nomen etiam perdat quod videtur haberi ex officio.
Res enim veritati, veritas quodam fidem facit rei ».

4. « Veritas non quaerat angulos, et qui veritatem dicit non laborat ».
GERVAIS DE CANTERBURY, *Chronica* (juin, 1181), éd. STUBBS, dans *RS,*
73, 1 (1879), p. 296. Cf. *Gesta Guillelmi,* I, 20, éd. FOREVILLE, dans
CHFMA, 23 (1952), p. 44.

la postérité crédule un récit qui manque de véracité, est beaucoup plus grave [5].

Il est inadmissible qu'un historien puisse diminuer la réalité des faits qu'il a vus, entendus ou lus. Pour sa part Froissart parlerait volontiers d'injustice sociale, de faute publique, de mensonge évident :

Ce serait péchiés et cose mal apertenans, car esploit d'armes sont si chierement comparet et achetet, che scèvent chil qui y traveillent, que on n'en doit nullement mentir pour complaire à autrui, et tollir la glore et renommee des bienfaisants, et donner à chiaus qui n'en sont mies digne [6].

Certes il est toujours plus agréable de louer quelqu'un que de le flétrir [7]. Mais l'historien doit être prêt à dire tout ce qu'il sait, dût-il lui-même en souffrir [8].

---

5. « Nam eorum qui adulationis studio rerum gestarum articulis involvunt impudenter mendacia, detestabile factum creditur, ut nec scriptorum numero debeant sociari. Si enim rerum veritatem gestarum occultare secus est, et deficiens a scriptoris officio, multo fortius peccatum reputabitur, mendacii naevum veris immiscere; et quod a vero deficit, credulae pro vero posteritati contradere ». *Hist rerum...*, prol., dans *PL*, 201-211. Sur l'adulation et ses dangers, voir aussi G. DE MALMESBURY, *Gesta regum anglorum*, V, 449; *Hist. novella*, prologue au livre I; *ibid.*, III, 503.

6. FROISSART, *Chroniques*, prol., éd. LUCE, dans *SHF*, 1 (1869), p. 2.

7. V.g. *Gesta abbatum Trudonensium, continuatio tertia*, éd. KOEPKE, dans *MGH-SS*, 10 (1848), p. 362 : « Cum autem ad presentia tempora deventum est, notare cessavi, latius hec posteris exequenda relinquens; quia si gestarum rerum veritatem persequerer, quorundam forsan qui adhuc superstites sunt offensam incurrerem, aut si a veritate discederem, adulationis seu mendacii nota fuscarer ». Cf. BAUDRI DE BOURGUEIL, *Historia hierosolimitana*, prologue, dans *Recueil des historiens des croisades*, IV, p. 10 : « Et quamvis christianus ego christianis processerim atavis, ut jam nunc tanquam haereditate possideam sanctuarium Dei, et hereditarium mihi Christianae professionis vindicaverim titulum, Paganismum autem, utpote a lege Dei extorrem, totis viribus abhorruerim; tamen in proferenda historiae veritate, in neutram amor vel odium, vel cetera vitia, me scientem praecipitabunt partem : ut scilicet Paganis detrahendo, Christianis mendax et mendosus temere faveam... ».

8. OTHON DE FREISING, *Chronica*, lettre à Frédéric I, éd. HOFMEISTER, dans *SRG in usum...*, 1912, p. 5 : « Itaque non indignetur

Vouloir cacher la vérité des choses et la voiler, c'est manquer à son devoir. Trahir son devoir est sûrement une faute, s'il est vrai que l'on définit le devoir de chacun comme *l'acte à accomplir en conformité avec les moeurs et les institutions de son pays* [9].

C'est clair, c'est trop clair :

Ou les historiens courent à des complaisances imméritées, et ils manquent au devoir de leur métier; ou ils continuent à dire la vérité, et ils ont à souffrir une haine dont la vérité s'est faite elle-même la mère. Ces attitudes sont d'autant plus regrettables qu'elles se produisent plus souvent. Comme dit notre Cicéron : *la vérité est désagréable, quand elle fait naître la haine, ce poison de l'amitié; mais la flatterie est plus intolérable encore, elle qui, cachant les vices, entraîne l'ami dans le précipice.* Ceci s'applique, semble-t-il, à celui qui par indulgence supprime la vérité à laquelle il s'était obligé [10].

---

vestra discretio nec sinistre, ut dixi, imperialibus auribus interpretetur, si in historia nostra contra antecessores vel parentes suos ad observandam veritatem aliqua dicta fuerint, cum melius sit in manus incidere hominum quam tetrae fucatum superducendo colorem faciei scriptoris amittere officium». Cependant, dans *Gesta Frederici imperatoris*, II, prol., éd. WAITZ, dans *SRG in usum...*, 1912, p. 102 : « Inter duo tamen, ut ita duxerim, mala melius fore judicavi minus dicendo a materia opus superari quam cuncta tacendo gloriosa facta silentio tecta deperire ».

9. GUILLAUME DE TYR, *Hist. rerum...*, prol., dans *PL*, 201, 210 : « Nam rerum veritatem studiose preterire et occultare de industria, contra eorum officium esse dignoscitur. Ab officio autem cadere, procul omni dubio culpa est, si tamen vere dicitur *officium congruus actus uniuscujusque personae secundum mores et instituta patriae* ».

10. « Aut igitur a suae professionis cadent officio, obsequium praestantes indebitum; aut rei veritatem prosequentes, odium, cujus ipsa mater est, eos oportebit sustinere. Haec nimirum frequentius ita sibi solent adversari, et se mutua importunitate reddere molesta. Nam juxta Ciceronis nostri sententiam : *Molesta est veritas, siquidem ex ea nascitur odium, quod est amicitiae venenum; molestius tamen obsequium, quod vitiis indulgens, amicum sinit ire praecipitem* : quod in se videtur implere, qui obsequii gratia, contra officii debitum supprimit veritatem». *Historia rerum...*, prol., dans *PL*, 201, 210-11; avec B. LACROIX, *Guillaume de Tyr : unité et diversité de la tradition latine*, dans *Études d'histoire littéraire et doctrinale*, quatrième série (*Publications de l'Institut d'études médiévales*, XIX), Montréal-Paris, 1968, p. 204-205.

Métier exigeant et délicat; d'une part, Dieu juge les menteurs, d'autre part, les hommes combattent ceux qui auront dit les faits tels qu'ils arrivent :

La condition des historiens est pénible, écrit Matthieu Paris († 1259) : s'ils racontent la vérité, ils irritent les gens. S'ils écrivent des mensonges, le Seigneur qui sépare les véridiques des adulateurs, les réprouve [11].

Même s'il y met toute sa bonne volonté, l'historien ne pourra pas en arriver seul à dire tout ce qu'il en est d'un événement : la réalité dépasse les mots. À moins que Dieu ne l'aide [12] ! Existe-t-il des narrateurs parfaits qui réussissent à raconter même ce qu'ils savent [13] ? On peut en douter, car déjà en chacun coexistent l'amour et la haine. La haine change les humeurs; l'amour rend complice. L'effet est le même : le récit s'enténèbre, le jour devient comme la nuit [14]. Adalbold, biographe de Henri II, explique à la manière des anciens :

L'écrivain ne peut tenir à la vérité que s'il veut fermement éviter, ou plutôt enlever de son esprit quatre obstacles : la haine, la dilection charnelle, l'envie et l'adulation infernale. La haine et l'envie l'entraînent à taire, à transformer ou à subtiliser calomnieusement les bonnes actions ; alors il amplifie et il en ajoute aux faits malheureux. Quant à la

---

11. *Chronica majora (a. 1254)*, éd. LUARD, dans *RS*, 57, 5 (1880), p. 469-70 : « Dura enim est conditio historiographorum; quia, si vera dicantur, homines provocantur; si falsa scripturis commendantur, Deus, qui veridicos ab adulatoribus sequestrat, non acceptat ».

12. JEAN DE FORDUN, *Chronica gentis scotorum*, éd. SKENE, Edinbourg, 1871, t. 1, p. 1, iii ; « Ad cujus veritatis notitiam dilucide adipiscendam, sine gratia Dominica supernaturaliter infusa non poterit pertingere lumine naturali intellectus humanus ».

13. « Inter descriptores hystoriarum rari inveniuntur qui rebus gestis descriptionis fidem integram solvant ». *Hermoldi presbyteri Buzoviensis Chronicorum slavorum*, II, préface, éd. B. SCHMEIDLER, dans *SRG in usum...*, 1937, p. 188; *Chronica boemorum*, III, apologia, éd. BRETHOLZ, dans *SRG, nova series*, II, (1955), p. 160; OTHON DE FREISING, *Gesta Frederici primi, prooemium*, éd. WAITZ, dans *SRG in usum...*, 1912, p. 12.

14. *Infra*, note 18.

dilection charnelle et à l'adulation infernale, elles conduisent l'écrivain qui les subit à ignorer le pire : il simule, il cache la vérité; les faits heureux servent à flatter et il les raconte longuement; il s'y appesantit plus qu'il ne faut.

Ainsi et à cause de ces quatre passions, la vérité disparaît, qu'il s'agisse des bonnes ou des mauvaises actions. La fausseté reluira d'une couleur surfaite. La dilection spirituelle est, au contraire, l'amie de la vérité; elle ne cache pas les mauvaises actions; elle ne dilate pas pompeusement les bonnes. Même, elle se souvient que le mal souvent peut être un correctif comme le bien peut être un obstacle si on l'exagère. Il est mieux à l'esprit d'être freiné par l'adversité qu'enflé orgueilleusement par la prospérité [15].

Faire abstraction de ses options et de ses sentiments ? Guillaume de Malmesbury constate, non sans trembler, que celui qui veut écrire l'histoire de ses rois se retrouve « en pleine mer », menacé de faire naufrage [16]. L'évêque de Tyr a raison : dire la vérité, c'est s'obliger au pire. Personne n'aime mal parler de ses rois, de sa patrie et des siens. Mais la réalité étant ce qu'elle est, il faut bien s'y soumettre. Encore la peur d'un naufragé :

---

15. Cf. ADALBOLDUS, *Vita Henrici II imperatoris,* préface, dans *MGH-SS,* 4, 683 : « Sed scriptor veritatem tenere nequit, nisi haec quatuor aut potenter devitaverit aut aliquatenus a mente deposuerit : odium et carnalem dilectionem, invidiam et infernalem adulationem. Odium enim et invidia bene gesta aut omnino tacent aut dicendo transcurrunt aut calumniose transmutant, econtra male gesta dicunt, dilatant et amplificant. Carnalis autem dilectio et infernalis adulatio quae male gesta sunt scientes ignorant, et ignorantiam simulantes, veritatem occultant, bene gesta autem, placere quaerentes, spatiose dicunt et plus justo magnificant. Sic per haec quatuor aut in bene gestis aut in male gestis veritas evanescit, falsitas superducto colore nitescit. Spiritualis autem dilectio, veritatis amica, nec mala gesta celat, nec bene gesta pompose dilatat; sciens, quia et male gesta saepe prosunt ad correctionem, et bene gesta frequenter obsunt, dum ducuntur in elationem. Melius est enim, adversitate mentem refrenari quam prosperitate contumaciter inflari ».

16. *Gesta regum anglorum,* IV, prol., éd. STUBBS, dans *RS,* 90, 2, p. 357. Voir aussi *Chronica slavorum,* II, préface, éd. SCHMEIDLER, dans *SRG in usum...,* 1937, p. 189 : « In exprimendis igitur actibus hominum, veluti in exculpendis subtilissimis celaturis, sincerum semper oportet esse considerationis intuitum, qui nec gratia nec odio nec pavore a veritatis via deducatur ».

Personne parmi les sages ne doute qu'il soit périlleux et tout à fait risqué de raconter les gestes des rois. Car, en plus du labeur, du travail sans répit et des longues veilles que nécessitent habituellement les besognes du métier, les historiographes ont à faire face à un double précipice qu'il leur est bien difficile d'éviter. S'ils fuient Charybde, ils rencontrent Scylla qui, avec sa ceinture de chiens, n'en sait pas moins conduire aux naufrages. S'ils recherchent la vérité des faits, ils encourent l'envie de plusieurs personnes; s'ils veulent l'apaisement et se protéger contre l'indignation, ils doivent alors dissimuler une suite de faits : ce qui est certainement mal [17].

Cette vérité à dire coûte que coûte exige tellement que certains chroniqueurs ont voulu voir, jusqu'à quel degré, se taisant ou voilant quelque peu la réalité, ils pécheraient. Hermold le Slave distingue : mentir est une faute mortelle; taire un fait est une faute vénielle, si on le fait par pusillanimité et par peur. La pire faute serait de mentir pour son seul profit à soi [18].

---

17. *Hist. rerum...*, prol., dans *PL*, 201, 209 : « Periculosum esse et grandi plenum alea regum gesta describere, virorum prudentium nemo est qui dubitet. Nam, ut laborem, juge studium, perennes vigilias, quibus hujusmodi solent indigere negotia, penitus omittamus, duplex historiographis certum est imminere praecipitium : quorum vix est, ut alterutrum declinare valeant. Effugientes enim Charybdim, Scyllam incurrunt, quae succincta canibus, non minus novit procurare naufragia. Aut enim rerum gestarum veritatem prosequentes, multorum in se conflabunt invidiam; aut indignationis gratia leniendae, rerum occultabunt seriem in quo certum est non deesse delictum ». — *Ibid.*, XXIII, préf., *PL*, 201, 889-90, où le même auteur déplore plus amèrement encore d'avoir à raconter du mal des siens.

18. Cf. HERMOLD, *Chronica slavorum*, II, préface, éd. B. SCHMEID-LER, dans *SRG in usum...*, 1937, p. 188 : « Inter descriptores hystoriarum rari inveniuntur, qui rebus gestis descriptionis fidem integram solvant. Sane disparilia dominum studia, plerumque corrupto fonte nascentia, in ipsa narrationis superficie statim dinosci possunt, dum videlicet succrescens in corde hominis veluti superfluitas quedam humorum in debitus amor sive odium deflectit narracionis impetum, derelicto veritatis tramite, in dexteram sive in sinistram. Multi enim aucupantes favorem hominum, palliaverunt se amicitie ficta quadam superficie, et propter ambicionem honoris seu cujuslibet emolumenti locuti sunt placentia hominibus, asscribentes digna indignis, laudem quibus non

DIFFICULTÉS. —

La vérité, mais à quel prix ? Comment exercer un métier qui ne vous a pas été enseigné ? Comment transformer en récits écrits ce qu'on a vu et ce qu'on ne connaît que par ouï-dire ? Raconter demande tant de connaissances, sans compter tout le reste, les longues veilles, le temps qu'il faut trouver, la multiplicité des fonctions, tel est déjà évêque de son diocèse, l'autre abbé de son monastère, chapelain à la cour [19] : l'historiographie passe après. Guibert de Nogent, qui adore dicter, écrit à son ami Lysiard, évêque de Soissons, à propos des *Gesta Dei per francos* :

Pensez qu'au milieu des soins de mes affaires particulières et des procès auxquels je suis souvent tenu d'assister, j'étais toujours dévoré du désir de dicter et, ce qui est plus important encore, de transcrire et que, tandis qu'au dehors

---

debebatur laus, benedictionem quibus non erat benedictio. Quo contra alii odio concitati minus pepercerunt obloquiis, querentes locum calumpniis et quos manu nequibant, acrius lingua insectantes. Tales profecto sunt, qui ponunt lucem tenebras et dicunt noctem diem. Sed nec aliquando defuerunt inter scriptores qui propter dampna rerum et cruciatus corporum impietates principum publicare timuerunt. Venialius autem est, veritatem tacuisse ob pusillanimitatem spiritus et tempestatem, quam ob spem inanis lucri finxisse mendacium »; *Cosmae Chronica boemorum*, III, *inc.*, éd. KOEPKE, dans *MGH, nova series,* II (1955), p. 159-160.

19. V.g. GRÉGOIRE DE TOURS, *Hist. des Francs*, préf. éd. LATOUCHE, dans *CHFMA*, 27 (1963), p. 31-32; PIERRE DIACRE, *Historia mediolanensis*, IV, prol., dans *MGH-SS*, 7, p. 755. Sur les nécessités des veilles, v.g. GUILLAUME DE MALMESBURY, *Gesta regum anglorum*, II, prol., dans *RS*, 90, 1, p. 104; *Annales Palidenses*, prol., dans *MGH-SS*, 16, p. 51-52; ROLAND DE PADOUE, *Chronica*, prol., dans *RIS*, VIII, 1, p. 7-8; sur la multiplicité et variété des écrits, GRÉGOIRE DE TOURS, *ibid.*, X, 28, p. 325; BÈDE, *Hist. eccl.*, V, 24, éd. PLUMMER, 1896, t. 1, p. 356-60. Sur la diversité des occupations : v.g. GUIBERT DE NOGENT, *Gesta Dei per francos*, préf., dans *PL*, 156, 684; RIGORD DE SAINT-DENIS, *Gesta Philippi Augusti*, prol., dans *SHF*, t. 1, p. 4, avoue éprouver tous les inconvénients pour écrire : « egestas seu rerum inopia, acquisitio victualium, instantia negotiorum, styli simplicitas et mens in hujusmodi minus exercitata... ». GUILLAUME DE TYR se dit fort occupé et distrait; préface à *Hist. rerum...*, dans *PL*, 201, 212.

j'étais forcé d'entendre toutes sortes de choses, non sans en être cruellement importuné, il me fallait retenir fermement au-dedans de moi la suite des faits que j'avais entrepris de raconter [20].

Trop peu de temps et si peu de tranquillité !

Comme le dit Grégoire : un esprit divisé en plusieurs tâches ne peut guère s'attacher à une seule. De même que les peintures fardent au début les visages et ne donnent pas les vraies couleurs, ainsi l'esprit distrait par toutes sortes de pensées sera lui-même obscurci par les ténèbres du monde [21].

L'immédiat absorbe tout et distrait du reste. Nithard, qui écrit à la demande de Charles le Chauve, est mêlé aux querelles des petits fils de Charlemagne. Il voudrait quand même s'en libérer :

Non seulement il me serait agréable, comme je l'ai dit, de surseoir à mon oeuvre de narrateur, mais encore mon esprit curieux, assiégé par les disputes, cherche dans le repos le moyen d'échapper complètement à la politique [22].

Heureux exilés d'autrefois, totalement à leurs travaux, dira Hermold le Slave [23]. Quand autour de

---

20. *Gesta Dei per francos, epist.*, dans *PL*, 156, 680 : « Pensa denique quod inter rei familiaris curas, et crebras auditiones causarum, dictandi mihi, imo quod gravius est, translatandi aestuabat intentio, et dum diversa, non sine mordaci importunitate, foris audire compellerer, stabiliter intus quae orsus queram coepta tenere cogebar ». GUILLAUME DE MALMESBURY se plaint aussi de manquer et de temps et de talent; *Gesta regum anglorum*, IV (382), dans *RS*, 90, 2, p. 447.

21. PIERRE DIACRE († 1153) dans la continuation de la *Chronica monasterii casinensis*, IV, prologue, éd. WATTENBACH, *MGH-SS*, 7 (1846), p. 756 : « Nam teste beato Gregorio, dum mens dividitur ad multa, efficitur in singulis parva. Sicut enim forma hominum per colores quosdam pictores in tabulas tetras depingunt, dum tincturas non proprias et non congruas immittunt, ita historia a vetusti decoris altitudine ruet, si mens cogitationibus obumbrata, et pressurarum mundialium tenebris offuscata fuerit ».

22. *Histoire des fils de Louis le Pieux*, IV, prol., éd. LAUER, dans *CHFMA*, 7 (1964), p. 117 : « Non solum me uti praefatum est, ab hoc opere narrationis quiescere delectat, verum etiam, quo ab universa re publica totus secedam mens, variis querimoniis referta, assiduis meditationibus anxia versat ».

23. Cf. *Cronica slavorum, epist.*, éd. SCHMEIDLER, 1937, dans *SRG in usum...*, p. 1 : « Hortatur me ad id studium scriptorum, qui ante nos

vous on s'agite, on tremble; quand les Hongrois, les
Normands, voire les Sarrazins menacent les frontières et détruisent les monastères comme en Italie
du Sud, comment écrire ? Gauthier de Thérouane a
beau travailler la nuit, il entend encore le choc des
lances et aperçoit la lueur des incendies d'à côté :
le plus qu'il peut est de jeter quelques notes sur
tablettes en attendant des jours meilleurs [24]. Même
la cour du roi, pourtant hospitalière, peut être un
vrai enfer [25]. Où se réfugier ? Au monastère ? Il
arrive que là aussi le nécessaire manque : les livres,
les tablettes, l'encre; le parchemin est passé par la
pluie, le feu, les vers [26]. Peu de bibliothèques contiennent des livres d'historiographie [27]. Au monas-

---

sunt, imitabilis devotio, quorum plerique propter magnum scribendi
omnibus negotiorum tumultibus renunciarunt, ut in secreto contem-
plationis... ».

24. Cf. *Vita Caroli comitis Flandriae*, éd. KOEPKE, dans *MGH-SS*,
12 (1846), p. 539 ss.; avec la finale, p. 561; l'auteur de l'*Itinerarium
peregrinorum et gesta regis Ricardi* (fin du prologue, dans *RS*, 38, 1,
p. 4) constate que les châteaux sont des places peu favorables à l'exer-
cice du métier d'historiographe; la guerre nuit à la tranquillité dont il
aurait besoin pour écrire convenablement.

25. V.g. *De nugis curialium*, 1, p. 2 ss., de GAUTIER MAP, éd. JAMES,
p. 1 ss.; *Polycraticus*, V, 10, éd. WEBB, I, p. 323 s., de JEAN DE SALIS-
BURY; lettre 14, *PL*, 207, 42-51, de PIERRE DE BLOIS; aussi GIRAUD LE
CAMBRIEN, *De principis instructione, praef. prima; Itinerarium Kambriae, praef. prima*, etc.

26. Voir par exemple GUILLAUME DE MALMESBURY, *Gesta regum
anglorum*, V, prol., dans *RS*, 90, 2, p. 465-466. ORDERIC VITAL, *Hist.
eccl.*, VI, 3, t. 3, p. 6, est à résumer la biographie de saint Guillaume;
un moine lui apporte d'Angleterre une source, qu'il doit retourner
aussitôt, et le froid empêche Orderic de transcrire : forcément il n'a
pris que quelques notes rapides qu'il va résumer maintenant. Aussi
Annales monastici, IV; *Annales prioratus de Wigornia*, dans *RS*, 36,
p. 355; FRA SALIMBENE, *Cronica, a. 1247*, dans *MGH-SS*, 32, p. 217;
THOMAS BURTON, *Chronica monasterii Melsae*, préf., dans *RS*, 43, 1,
p. 71; JEAN DE FORDUN, *Chronica gentis scotorum*, début, éd. SKENE,
t. 1, p. xix.

27. Cf. GERVAIS DE CANTERBURY, *Chronica*, prol., dans *RS*, 73, 1,
p. 89 : « Me autem inter cronicae scriptores computandum non esse
censeo, quia non bibliotecae publicae sed tibi, mi Frater Thomas, et
nostrae familiolae pauperculae scribo ». Sur les livres d'histoire dans

tère il est de règle de ne sortir qu'un livre par jour, encore faut-il le rapporter le même soir [28]. Où trouver les copistes, les « secrétaires » ? La vie d'un écrivain peut être compliquée [29] ! La maladie, les infirmités, la fatigue, le froid, la faim ? Orderic Vital est vieux, il a 67 ans, c'est l'hiver :

> Je suis arrêté par la vieillesse, car je suis sexagénaire et j'ai toujours vécu dans le cloître et j'ai été moine depuis mon enfance. Je ne puis plus supporter la grande fatigue d'écrire et je n'ai point de scribe pour recueillir ma dictée. C'est pourquoi je me hâte de finir mon ouvrage [30].

S'il n'y avait que cela ! Les angoisses intérieures sont pires. Est-ce normal de toujours raconter des guerres, des luttes entre frères, des hérésies, des cataclysmes [31] ? Gildas († ca. 570) est profondément malheureux [32]. Grégoire de Tours l'est tout autant. Quelques années plus tard, il écrivait, en effet :

> Il me répugne de rappeler les vicissitudes des guerres civiles qui épuisent fort la nation et le royaume des Francs. Nous

les bibliothèques, E. LESNE, *Les livres. Scriptoria et bibliothèques du commencement du VIIIe à la fin du XIe siècle (Hist. de la propriété ecclésiastique en France*, IV), Lille, 1938.

28. V.g. *Regula monachorum* (s. Benoît), XXXIII, XXXVIII, XLVIII.

29. V.g. ROBERT LE MOINE, *Historia hierosolymitana*, préf., dans *PL*, 155, 669; ORDERIC VITAL, *Hist. ecclesiastica*, IX, 1, t. 3, p. 459-60.

30. V.g. *Historia ecclesiastica*, IV, fin, éd. LE PROVOST et L. DELISLE, dans *SHF*, 2 (1840), p. 298 : « Multa terrigenis imminent infortunia : quae si diligenter scriberentur omnia, ingentia replerent volumina. Nunc hiemali frigore rigens, aliis occupationibus vocabo, praesentemque libellum hic terminare fatigatus dicerno. Redeunte vero placidi veris sereno, ea quae minus plene disserui, sive quae restant in sequentibus replicabo »; *ibid.;* IV (fin), t. 2, p. 298; VI, 3, t. 3, p. 6; IX, 3, p. 624. Cf. OLIVIER DE LA MARCHE, *Mémoires*, finale du prologue, éd. BEAUNE et D'ARBAUMONT, dans *SHF*, 1 (1883), p. 16 : « plein d'infirmités et de persécutions ».

31. Cf. ERCHEMPERT, *Historia longobardorum*, éd. PERTZ, dans *MGH-SS*, 3 (1839), p. 242.

32. *De conquestu et excidio Britanniae*, préface, éd. MOMMSEN, dans *MGH-Auc. Ant.*, 13 (1898), p. 25 ss.

y voyons déjà, ce qui est pire, arriver ce temps dont le
Seigneur a prédit qu'il serait le *commencement des dou-
leurs* [33].

Qui a raison ? qui a tort [34] ? L'historien partage
l'angoisse de ses « héros »[35]. Nithard est inconso-
lable devant ce qui arrive aux petits fils de Louis le
Pieux, descendants pourtant du grand Charlemagne :

> Ne pouvant souffrir d'entendre dire du mal de notre famille,
> il m'est encore bien pénible d'en dire moi-même. Aussi,
> tout en ne voulant pas manquer de respect pour les ordres
> reçus, dès que je fus arrivé, selon mes voeux, à la fin du
> second livre, avais-je résolu en moi-même de clore défini-
> tivement cet ouvrage [36].

Si dire la vérité est le devoir par excellence de
l'historien, ce devoir devient parfois insupportable,
si on est soi-même engagé dans l'histoire. Et on ne
sait pas toujours où celle-ci nous mènera :

> Néanmoins, comme la fortune a uni mon sort à tout ce
> qui se passe dans les deux camps et que je me trouve bal-
> loté malgré moi parmi de terribles tempêtes, j'ignore en
> réalité absolument en quel port j'aborderai [37].

---

33. *Historiarum libri X*, V, début, éd. KRUSCH et LEVISON, dans
MGH-Script. rerum merovingicarum, I (1951), p. 193 : « Taedit me
bellorum civilium diversitatis, que Francorum gentem et regnum valde
proterunt, memorare; in quo quod pejus est, tempore illud quod
Dominus de dolorum praedixit initium jam videmus... ».

34. Cf. GUILLAUME DE MALMESBURY, *Gesta regum anglorum*, I,
86; II, 197, 198; III, prol.; IV, prol.; IV, 312, 315-16; etc. — Déjà
au temps des invasions normandes et plus tard avec l'essor des nationa-
lismes, les historiens ne cesseront de dire leurs difficultés à écrire
l'histoire des grands.

35. V.g. HENRI DE HUNTINGDON, *Historia anglorum*, II, début, *RS*,
74, p. 37, et fin, p. 66.

36. *Histoire des fils de Louis le Pieux*, III, début, éd. LAUER, dans
CHFMA, 7 (1964), p. 79-80 : « Quoniam sinistrum me quiddam ex
genere nostro ut audiam pudet, referre praesertim quam maxime piget.
Quamobrem, imperio haud quaquam malivole contempto est finis
optatus libri secundi affuit, per omnia finire hoc opus animus decrevit ».

37. *Ibid.*, p. 116 : « Sed, quoniam me de rebus universis fortuna hinc
inde junxit validisque procellis moerentem vehit, qua portum ferar
immo vero poenitus ignoro. Interim autem, si aliquod tempus otiosum

Quand, plus tard, Guillaume de Tyr pense tout à coup qu'il devra raconter des faits qui condamneront les siens, il est comme déchiré par les obligations qui l'attendent :

Nul ne saurait sans douleur raconter les maux de sa patrie et produire aux grands jours les fautes de ses concitoyens; car il est en quelque sorte convenu entre les hommes, et l'on conçoit comme un devoir de nature, que chacun fasse tous ses efforts pour célébrer sa terre natale, et ne pas se montrer envieux de la gloire de ses compatriotes [38].

Même les croisades. Elles ont au début suscité beaucoup d'enthousiasme. Puis les difficultés ont commencé, les échecs sont venus. Guillaume de Tyr avoue que le courage lui fait défaut. Tandis qu'il dicte, les passages les plus tristes d'*Isaïe* et d'*Osée* lui reviennent à la mémoire : « De la plante des pieds au sommet de la tête » il n'y a en lui que blessures, meurtrissures, plaies vives, qui n'ont pas été pansées, ni bandées, ni adoucies avec l'huile [39]. Nous voilà bel et bien en captivité de Babylone ! se répète Othon de Freising [40]. Enfin, on sait toute la douleur qui s'empare de l'homme moyen et des historiens des XIVe et XVe siècles, avec le grand schisme et la guerre de Cent Ans. L'histoire des hommes ne serait-elle qu'une immense tragédie dont l'historien deviendrait un peu comme malgré lui le metteur en scène [41] ?

---

repperero, quid oberit si, uti jussum est, facta principum procerumque nostrorum stili officio memoriae mandare curabo ? ».

38. *Hist. rerum...*, XXIII, préf., dans *PL*, 201, 889 : « Nemo enim est, qui non invitus languorem patriae, et suorum defectus in lucem proferat, cum quasi inter homines conveniat, et tanquam naturale reputetur, unumquemque totis niti viribus patriam laudibus attollere, et titulis non invidere suorum ».

39. Cf. *Historia rerum...*, XIII, préf., dans *PL*, 201, 889. Citation d'*Isaïe*, I, 6; ORDERIC VITAL, *ibid.*, V, 1086-1128, t. 2, p. 302-303.

40. Cf. fin du prologue de sa *Chronica*, éd. HOFMEISTER, dans *SRG in usum...*, p. 9-10; *ibid.*, VIII, prol., p. 456-7.

41. D'après RUFIN, *Hist. eccl.*, 1, 8, *Chronica*, lettre à Frédéric, éd. HOFMEISTER, dans *SRG in usum...*, 1912, p. 2-3 : « Unde nobilitas

Et alors ? La tentation est grande de ne vouloir raconter que le meilleur, le bon, l'admirable [42]. Orderic Vital souhaite même redevenir simple hagiographe pour n'avoir affaire qu'à des faits édifiants et pieux :

J'aimerais beaucoup mieux dans mes écrits parler de la sainte vie et des miracles des saints que des niaiseries des insensés, ainsi que de leurs frivoles égarements. Si nos princes et prélats s'attachaient à la perfection même de leur charisme et s'ils se signalaient par des prodiges signes de leur sainteté [43] !

Voici de nouveau les confidences de Liutprand de Crémone tour à tour disgracié et réhabilité :

La situation, telle qu'elle existe présentement, demanderait un tragique plutôt qu'un historiographe, à moins que Dieu n'ait préparé *devant moi une table en face de mes ennemis.* Je ne puis expliquer, en effet, de combien d'incommodités ont été troublés mes voyages à l'étranger et mon homme extérieur voudrait pleurer plutôt qu'écrire [44].

---

vestra cognoscat nos hanc historiam nubilosi temporis, quod ante vos fuit, turbulentia inductos ex amaritudine animi scripsisse ac ob hoc non tam rerum gestarum seriem quam earumdem miseriam in modum tragediae texuisse »; aussi VII, 7, p. 317; ch. 12, p. 324.

42. Cf. *Chronica boemorum,* III, début, éd. Bretholz, dans *MGH, nova series,* II (1955), p. 160 : ...« Unde videtur nobis multo tucius narrare somnium, cui nemo perhibet testimonium, quam presentium gesta scribere hominum ».

43. *Hist. ecclesiastica,* VIII, (1090), éd. Le Provost et L. Delisle, dans *SHF,* 3 (1845), p. 327 : « De sanctitate et miraculis Sanctorum mallem scribere multo libentius, quam de nugis infrunitorum, frivolisque nepotationibus. Si principes nostri et antistites sanctis perfecte instarent charismatibus, et prodigiis pollerent, sanctitatem praeconantibus ». Guillaume de Malmesbury, *Gesta regum anglorum,* II, 207, dans *RS,* 90, 1, p. 259, regrette à son tour de ne pas avoir le temps d'être hagiographe. Othon de Freising, *Chronica,* VIII, prol., éd. Hofmeister, p. 390-1.

44. *Antapodosis,* VI, 1, éd. Becker, dans *SRG in usum...,* 1915, p. 152 : « Temporis instantis qualitas tragoedum me potius quam historiographum quaereret, nisi pararet Dominus *in conspectu meo mensam adversus eos qui tribulant me.* Explicare enim non possum, quot peregre profectus incommoditatibus quatiar, juvatque hominem exteriorem potius lugere quam scribere ».

DIGNITÉ DE L'HISTORIOGRAPHIE. —

Puisque le métier est si ardu, pourquoi écrire ?
Les historiens n'ont-ils pas, une fois terminés leurs
ouvrages, à faire face au public ? La réponse vient
des anciens, de Cicéron surtout : l'historiographie
est un travail très digne [45]; elle est tout : intelligence,
mémoire, jeunesse, lumière et prophétisme. Plusieurs
paraphrasent le célèbre texte du Rhéteur : *Historia
testis temporum, lux veritatis, vita memoriae, magistra vitae, nuntia vetustatis...* [46] Ainsi Henri de Huntingdon :

Historia igitur cum sit testis temporum, memoriae vitae,
nuncius vetustatis, dotes possidet praeminentes, suos quamplurimum praerogat professores : historia namque peritura
renovat, fugitiva revocat, mortalia quodammodo perpetuat
et conservat. Orbis quadrivii dimensores, historicorum
descriptores, oblivionum reductores, immo proculdubio
triumphales erunt laureae comprehensores [47].

---

45. Cf. GUILLAUME THORNE († fl. 1397). *Chronicon de rebus gestis
abbatum s. Augustini Cantuariae,* dans *Hist. Anglic. Scriptores,* X,
p. 1753 : « Valens labor laude dignus ».

46. CICÉRON, *De oratore,* II, 9, 36.

47. Cf. HENRI DE HUNTINGDON, *Historia anglorum,* éd. TH. ARNOLD,
dans *RS,* 74 (1879), p. 1-3 : « Cum in omni fere literarum studio dulce
laboris lenimen et summum doloris solamen, dum vivitur, insitum considerem, tum delectabilius et majoris praerogativa claritatis historiarum
splendorem amplectendum crediderim. Nihil namque magis in vita
egregium, quam vitae calles egregie indagare et frequentare. Ubi autem
floridius nitescit virorum fortium magnificentia, prudentium sapientia,
justorum judicia, temperatorum modestia, quam in rerum contextu
gestarum ?... Historia igitur praeterita quasi praesentia visui repraesentat; futura ex praeteritis imaginando dijudicat. Habet quidem et
praeter haec illustres transactorum notitia dotes, quod ipsa maxime
distinguat a brutis rationabiles : bruti namque homines et animalia unde
sint nesciunt, genus suum nesciunt, patriae suae casus et gesta nesciunt,
immo nec scire volunt. Quorum, homines quidem illos infeliciores
judico; quia quod bestiis ex creatione, hoc illis ex propria contingit
inanitione; et quod bestiae si vellent non possent, hoc illi nolunt cum
possint. Sed de his jam transeundum est, quorum mors et vita sempi-
terno dotando est silentio ». Extrait d'une lettre préface adressée à
l'évêque Alexandre de Blois du siège de Lincoln dont Henri était un
des archidiacres. Aussi *Eulogium, prooemium,* éd. F. S. HAYDON, dans

L'histoire écrite, c'est la lanterne de vérité qui précède le marcheur et éclaire à mesure sa voie [48]. A qui la sert bien, elle offre une route sûre, et elle est un tel bien pour l'humanité, que si Virgile et Lucain revenaient, ils se feraient probablement historiens [49]. « Il n'est si bel ne si grant memoire comme est d'écriture » [50]. Mots du récit : sons visibles de la mémoire qui protègent l'homme contre les oublis et la rapidité de la vie [51]; ainsi, peut-on par

RS, 9, 1 (1858), p. 1; RANULPHE DE HIGDEN, Polychronicon, éd. C. BABINGTON, dans RS, 41, 1 (1865), p. 6; HENRI KNIGHTON, Chronicon, début, éd. J. R. LUMBY, dans RS, 92, 1 (1889), p. 2; d'autres auteurs encore, comme Guillaume de Nangis, Leo Marsicanus, Nicole Gilles, etc.

48. JEAN DE FORDUN, Chronica gentis scotorum, début, éd. SKENE, 1871, t. 1, p. 1iii : « Honorabilium antecessorum gesta laudabilia ad memoriam reducentes, non solum praesentibus ea quae praeterita sunt placabilia recitendo proficimus. Ymmo etiam virtutem viatoribus per providorum exempla praeteritorum, tanquam per lucernam veritatis ductam ostendimus ».

49. ROLAND DE PADOUE, Chronica,, prol., dans RIS, 8, 1, p. 8 : « Sed utinam viveret Virgilius vel Lucanus quoniam, imposito michi digne silentio, copiosam haberent materiam, qua possent altum ingenium exercere ».

50. FROISSART, Chroniques, prol., éd. LUCE, dans SHF, 1 (1869), p. 6; La Estoire de seint Aeadward le Rei, V, 3, éd. LUARD, dans RS, 3 (1858), p. 26 :

> Dunt vus escrif e vus translat
> Sanz fauseti e sans barat
> En Franceis de Latin l'estoire
> Pur refreschir sa memoire
> Dunt treis a quarant le livre.

51. Cf. ISIDORE DE SÉVILLE, Etymologiae, I, 41 : « Historiae autem ideo monumenta dicuntur, eo quod MEMORIAM tribuant rerum gestarum »; cf. ALCUIN, début de Peppini regalis et nobilissimi juvenis disputatio cum Albino scholastico, PL, 101, 975. Sur l'historiographie aide-mémoire, les allusions sont constantes, v.g. BERTHOLD († ca 1147), Liber de constructione monasterii Zwivildensis, préface, éd. PERTZ, dans MGH-SS, 10 (1852), p. 96-97. Après avoir dit que la désobéissance d'Adam avait conduit l'homme à mourir et à disparaître, BERTHOLD rappelle que les anciens ont voulu remédier à ce mal en écrivant : « ...et quaeque jucunda quaeque amabilia quaeque digna memoria viderentur, omnia litteris comprehensa notarentur sicque in posteros transmitterentur. Hinc est, quod succedentes filii parentibus, qui sicut fumus deficiunt et evanescunt, antiqua et inveterata, quae

eux espérer déjà l'immortalité [52]. La dignité de l'historiographie vient encore du fait que ses origines sont divines, comme l'invention de l'écriture : Dieu

ante multa saecula ab eis dicta gestaque sunt, velut coram posita inspiciunt, quibus parentibus nati quibusque patribus instituti sint norunt, fundatores aecclesiarum et monasteriorum, qui fuerint, unde originem duxerint, sciunt, monachorum et monalium catervae, per quos sint institutae, litterae pandunt. Revera enim, ut sanctus Hieronymus de elementis litterarum scribens loquitur. Haec sola res est, quae homines absentes presentes faciat. Item Isidorus : Litterae sunt indices rerum, signa verborum, quibus tanta vis est, ut nobis dicta absentium sine voce loquantur. Unde nos quoque litteris intitulatum, frater et filii, tradimus vobis quod et accepimus et patres nostri annuntiaverunt nobis, imo quod vidimus et audivimus et manus nostrae tractaverunt ».

52. Sur l'immortalité de l'homme grâce à l'historiographie, HÉRODOTE, début : « Empêcher que ce qu'ont fait les hommes, avec le temps, ne s'efface de la MÉMOIRE et que de grands et merveilleux exploits, accomplis tant par les Barbares que par les Grecs, ne cessent d'être renommés »; POLYBE, Histoires, II, 35; LUCIEN DE SAMOSATE, Comment on écrit l'histoire, 62; TITE-LIVE, Ab Urbe condita, préface; FLAVIUS JOSÈPHE, Guerres Juives, préf., 5 : « Livrer à la mémoire des hommes des faits qui n'ont pas été écoutés, rassembler pour la postérité les événements contemporains est une entreprise qui mérite à coup sûr louange et estime ». — Il va sans dire que le moyen âge obéit aux mêmes motivations. V.g. GRÉGOIRE DE TOURS, Historiarum Libri X, préface, éd. B. KRUSCH et W. LEVISON, dans MGH-Scriptores rerum merovingicarum, I, 1 (1951), p. 1 : « ...pro commemoratione praeteritorum, ut notitiam adtingerint venientium, etsi inculto effatu ». Ce goût de l'immortalité et cette ambition de servir la postérité en écrivant sont parties essentielles de la fonction de l'historien médiéval, celle-la justement que Cicéron surnommait la memoria vitae, qui deviendra pour un GODEFROID DE VITERBE († ca 1200), le Memoria saeculorum offert à Henri VI, en 1185 (éd. MGH, 22, p. 94 ss.). Assurer l'immortalité d'un « grand » c'est en somme instruire la postérité sur son passé. V.g. GUILLAUME DE MALMESBURY, Gesta regum anglorum, II, prologus, éd. STUBBS, dans RS, 90, 1, p. 103 : « Itaque, cum domesticis sumptibus nonnullos exterarum gentium historicos conflassem, familiari otio quaerere perrexi si quid de nostra gente memorabile posteris posset reperiri ». ORDERIC VITAL, Historia eccl., IV (1072), éd. LE PROVOST et L. DELISLE, dans SHF, t. 2, p. 243 : « operum pretium esse reor Patrum memoriam posteris intimare... ». Ibid., liber IX, t. 3, p. 268 : « posteris intimabo »; ibid., p. 451; ibid., p. 622; etc. — Aussi Annales Pegavienses, éd. MGH-SS, 16, p. 234; Gesta abbatum Trudonensium; ibid., 10, p. 228. Par ailleurs d'autres auteurs du moyen âge trouvent la série des passages scripturaires qu'il faut pour encourager l'historiographie : v.g. Exode, XVII, 14; Tobie, XIII, 1, ss.; Eccl., I, 4.

en personne a montré à écrire et dicté à Moïse [53].
L'historiographie corrigera en même temps l'ignorance qui a suivi le péché d'origine [54] : *remedium
peccati !* Le célèbre historien de Vézelay, Hugues de
Poitiers, résume tous ces propos, que l'on retrouve
ici et là dans les prologues des historiens encyclopédistes du XIIIe siècle.

Comme Dieu dans sa très gracieuse bonté pourvoit de mille
manières au soulagement de l'infirmité humaine, parmi les
innombrables moyens qu'il a employés pour répandre ses
bienfaits, il a donné à l'homme la connaissance de l'écriture, soit pour encourager l'activité des uns, soit pour ré-
veiller les sentiments affectueux des autres, lorsqu'ils sont
absents; soit pour assurer l'instruction de ceux qui doivent
vivre dans l'avenir. Et comme l'oubli, ennemi de toute sagesse, n'efface que trop souvent le souvenir des choses les
plus utiles, c'est un usage établi dans l'antiquité de porter
à la connaissance de la postérité les monuments de l'histoire
de ses ancêtres, à l'aide des lettres... [55].

---

53. V.g. *Gesta Henrici archiepiscopi Treverensis*, éd. WAITZ, dans
MGH-SS, 24, (1879), p. 457 : « Porro ille mundi Fabricator omni-
potens, qui cognoscit omnia antequam fiant, sciens hominum memoriam
labilem ac dies paucos et deflentes sicut aqua, que defluit et non rever-
titur, primos apices suo digito scribere dignatus est, digito nostram
fragilitatem informans sicut ceram mollem, que recipit impresso formam
a sigillo, ut operum suorum mira miracula posteris elucescerent plenius
per scripturam ». Allusion à *Exode*, XXXIV, 2. Aussi THIETMAR DE MER-
SEBOURG, *Chronicon*, prol., éd. HOLTZMANN, dans *SRG, nova series*, 9
(1955), p. 3. — Les préfaces multiplient ce genre de considérations
que l'on retrouvera sous forme d'extraits dans les premières pages du
Speculum historiale de VINCENT DE BEAUVAIS.

54. Sur le thème *remedium scripti*, v.g. RICHARD DE BURY, *Philobiblion*, ch. 4, éd. ALTAMURA, Naples, 1954, p. 84; éd. H. COCHERIS,
Paris, 1856, p. 32; ADAM DE MURIMUTH, *Continuatio chronicarum*, prol.,
éd. THOMPSON, dans *RS*, 93 (1889), p. 3-4.

55. « Divinae bonitatis gratia pluribus ac diversis consulens modis
humanae infirmitati, inter caetera aeque innumera suorum beneficiorum
remedia, homini contulit litterarum praesidia, quo vel praesentium inci-
taretur industria, vel absentium provocaretur affectus, vel futurorum
erudiretur posteritas : et quoniam omnis prudentiae inimica oblivio
rerum maxime utilium quam saepe intercipiebat memoriam, mos ab
antiquitus inolevit Patrum monimenta per litterarum apices, tanquam
per visibiles sonos, mandare posterorum notitiae.

Même si certaines gens de mauvaise volonté peuvent croire que l'historiographie, fût-elle faite de merveilleux, est inutile [56], la seule hypothèse d'un monde sans historiens suffirait à décourager les pires doutes. En effet, qui se souviendrait des origines du monde, de l'homme, de l'univers et des anges, si aucun historien ne les avait racontées ? Qui se souviendrait de la force de Moïse, de la justice d'Abraham, de la tempérance de Jacob, de la prudence de Joseph, qui se rappellerait l'innocence d'Abel, l'envie de Caïn, la simplicité de Jacob, sans les historiens juifs ? Que saurait-on des gestes des martyrs et des saints sans leurs narrateurs [57] ? Qui connaîtrait Hercule, Alexandre le Grand, Hélène, Jules César, Scipion, Rome, Carthage et tous les héros de l'antiquité sans leurs historiens ? Qui se rappellerait la Grèce et même Rome sans Homère, historien-poète qui à lui seul a plus accompli par ses récits que tous les sages d'autrefois [58] ? L'homme sans historiens

---

Quem morem et nos quoque pro modulo nostro imitantes, pressuras Ecclesiae nostrae, quas pro ingenita sibi libertate per multa temporum curricula multipliciter pertulit, brevi compendio ad multorum utilitatem describere sategimus ». *Historia Vizeliacensis*, II, *incipit*, dans *PL*, 194, 1575-6. — Sur les lettres, don de Dieu, RANULPHE DE HIGDEN, *Polychronicon*, I, 1, dans *RS*, 41, 1, p. 2 ss.

56. Cf. MATTHIEU PARIS, *Chronica majora*, prol., éd. LUARD, dans *RS*, 57, 1 (1872), p. 1 (reprise presque textuelle par ROBERT LE MOINE, dans *PL*, 160, 421) : « Sed quid contra quosdam auditores pigros dicemus, qui obtrectando dicunt, quid necesse est vitas vel mortes seu diversos hominum casus litteris mandare ? Prodigia caeli et terrae, vel aliorum elementorum scriptis impressa perpetuare ? ».

57. HENRI DE HUNTINGDON, *Historia anglorum*, prol., dans *RS*, 74, p. 2-3.

58. V.g. *Itinerarium... regis Ricardi, prologus*, éd. STUBBS, *RS*, 38, 1, p. 3-4 : « Quis iter Jasonis, labores Herculis, Alexandri gloriam, Caesaris victorias nosset, si scriptorum beneficia defuissent. Porro, patrum gesta sanctorum, quos frequentius commemorat et commendat ecclesia, neminem ad imitandum accenderent, si conscia veritatis antiquitas legendam nobis historiam non reliquisset. Sane reges antiqui, cum variis extollerentur praeconiis, id vel maxime in votis habebant, ut in ore praesentium celebres, ad posteritatis notitiam devenirent. Caeterum cum innumeri rerum gestarum scriptores extiterint, plurimi

serait comme un homme sans passé et sans mémoire :
une bête barbare, un animal presqu'inimaginable,
irréfléchi, primitif, qui prendrait ses quatre volontés
pour des droits. Les animaux gardent au moins l'instinct; l'homme sans histoire est plus stupide qu'un
animal [59].

La dignité de l'historien vient de l'héritage qu'il
transmet autant que des services qu'il rend aux siens.

---

quod audierunt, pauci quod videre, scripserunt »; *Epist. Canturia-
senses*, éd. STUBBS, dans *RS*, 38, 2 (1864), p. 1 : « Rerum gestarum
notitia, et ea quae praecesserunt in saeculis quae fuerunt ante nos,
nobis jampridem longa fuissent oblivione sepulta, et cum tempore
transeunte pertransissent, nisi praecedentium prudentia posteritatis
suae litterali beneficio prospexisset; ipsamque sui originem homo
ignoraret, nisi scripta hominum vivaciora quam corpora, futurae corrup-
tioni consuluissent. Coeli et terrae, hominum et angelorum creationem,
lucis et tenebrarum divisionem, aquarum ab arida separationem et
caetera quae fecit Deus valde bona, tot annorum millibus jam elapsis,
quis vel hodie somniaret, nisi monumenta scripturarum mortalitatis
nostrae defectui subvenirent, et nostrum supplentes defectum, praeterita
quasi praesentia memoriae nostrae ministrarent ». Ou encore GUILLAU-
ME DE MALMESBURY, *Historia anglorum*, préf., éd. ARNOLD, dans *RS*,
74, (1879), p. 2-3; ROBERT DE TORIGNY, *Chronica, incipit*, éd. HOW-
LETT, dans *RS*, 82, 4 (1889), p. 60-61; RANULPHE DE HIGDEN, *Polychronicon*, 1, 1, *prologus*, éd., C. BABINGTON, dans *RS*, 41, 1 (1865),
p. 4-5.

59. Cf. BONCOMPAGNO, *Liber de obsidione Ancone, incipit*,
éd. G. C. ZIMOLO, dans *RIS*, VI, iii, (1937), p. 5-6 : « Quantum omnis
rerum gestarum memoria conferat utilitatis, ipse rerum effectus mani-
festius indicat, quoniam nullus hodie res arduas facere attemptaret,
si ea sub silentio forent penitus pretermissa, que ab antiquis commen-
dabiliter esse acta noscuntur. Viverent siquidem homines tanquam
animalia irrationabilia et passim bestiarum more vagarentur nec ute-
rentur aliqua ratione animi, si corporis tantummodo satisfacerent
voluptati. Sic ergo esset humana conditio in partem reflexa, ut nichil
fieret equabili deliberatione, nichil tracteretur lege vel moribus, set
quorumlibet potentium voluntas pro jure haberetur, et imbecilles pati
solummodo, non agere oporteret. Fieret autem quilibet orbicularis circa
revolutio, et dum hinc inde mortua oppinio resultaret, multiplex de
novo consurgeret error, qui diverso libramine in ceca penderet statera;
et dum librarentur plurima, inveniretur idem a quo natum fuerat et
progressum, quod reperit primus ».

Il m'a semblé indigne, écrit l'évêque Réginon de Prüm à un moment où les invasions se font pressantes autour de lui, après que les historiographes hébreux, grecs et romains et ceux d'autres peuples, aient transmis par écrit à notre connaissance les faits de leur temps, que notre époque demeure dans un silence perpétuel, comme si elle était inférieure aux autres; comme si les hommes d'aujourd'hui n'avaient fait rien qui soit digne de mémoire; comme si devant des faits mémorables, il ne se trouvait, à cause de l'insouciance paresseuse d'auteurs endormis, aucun écrivain capable d'écrire ! — Voilà pourquoi je n'ai pu souffrir que le temps de nos pères et le nôtre passent ainsi sans être commémorés, et je me suis efforcé de le rappeler en faisant un choix de plusieurs faits [60].

Chaque raconteur vient en un sens continuer l'oeuvre déjà amorcée [61]. Nous nous succédons tous, nous héritons tous de quelque chose. *Une génération passe,* comme dit l'Ecriture, *le père instruit ses fils, la terre subsiste toujours* [62]. Isolé dans son monas-

---

60. « ...Indignum etenim mihi visum est, et cum Hebraeorum, Graecorum et Romanorum, aliarumque gentium historiographi res in diebus suis gestas scriptis usque ad nostram notitiam transmiserint, de nostris, quanquam longe inferioribus, temporibus ita perpetuum silentium sit, ut quasi in diebus nostris aut hominum actio cessaverit, aut fortassis nil dignum quod memoriae fuerit commendandum egerint, aut si res dignae memoratu gestae sunt, nullus ad haec litteris mandanda, idoneus inventus fuerit, notariis per incuriam otio torpentibus. Hac itaque de causa non passus sum tempora patrum nostrorum et nostra per omnia intacta praeterire, sed ex multis pauca notare curavi... ». *Chronicon, praefatio,* éd. Pertz, dans *MGH-SS,* I, (1826), p. 543; cf. Orderic Vital, *Historia ecclesiastica, prologus,* éd. Le Provost et L. Delisle, dans *SHF,* 1 (1838), p. 1, *ibid.,* VI, prol., t. 3, p. 1; *Itinerarium peregrinorum et gesta regis Ricardi,* éd. Stubbs, dans *RS,* 38, 1 (1864), p. 3-4; etc.

61. Déjà Eusèbe de Césarée, dans *Hist. eccl.,* I, 1, 4.

62. *Chronicon abbatiae Ramesciensis,* éd. Macray, dans *RS,* 83 (1886), p. 3, où il commente *Ecclesiaste,* I, 4 : « Siquidem, praeter solos non marcescentes virtutum fructus, mors omnia finit, laetitiae tristitiam, copiae inopiam, voluptati angustiam, saluti aegritudinem, vitae mortem succedere ipsis quotidianis humanae mutabilitatis motibus experimur. Quoniam itaque aliis decedentibus ad requiem alii vicissim succedunt nascentes ad laborem, necesse est a praesentibus praesentia cum iis quae praeterita sunt litteris ad notitiam posterorum commendari. Sic equidem omnis origo rei et ipsorum quoque primordia tempo-

tère de Saint-Evroul, Orderic Vital écoute les voix
qui lui parlent et l'appellent; son tour est venu de
transmettre l'héritage :

Dès les siècles antiques, nos ancêtres considérèrent avec
prudence le cours des siècles fugitifs, et remarquèrent les
biens ou les maux que, suivant la conduite des hommes,
les divers temps leur amenaient. Ce fut pour être utiles à
la postérité qu'on les vit accumuler volumes sur volumes.
Nous en sommes convaincus en voyant ce qui a été fait
non seulement par Moïse, par Daniel, et par divers écrits
sacrés, mais aussi par Darès le Phrygien, par Trogue-Pompée et les autres historiens des Gentils; nous ferons la même
observation par rapport à Eusèbe de Césarée, à Paul Orose,
à l'Anglais Bède, à Paul du Mont-Cassin, et aux autres
auteurs ecclésiastiques. Leurs récits font mes délices : je
loue, j'admire même l'élégance et l'utilité de leur méthode
de composition. Je ne peux donc qu'exhorter les sages de
notre temps à profiter du résultat de leurs importants
travaux [63].

Noblesse oblige : Si les païens ont écrit de si belles
pages d'histoire, a fortiori des chrétiens doivent
poursuivre, et faire mieux si possible [64]. *Ad memo-*

---

rum scripturae indicio, tam praedecessorum nostrorum quam nostrae in
quos fines saeculorum devenerunt notitiae claruere, quamquam legamus
plerosque perfectorum vel ex visione nocturna vel ex divina allocutione
manifesta tam praeterita quam futura didicisse ».

63. *Historia ecclesiastica*, prol., éd. Le Prevost et L. Delisle, 1838,
t. 1, p. 1 : « Anteriores nostri ab antiquis temporibus labentis seculi
excursus prudenter inspexerunt, et bona seu mal mortalibus contin-
gentia pro cautela hominum notaverunt; et futuris semper prodesse
volentes, scripta scriptis accumulaverunt. Hoc nimirum videmus a
Moyse et Daniele factum, aliisque agiographis. Hoc in Darete Phrygio
et Pompeio Trogo comperimus, aliisque gentilium historiographis. Hoc
etiam advertimus in Eusebio et Orosio de Ormesta mundi, Anglicique
Beda, et Paulo Cassinensi, aliisque scriptoribus ecclesiasticis. Horum
allegationes delectabiliter intueor, elegantiam et utilitatem syntagmatum
laudo et admiror, nostrique temporis sapientes eorum notabile sedimen
sequi cohortor. Verum, quia non est meum aliis imperare, inutile saltem
nitor otium declinare, et, memetipsum exercens, aliquid actitare quod
meis debeat symmaticis placere ».

64. *Gesta Dei per francos, epist.*, dans *PL*, 156, 680 : « Unde a
veteribus historicis notuissem, si facultas suppeteret, discrepare ».
Surtout *Annales pegavienses, praefatio*, éd. Pertz, dans *MGH-SS*, 16,
p. 234 : « Gesta quorumque praestantissimorum litteris mandare, vete-

riam..., ad instructionem..., ad recordationem poste-
ritatis, mettre en perpétuelle mémoire : expressions-
types et souvent répétées, qui indiquent jusqu'à quel
point l'historien du moyen âge se sait à la fois héritier et responsable devant les siens. Tous les jours
des nouveaux faits arrivent, il faut les noter. D'autres viendront et feront la même chose. Orderic
Vital se sent solidaire :

Je pense qu'il y aura encore dans les générations à venir
des hommes semblables à moi qui rechercheront les chrono-
graphes avec avidité pour y trouver les faits arrivés alors,
afin de raconter les événements des siècles déjà écoulés en
vue de l'édification et du plaisir de leurs contemporains [65].

POUR QUE DIEU SOIT LOUÉ. —

Une autre raison d'écrire, plus spécifiquement
propre aux historiens juifs et chrétiens, est de raconter les faits pour la plus grande gloire de Dieu.
Tout ici repose sur la croyance chrétienne que Dieu,
maître des vies et du temps, agit sans cesse, à la
fois comme créateur et providence des hommes.
Tout arrive par lui; ce que j'en raconte le glorifie :

Le Sauveur a déclaré, écrit Raoul Glaber, que jusqu'à
la dernière heure du dernier jour, l'Esprit Saint aidant, il

---

rum provida sagacitas his de causis duxit commodum, ne qua videlicet
vetustatis aut oblivionis oblitteratione favoralis eorum vita per succedentia tempora mortalium animis excideret; quin potius, si qua fortia
vel honesta facta attigissent, in his mentes audientium oblectarentur, ad
imitationem quoque eorum fugi recordatione inculcata proficerent.
Cum igitur paganis et verae fide, penitus extraneis id potissimum
fuerit studii, ut non solum propria sed etiam praedecessorum suorum
gesta probabilia scriptis ob commendationem perpetuam vel aedificationem conficta licet nonnulla, posteris transmitterent, cur non potius
nos Christi fidelium non tantum honesta sed et felicia gesta scriptis et
omnium laudum praeconiis non efferimus, quorum vita multo proba-
bilior, gestorum memoria longe delectabilior, exsecutio etiam priorum
operum effulsit fructuosior ».

65. « Mei nimirum similes autumo quosdam esse futuros, qui generationis hujus ordines a chronographis avide perscrutabuntur, et actus
transitorios, ut coessentibus sibi ad aedificationem seu delectationem
retexere possint labentis saeculi casus praeteritos ». *Hist. ecclesiastica,*
IX, *in fine,* t. 3, p. 624; *ibid.,* V, fin, t. 2, p. 471.

fera arriver de nouveaux événements en union avec son Père [66].

Longtemps avant le célèbre *Gesta Dei per francos,* un clerc de Marseille, Salvien († 460), avait écrit que nos actions sont en fait les jugements visibles de Dieu [67]. Les raconter comme elles arrivent, c'est raconter Dieu qui opère à travers elles. *Faites connaître à tous les hommes les actions de Dieu, comme elles le méritent, et ne vous lassez pas de le remercier* [68]. La vocation de l'historien apparaît ainsi comme l'hommage nécessaire au suzerain souverain qui préside et dirige l'histoire des hommes en leur permettant de s'accomplir ou de se punir eux-mêmes. Dieu soit loué ! Dans ces mêmes perspectives le récit du merveilleux accomplira une fonction d'autant plus louable que par sa nature le merveilleux appelle l'admiration et l'adoration, et non point, comme d'autres faits, la discussion [69].

Commentons à la manière d'Orderic Vital :

66. « ...Praesertim cum, Salvatore teste, usque in ultimam extremi diei horam, sancto Spiritu cooperante, ipse facturus sit in mundo nova cum Patre ». *Les cinq livres de ses histoires,* préf., éd. PROU, dans *Collection de textes pour servir à l'étude et à l'enseignement de l'histoire,* 1886, t. 1, p. 1.

67. Cf. *De gubernatione Dei,* II, 1, éd. PAULY, dans *CSEL,* 8 (1883), p. 30 : « Dum enim semper gubernat Deus, semper judicat; quia gubernatio ipsa judicium est ». Aussi HENRI DE HUNTINGDON, *Historia anglorum,* préf., éd. ARNOLD, dans *RS,* 74 (1879), p. 2 : « Sic etiam in rebus gestis omnium gentium et nationum, quae utique Dei judicia sunt ».

68. D'après *Tobie,* III, 11; XIII, 1 ss. V.g. *Gesta Henrici archiepiscopi Treverensis,* prol., éd. WAITZ, dans *MGH-SS,* 24 (1879), p. 456-57 : « Hystorias conscribere multiplex est utilitas, quoniam ex hoc fonte hauriunt preteritarum rerum prius ignari, quo interior homo delectatur et venit ad cognitionem mirabilium operum, que Deus gloriosus ante nostra tempora mirabiliter operatus est. His autem fideliter insudantibus ac rectam disciplinam et maximam rerum gestarum cognitionem habere volentibus patet strata regalis, per quam incedentes contemplantur diversi diversa, quibus informatur vita modernorum ad multa pericula evitanda et ad eternam vitam obtinendam ».

69. Cf. *Polychronicon,* I, 1, prologue, 9, dans *RS,* 41, 1, p. 16, 18. On notera qu'ici Ranulphe Higden cite à l'appui Augustin, Jérôme,

Il faut écrire véridiquement sur le cours du monde et les événements de l'humanité; il faut développer la chronographie, pour la plus grande louange de l'auteur de toutes choses, qui gouverne son ouvrage avec équité. L'éternel créateur travaille sans cesse et dispose tout admirablement [70].

Si lui, Orderic Vital, écrit sans répit, c'est pour mieux « chanter éternellement... les louanges de Dieu, *Alpha* et *Omega* de tout ce qui existe... » [71] :

Il est tout à fait convenable que les faits qui arrivent journellement soient écrits à la louange de Dieu, et de même que nos ancêtres nous ont transmis les faits anciens, les contemporains fassent aussi parvenir à la postérité les choses mémorables dont ils sont témoins [72].

Chez les plus loquaces, ainsi Jacques de Vitry, nous retrouvons les citations scripturaires appropriées et les mêmes appels de la tradition :

Comme on lit dans Tobie : « Il est dans l'intérêt du prince que le secret du prince soit tenu caché, et il est aussi de la gloire de Dieu que les oeuvres de Dieu soient révélées

---

Isidore de Séville. — ORDERIC VITAL, *Historia ecclesiastica*, XI, début, dans *SHF*, 4, p. 159-160 disait qu'il aimerait ne raconter que des choses divines et miraculeuses pour mieux rendre hommage à son Dieu. Plus tôt l'auteur des *Gesta Stephani, a. 1138,* dans *RS*, 82, 3, p. 33, maintient, textes bibliques à l'appui, que Dieu lui-même enseigne l'homme par des prodiges autant que par les faits visuels. Même les rêves ont leur rôle, v.g. GIRAUD LE CAMBRIEN, *De Invectionibus*, pars 6, c. 5, éd. DAVIES, dans *Y Cymmrodor*, 30 (Londres, 1920), p. 207.

70. «De cursu tamen saeculi et rebus humanis veraciter scribendum est atque ad laudem Creatoris et omnium rerum justi gubernatoris chronographia pangenda est » *Historia ecclesiastica*, VI, *incipit*, éd. LE PROVOST et L. DELISLE, dans *SHF*, 3 (1845), p. 3. Ce thème est majeur dans la spiritualité bénédictine. Avec Paul DELATTE, *Commentaire sur la règle de saint Benoît*, Paris, 1913, p. 149-151.

71. « Imprimis ordior de principio sine principio, cujus ope ad ipsum finem sine fine pervenire desidero devotas laudes cum superis in aeternum caniturus Alpha et Omega ». *Ibid.*, prol., dans *SHF*, I (1838), p. 4.

72. « Decet utique ut, sicut novae res mundo quotidie accidunt, sic ad laudem Dei assidue scripto tradantur; ut et, sicut ab anterioribus praeterita gesta usque ad nos transmissa sunt, sic etiam praesentia nunc a praesentibus futurae posteritati litterarum notamine transmittantur ». *Ibid.*, p. 2-3.

et publiées ». Les anciens et les saints Pères ayant toujours devant les yeux la crainte du Seigneur, à cause du talent qui leur avait été confié, ont mis tous leurs soins et toute leur application à écrire, tant pour LA LOUANGE du Seigneur que pour l'instruction des hommes de leur temps et de leur postérité, les oeuvres admirables de Jésus-Christ, tant celles qu'il a daigné faire lui-même en personne, que celles qu'il a faites par le ministère de ses saints... [73].

Pourquoi les croisades suscitent-elles tant d'écrivains ? C'est vrai : l'inédit et la distance créent le besoin de savoir, mais il y a aussi que ces récits sont de soi glorificateurs du Seigneur [74]. Les « gestes de Dieu par les Francs » sont un trésor spirituel incomparable, écrit Guibert de Nogent :

Ayant vu le Seigneur faire de nos jours des choses plus merveilleuses qu'il n'en a fait en aucun siècle, et ces pierres précieuses enfouies dans la plus honteuse poussière, je n'ai pu souffrir plus longtemps de tels témoignages de mépris, et j'ai cherché dans le langage que j'ai pu trouver, à retirer ces richesses, plus précieuses que l'or, de l'oubli dans lequel elles étaient jetées [75].

---

73. « Cum tamen, sicut dicitur in Tobia : *Sacramentum regis abscondere bonum est; opera autem Dei revelare et confiteri honorificatum est.* Antiqui autem et Sancti Patres de talento sibi commisso timorem Domini semper ante oculos habentes, cum omni diligentia et circumspectionem, mirabilia Jesu Christi opera, tam ea quae in propria persona ipse operari dignatus est, quam ea quae Sanctorum suorum operatus est et ministerio ad ejus laudem et tam praesentium quam futurorum informationem, scribere studuerunt ». *Historia orientalis sive hierosolymitana,* préface, dans *Gesta Dei per francos,* éd. BONGORS, 1611, t. 1, p. 1047-48.

74. L'historiographie de la première croisade grâce à l'heureuse issue de cette dernière serait à étudier du point de vue « épique ». L'honneur de Dieu, à cause de tout ce qui a été accompli sous son égide, est une des motivations maîtresses des historiens et chroniqueurs. L'échec qui suivra (1187) donnera lieu à des considérations tragiques.

75. « ...imo reliquisse sub inconditi scabredine sermonis historiam, videram, his Deum diebus quam fecerit a saeculo, mirabiliora gessisse, gemmamque hujusmodi extremo diversari in pulvere; tantique contemptus impatiens, curavi quibus potui eloquiis, id omni charius auro, quod neglectui tradebatur, absolvere ». *Gesta Dei per francos,* préface, dans *PL,* 156, 681-82.

Toujours chercher, regarder même chez les hérétiques et chez les païens, en Espagne, en Grèce, partout, tel est l'idéal que propose Jacques de Vitry. S'il faut abandonner le soin de son style pour y consacrer plus d'énergie, il n'hésitera pas puisqu'il s'agit d'exprimer avant tout la grandeur de Dieu, Roi et Seigneur de tous les temps. Hélas ! les hommes ne sont pas tous aussi audacieux :

...Car la paresse des modernes s'est refusée à recueillir avec les Apôtres les débris de la Table du Seigneur et a gardé un silence presque absolu. Et cependant, de nos jours, le Seigneur a fait des oeuvres admirables dignes d'être célébrées et de vivre dans la mémoire des hommes, soit en Espagne contre les Maures, en Provence contre les Hérétiques; en Grèce contre les Schismatiques, en Syrie, en Egypte contre les Agariens; dans les pays les plus reculés contre les Perses, Assyriens, Chaldéens et les Turcs. Je ne veux donc point ensevelir dans l'oubli ces nombreux et ces admirables combats de notre roi, et les glorieux triomphes qu'il a remportés sur nos ennemis, de peur d'être accusé d'ingratitude. J'aime mieux, comme la pauvre veuve, déposer trois ou quatre pièces dans le tronc du Seigneur, et annoncer ses louanges en balbutiant, que demeurer en silence et m'abstenir de le célébrer [76].

Autant de silences, autant de chances manquées de louer Dieu :

De nos jours, il ne s'est trouvé personne ou du moins s'est-il trouvé bien peu d'hommes qui aient entrepris de rapporter et de mettre en écrit les combats, les triomphes

---

76. « Modernorum autem ignavia, fragmenta de mensa Domini cum apostolis negantes colligere, fere penitus obmutescit; cum tamen in diebus nostris mira et omni laude et memoria digna operatus sit Dominus, sive in Hispania contra Mauros; seu in Provincia contra haereticos in Graecia contra Schismaticos, in Syria contra... Sed in Aegypto, contra Agarenos; in remotis partibus Orientis contra Persas, Assyrios, Chaldeos et Turcos.

Tanta igitur et tam admiranda Regis nostri praelia et gloriosos de inimicis triumphos, sub silentio abscondere non debeo, ne forte ingratitudinis arguor. Malo igitur et cum muliere paupercula, due vel tria minuta in gazofilacio Domini ponere; annuntiare laudem ejus balbutiendo, quam ab ejus praeconiis obmutescendo cessare ». *Hist. hierosolymitana*, préface, éd. BONGORS, 1611, t. 1, p. 1047.

glorieux et les faits admirables du roi éternel pour la
louange et la gloire de celui qui seul est digne de louange
et comblé de gloire dans tous les siècles [77].

C'était l'opinion de Pierre le Vénérable à propos de
certains moines de son entourage. Que font-ils dans
leurs cloîtres ? Que disent-ils à leur Dieu ? Comment les générations à venir pourront-elles à leur
tour louer Dieu et le glorifier si on ne leur dit pas
les faits d'aujourd'hui ? Comment chanter l'office
divin avec intelligence si on ne sait rien du passé ?
Que toutes tes oeuvres te louent, ô Seigneur ! Oui,
mais...

... comment seront-elles connues, ces oeuvres, par ceux qui
ne les virent point, si on ne les leur raconte ? Comment
pourront-elles demeurer dans la mémoire des âges qui s'é-
loigneront du nôtre et le remplaceront, si on ne les écrit
pas ? Toutes les oeuvres bonnes ou mauvaises qui se font
dans le monde, par la volonté ou la permission de Dieu,
doivent servir en même temps à la gloire et à l'édification
de l'Eglise; mais si les hommes les ignorent, comment con-
tribueront-elles à glorifier Dieu ou à édifier l'Eglise [78]?

En l'honneur du roi. —

Meilleur est le bien, meilleur est l'honneur ! Plus
digne est la personne, plus honorable deviennent ses
gestes et meilleure aussi est sa valeur exemplaire.

---

77. « Ex nostris autem, diebus istis novissimis pauci vel nulli inventi
sunt qui Regis aeterni praelia et triumphos gloriosos, et mirabilia
digesta describere et scripto mandare studuissent, ad laudem et gloriam
illius, qui solus laudabilis est et gloriosus in saecula ». *Ibid.*

78. *De miraculis*, II, prol., dans *PL*, 189, 907 : « Cumque dicat Deo
divinus psalmus : Confiteantur tibi, Domine, omnia opera tua ». Hoc
est laudare de omnibus operibus tuis, quomodo de illis operibus Deus
laudabitur quae nesciuntur ? Quomodo ab his, qui ea non viderunt,
scientur, nisi dicantur ? Quomodo in memoria recedentium et succe-
dentium temporum permanere poterunt, nisi scribantur ? Et cum omnia
sive bona, sive mala, quae vel volente vel permittente Deo in mundo
fiunt, ipsius glorificationi, et Ecclesiae aedificationi inservire debeant,
si ea homines latuerunt, quomodo de his aut Deus glorificabitur, aut
Ecclesia aedificabitur?» — Allusion à *Daniel*, III, 57. Voir ch. I, note 78.

Après l'honneur de Dieu, l'honneur du roi deviendra une autre raison majeure d'écrire [79]. Il s'y mêle toutes sortes de sentiments, et des intérêts personnels et collectifs, mais l'intention est la même : l'historiographie honore les rois quand ils agissent bien, elle les déshonore, quand ils font mal. Quelle responsabilité ! C'est ainsi que Guillaume de Poitiers peut écrire à propos de l'histoire tumultueuse de Guillaume le Conquérant :

C'est pourquoi les actes vertueux des rois, des ducs ou de tout autre personnage risquent parfois, s'ils sont inexactement rapportés, d'être, dans les générations à venir, blâmés des gens de bien, tandis que les méfaits, qu'on ne devrait en aucune façon imiter, servent de précédents à des usurpations ou à d'autres méfaits. Aussi, pour notre part, attachons-nous un grand prix à dire l'exacte vérité sur Guillaume, dont nous voulons perpétuer le souvenir par nos écrits, souhaitant que dans le présent et dans l'avenir, il ne trouve point de détracteur... [80].

Les remarques de l'auteur de l'*Itinerarium peregrinorium et gesta regis Ricardi* vont dans le même sens : il faut absolument sauver les gestes des grands de l'oubli et honorer ce qui mérite d'être honoré :

Il est arrivé que des gestes dignes et louables ont été omis déjà et que la gloire, qu'avaient pourtant méritée les rois par leurs bons exemples et leur renommée, a été ensevelie avec leur mort [81].

---

79. Cf. Jehan Le Bel, *Chronique*, II, ch. 70, éd. Viard et Deprez, dans *SHF*, 1804, p. 65. Voir R. R. Bezzola, *Les origines et la formation de la littérature courtoise en Occident (500-1200)*, 3 vols., Paris, 1944-1960, pour la liste imposante des oeuvres historiques offertes aux rois et aux princes, écrites à leur demande explicite.

80. « Unde nonnunquam fieri constat, quatinus decora regum, sive ducum, sive cujuscunque optimi, cum non vere traduntur, apud aetatem posteram censura bonorum damnentur, ut nequaquam imitanda mala ad invasionem, vel aliud iniquum facinus placeant exemplo. Quapropter nos operae pretium arbitramur quam verissime tradere, quatinus Guillelmus hic (quem scripto propagamus quem tam futuris quam praesentibus, in nullo displicere, imo cunctis placere optamus)... ». *Histoire de Guillaume le Conquérant*, I, 36, éd. R. Foreville, Paris, dans *CHFMA*, 23 (1952), p. 84-86.

81. « Solet nonnunquam accidere, ut res quantumlibet notas et

Quel meilleur hommage, en effet, que la bonne
action d'un roi, bien racontée, telle qu'arrivée !
Comme Rigord est heureux de remettre à son roi
qui en aura la primeur les *Gesta Philippi Augusti* [82] !
Tout aussi fier de savoir que son histoire va annoblir
ceux qui en sont l'objet. Guillaume de Jumièges croit
pouvoir faire d'une pierre deux coups : il honore
les siens et il glorifie son Dieu :

> Que celui qui voudrait par hasard et à raison d'un tel
> ouvrage accuser de présomption ou de tout autre défaut
> un homme voué aux études sacrées, apprenne que j'ai
> composé ce petit écrit pour un motif qui ne me paraît
> nullement frivole, car j'ai désiré que les mérites très excel-
> lents des meilleurs hommes, tant pour les choses du siècle
> que pour celles du ciel, subsistant heureusement devant les
> yeux de Dieu, subsistassent de même utilement dans la
> mémoire des hommes [83].

Tous n'ont pas les mêmes scrupules que Raoul
de Caen. Justement il ne veut pas que ses louanges
soient distribuées au hasard. A Tancrède, son ami,
son prince :

> Ce que tu me demandes vivant, si je te survis, tu le recevras
> mort; je ne te louerai point pendant ta vie, je te louerai
> après ta mort, je t'exalterai après que ta carrière sera
> couronnée [84].

---

eximie gestas, tractu temporis vel fama languidior minuat, vel oblivio
posteritatis extinguat. Sic regum quamplurimum emarcuit gloria, et ipsis
consepultum evanuit, quod ab eis magnifice factum et suis celebratum
temporibus novitas excepit in favorem, fama in praeconium, populus
in exemplum ». *Itinerarium peregrinorum et gesta regis Ricardi*, prol.,
éd. Stubbs, dans *RS*, 38 (1864), p. 3.

82. Cf. *Oeuvres de Rigord...*, préf., dans *SHF*, 1 (1882), p. 4-5.

83. « Verum, qui sacris mancipatum scholis forte presumptionis aut
alia qualibet culpa tali pro studio notaverit, hanc hujus opusculi
noverit causam, quam non supervacaneam arbitror; ut virtutes optimo-
rum virorum tum in saecularibus tum in divinis excellentissimae, quae
feliciter in oculis Dei vivunt, utiliter et in hominum notitia vivant ».
Guillaume de Jumièges, *Historia northmannorum, epist.*, dans *PL*, 149,
780.

84. *Gesta Tancredi*, préface, dans *Historiens des croisades : Historiens occidentaux*, III, p. 603 : « ...Quod petis vivus, si superfuero,

Honorer les rois, c'est aussi les rendre immortels.
N'est-ce pas pourquoi des anciens élevaient des statues à leurs rois [85] ? Mais lucides et réalistes, les
rois eux préféraient à toute cette louange trop maté-
rielle, l'écrit qui les immortaliserait à jamais. Pourquoi ne pas continuer cette vénérable tradition [86] ?
Frédéric Barberousse veut passer à la postérité ?
Vite, qu'il envoie du matériel à récits à son oncle
Othon de Freising [87] qui est en train d'écrire une
chronique universelle. Courageux ou naïf, surtout
persévérant, Giraud le Cambrien promet d'être un
nouveau Salluste pour le roi qui voudra bien s'occuper de lui [88]. Il sait trop que les rois se font parfois complices des écrivains pour mieux protéger
leur réputation menacée.

---

accipies sepultus : non te laudabo in vita tua; laudabo post mortem,
magnificabo post consummationem ».

85. *Infra*, notes 118, 119.

86. L'auteur de *Itinerarium peregrinorum et gesta regis Ricardi*,
dans *RS*, 38, 1, p. 3-4, rappelle lui aussi que les rois anciens préféraient
un écrit à toute autre louange; PIERRE DE BLOIS, *Epist. 77* (lettre d'un
archidiacre), dans *PL*, 207, 238-9; JEAN DE SALISBURY, *Polycraticus*,
prol., éd. WEBB, 1909, I, p. 12-13. On lira par exemple : « Presentem
libellum vobis ideo, domina mea, deflorare decrevi, ut generis vestri
sublimitas posteris innotescat et attavorum vestrorum nobilitas venturis
seculis intimetur »; HUGUES DE FLEURY, *Actus modernorum regum
francorum*, prol., éd. WAITZ, dans *MGH-SS*, 9 (1851), p. 376. Cf.
GUILLAUME DE MALMESBURY, *Gesta regum anglorum*, début, dans *RS*,
90, 1, p. 2. — *Historia novella*, prologue, *ibid.*, t. 2, p. 525 : « Quid
porro jocundius quam fortium facta virorum monumentis tradere literarum; quorum exemplo ceteri exuant ignaviam, et ad defendendam
armentur patriam » ? Cf. RANULPHE DE HIGDEN, *Polychronicon*, I, 24,
dans *RS*, 41, 1, p. 266 ss. : pages entières à rappeler les noms et les
généalogies des rois de France.

87. Cf. *Chronica..., incipit*, éd. HOFMEISTER, dans *SRG in usum...*,
1912, p. 3.

88. GIRAUD LE CAMBRIEN, *Topographia hibernica, introitus*, dans
RS, 21, 5, p. 4 : « Non enim desunt litterae, sed principes literati.
Non desunt artes, sed artium honores, nec hodie destitissent scriptores,
si non desiissent imperatores electi. Da igitur Pirrum, dabis Homerum.
Da Pompeium, dabis et Tullium. Da Gaium et Augustum; Virgilium
quoque dabis et Flaccum ».

Il y a eu quelques mécènes, mais combien? Les dédicaces sont-elles significatives [89]? Le moine qui rédige vers les années 830 les *Gesta Dagoberti* salue et honore par son texte celui qu'il désigne comme le fondateur de son monastère. Le couvent de Jarrow a ses protecteurs princiers; même si Bède écrit sur les instances de l'abbé de Canterbury, Albin, il dédie son oeuvre à Céolwulf, roi de Northumbrie. C'est à la demande expresse du duc de Normandie que le cistercien Aelred de Rievaux († 1167) codifie une *Genealogia regum anglorum.* Guillaume de Jumièges (*fl.* 1070) adressait son *Historia northmannorum* à Guillaume le Conquérant, comme plus tard le polygraphe Godefroid de Viterbe dédie ses *Speculum regum* et *Liber memorialis* au jeune Henri VI. L'initiative de Hugues de Fleury († *ca.* 1135) est encore plus éloquente. Non seulement il dédie son *Liber qui modernorum regum francorum continet actus* à la fille du roi Henri d'Angleterre, Mathilde, mais il est prêt à délaisser sa chronologie « religieuse » pour adopter une sorte de calendrier royal, fort de l'appui, dit-il, de l'évangéliste Luc qui date l'Incarnation à partir du règne de l'empereur Auguste [90].

Evidemment, les rois et les princes ne sont pas les seuls grands de l'époque à honorer. Il y a aussi l'évêque local, l'abbé du monastère, voire le pape, encore que ce dernier soit, chez les historiens du moins, objet d'une vénération plutôt distante [91]. Des oeuvres importantes, à commencer par les *Histoires*

---

89. Voir ch. 3, sur le mécénat et les réactions des rois, p. 224-228.

90. Cf. *MGH-SS,* 9, p. 357; *ibid., prooemium,* p. 351; voir *Luc,* I, 5; III, 1.

91. V.g. JORDANES, dans *MGH-Auct. Ant.,* V, 1-2, qui écrit pour le Pape Vigile; GIRAUD LE CAMBRIEN se vante que le Pape a lu ses oeuvres d'un trait; il écrit à la demande d'un archevêque-ami; cf. *De jure et statu Menevensis ecclesiae,* VII, dans *RS,* 21, 3, p. 334-336.

de Grégoire de Tours, les célèbres *Gesta episcoporum* des évêques de Metz, de Paul Diacre († 787),
le *Liber pontificalis* de Ravenne (IXe siècle), l'histoire de l'église de Reims de Flodoard († 966), tant
d'autres encore sont sortis des milieux épiscopaux[92].
Richer écrit sous l'oeil de Gerbert, archevêque de
Reims. Dudon de Saint Quentin adresse sa chronique à l'évêque de Laon, Adalberon. Les dédicaces
sont nombreuses. Dédier son oeuvre à un évêque,
c'est honorer l'homme, son église, voire sa ville;
c'est rendre un texte public et peut-être éviter quelque jugement défavorable[93].

Il en est de même de l'abbé du monastère, à qui
tant d'oeuvres ont été dédiées. Vrai Père du monastère, l'abbé est une sorte de monarque mitré à qui
l'obéissance a été promise en termes non équivo-
ques[94]. Désir d'abbé : désir de Dieu ! Ecrire en son
honneur, c'est louer le Dieu Père du monde. Presque
toute l'historiographie monastique évolue dans ces
perspectives de service et de louange dont on ne
saurait dire assez l'impact qu'elles ont eu sur toute
l'historiographie de l'époque.

Il ne faudrait surtout pas croire maintenant que
chaque historien ait eu sa motivation propre. Que
l'un écrive pour le roi, l'autre pour son évêque,
l'autre pour son abbé, ou que tel veuille la gloire
de Dieu ou celle du royaume, très souvent ces
raisons sont liées et se recoupent. Quand Rigord de

---

92. Sur les évêques et l'historiographie, nous n'avons pu trouver
d'études satisfaisantes.

93. Voir G. B. FLAHIFF, *Ecclesiastical Censorship of Books in the
Twelfth Century*, dans *Mediaeval Studies*, IV (1942), p. 1-22.

94. Sur les abbés et l'historiographie, voir PH. SCHMITZ, *Histoire de
l'Ordre de saint Benoît*, Maredsous, 1942, t. 2, p. 159-190. On a même
dit que les trois quarts des textes monastiques du moyen âge étaient
consacrés à l'historiographie. Voir A. HOSTE, *Les études chez les moines
des XIIIe et XIVe siècles*, dans *Los Monjes y los estudios*, Abadia de
Poblet, 1963, p. 252.

Saint-Denis dédie son oeuvre à Louis VI, il ne veut pas que l'honneur de son roi. On s'en rend vite compte à la lecture des *Gesta Philippi Augusti*. Il écrit tout autant pour son abbaye, pour la France, pour la Sainte Eglise, pour l'honneur de Dieu et pour celui du roi [95]. Godefroid de Viterbe compile son célèbre *Memoria saeculorum* [96] dans les mêmes perspectives : l'église et l'empire ne font qu'un. Tous les motifs valent pour Raoul de Caen [97] : l'éducation, l'édification, la récréation du lecteur.

Les mêmes historiens peuvent-ils avoir écrit en outre pour des raisons politiques et patriotiques ? Se sont-ils rappelé la parole de Salluste, qu'on peut servir son pays autant par la plume que par les armes [98] ? C'est que leur patrie n'est pas une abstraction, nous l'avons vu, ni encore moins une idéologie à mettre en valeur. La *caritas patriae,* l'*auctoritas patriae,* correspondent à des réalités immédiates : la terre, le lieu de naissance, la chaumière, le bourg, qu'on aime comme ses proches [99], le monastère de sa vie, l'évêché. Guillaume de Tyr écrit ces lignes assez révélatrices :

---

95. *Gesta Philippi II Augusti regis francorum*, préface, éd. H. F. Delaborde, dans *SHF*, 1 (1882), p. 5. Rigord écrit sous l'ordre de son prieur, mais dédie son oeuvre à Louis fils du roi avec la conviction nette que servir la couronne de France et son église, c'est avant tout offrir des exemples « royaux » aux siens.

96. Cf. *Memoria saeculorum, incipit,* dans *MGH-SS,* 22, p. 94 : « Ad honorem ecclesiae Dei et imperii romani... ». De même les *Grandes chroniques de France* nous montrent Dieu qui aime davantage la France parce que la France défend la foi, à l'épée s'il faut.

97. *Infra,* p. 191.

98. Cf. *De conjuratione Catilinae,* III.

99. V.g. Roricon, *Gesta francorum,* prol., dans *PL,* 139, 590; l'*Historia ecclesiastica* d'Orderic Vital, XII (1120), éd. Le Prevost et L. Delisle, 4 (1852), p. 410 : « Sola pietas me compulit ista narrare »; *ibid.,* p. 419; Guillaume de Malmesbury, *De gestis pontificum anglorum,* prol., dans *PL,* 179, 1441-2; *Gesta regum anglorum,* I, prol., dans *RS,* 90, 1, p. 2; Giraud le Cambrien, *Descriptio Kambriae, praef. prima,* éd. Dimock, dans *RS,* 21, 6, (1868), p. 157.

Exposé à tant de dangers et de périls, face à une situation
doublement désavantageuse, il eût été plus facile de nous
reposer, de ne rien dire et de laisser notre plume inactive;
mais l'amour très pressant de la patrie, à qui tout homme
bien né doit en cas de nécessité donner même sa vie, nous
ronge. Cet amour tenace nous entraîne et, avec l'autorité
qui le caractérise, nous commande impérieusement de ne
pas endurer qu'on laisse ensevelis dans l'oubli et le silence
les faits qui se sont passés autour de nous durant une période d'environ 100 ans. Ces faits, racontés avec soin, dans
le style qui leur convient, passeront grâce à nous à la
mémoire de la postérité [100].

Amour instinctif et simple, il entraîne chacun à
dire ici et là son souvenir pour un parent, pour un
frère, un ami. Il n'est pas nécessaire à chaque ligne
de sa chronique de rappeler au lecteur, qui sait déjà,
qu'un écrivain célèbre et honore tout naturellement
les siens et le lieu de ses enfances, dès lors qu'il
raconte les événements qui y sont liés [101].

LITTERA DOCET. —

Depuis que l'histoire est histoire il faut qu'elle
enseigne : *Historia magistra vitae ... Historia est*

---

100. « Inter tot igitur periculorum insidias et anceps discrimen,
tutius fuerat quievisse, silendumque erat et otium calamis indicendum :
sed urgentissimus instat amor patriae, pro qua vir bene dispositus etiam,
si id necessitatis articulus exigat, vitam tenetur impendere. Instat,
inquam, et auctoritate qua preeminet imperiose precipit ut que apud se
centum pene annorum gesta sunt curriculis, silentio sepulta, non patia-
mur sentire posse oblivionis incommodum, sed stili exarata diligenter
officio, posteritatis memorie conserventur ». *Historia rerum...*, prol.,
dans *PL*, 201, 211-212; ou éd. R. B. C. HUYGENS, dans *Studi medievali*,
V, 1 (1964).

101. V.g. ORDERIC VITAL, *Hist. eccl.*, V, 14, dans *SHF*, t. 2, p. 423.
GUILLAUME DE MALMESBURY, *Gesta regum anglorum*, III, prol., dans
RS, 90, 2, p. 283-84. Tout ceci est lié au fait que la notion de *patrie*
au moyen âge est bien différente de la nôtre, moins abstraite surtout.
Voir en particulier HUGUES DE SAINT-VICTOR, *Didascalicon*, III, 19,
éd. BUTTIMER, p. 69. À noter que le *De amore patriae* vient après le
De pietate chez VINCENT DE BEAUVAIS, *Speculum doctrinale*, IV, 54.

narratio rei gestae ad instructionem posteritatis [102].
« Rien, après la grâce et la loi divine, n'instruit plus
ouvertement et plus efficacement les vivants que la
connaissance des faits d'autrefois » [103]. Othon de
Freising écrit :

Car si nous profitons, en nous instruisant, des écrits et
des institutions de la sagesse de nos devanciers, que le
progrès du temps et l'accumulation des expériences ont mis
à notre service, nous pouvons ainsi acquérir d'autant plus
de maturité que nous vivons à un âge plus avancé de
l'humanité; nous pouvons mettre à profit tout ce qui a
été connu avant nous et puis, par l'effet de notre esprit,
découvrir de nouveaux aperçus. Le prophète Daniel a prévu
cela quand il a dit que la sagesse se multiplierait à la fin
des temps : *beaucoup d'hommes passeront... et la sagesse
grandira...* [104].

---

102. V.g. POLYBE, *Histoires*, I, 4; XI, 19, 1; XII, 25b; LUCIEN DE
SAMOSATE, *Comment on écrit l'histoire*, 61, 62, 63; CICÉRON, *De oratore*,
II, 9, 36 : « Historia vero testis temporum, lux veritatis, vita memoriae,
magistra vitae, nuntia vetustatis, qua voce alia, nisi oratoris immorta-
litati commendatur ? »; QUINTILIEN, *Institutiones oratoriae*, X, 1, 101-
105; etc. BÈDE, *Hist. ecclesiastica gentis anglorum*, dedicace, t. 1, p. 5 :
« ob generalis curam salutis »; *ibid.*, p. 8 : « ad instructionem posteritatis »; HENRI DE HUNTINGDON, *Historia anglorum*, IV, 14, dans *RS*,
74, p. 117 : THOMAS BASIN, *Histoire de Charles VII*, préface, dans
CHFMA, 15, p. 4 : « ad posterorum utilitatem et cautelam ». Lire
Paul ROUSSET, *La conception de l'histoire à l'époque féodale*, dans
Mélanges Louis Halphen, Paris, 1951, p. 622-633.

103. JEAN DE SALISBURY, *Historia pontificalis*, prol., éd. M. CHIB-
NALL [1956], dans *Mediaeval Texts*, p. 3 et 5 : « Nichilque post gratiam
et legem Dei viventis rectius et validius instruit quam si gesta cognoverint decessorum ».

104. « Quod non inconvenienter dictum puto, dum et priorum, qui
ante nos sapientiae studuerunt, scriptis et institutis informamur ac
processu temporum et experientiis rerum tanto maturius, quanto in
provectiori orbis aevo positi edocemur, per nos quoque his, quae ante
nos inventa sunt, comprehensis eodem, quo et illi, spiritu nova invenire
possumus. Hanc in senio mundi ex his. quae dixi, causis sapientiam
fore multiplicandam propheta previdit, qui ait : *Pertransibunt plurimi,
et multiplex erit scientia.* Hinc est, quod multae antecessores nostros,
preclarae sapientiae ac excellentium ingeniorum viros, latuerunt causae,
quae nobis processu temporum ac eventu rerum patere ceperunt.
Proinde Romanum imperium, quod pro sui excellentia a paganis
aeternum, a nostris pene divum putabatur, jam ad quid devenerit, ab

Comme il arrive souvent, l'expérience instruit, le passé devient à chacun la chance du présent :

Chacun doit apprendre comment il doit vivre chaque jour, et pour sa propre utilité avoir sans cesse devant les yeux les exemples mémorables laissés par les anciens héros [105].

Il faut des historiens; autrement, explique Ordéric Vital, les hommes répèteront leurs erreurs.

Il arrive souvent que beaucoup d'événements retentissent aux oreilles des ignorants comme des choses inouïes. Fréquemment de nouveaux faits se présentent tout à coup dans les temps modernes, et n'offrent qu'obscurité aux yeux inexpérimentés de l'intelligence, si elle ne se rappelle pas les révolutions passées. C'est pourquoi des hommes studieux doivent s'appliquer à connaître les choses secrètes, et mettre un haut prix à tout ce qui peut servir à instruire l'âme dans ce qui est bien. Ils travaillent avec bienveillance, sans envie ils découvrent le passé à la postérité et bravent les méchants dont la dent cruelle cherche à déchirer leurs ouvrages [106].

Faut-il se convaincre davantage du bien de ses récits, faut-il surtout convaincre les autres, le mot de saint Paul est à la portée de tous : « Tout ce qui a été écrit l'a été pour notre instruction » [107]. Ins-

---

omnibus videtur ». *Chronica...*, V, prol., éd. HOFMEISTER, dans *SRG in usum...*, 1912, p. 226.

105. ORDERIC VITAL, *Historia ecclesiastica*, VI, début, éd. LE PROVOST et L. DELISLE, 3 (1845), p. 1 : « Humani acumen ingenii semper indiget utili sedimine competenter exerceri, et praeterita recolendo, praesentiaque rimando, ad futura feliciter virtutibus instrui. Quisque debet quemadmodum vivat quotidie discere, et fortia translatorum exempla heroum ad commoditatem sui capessere ».

106. « Plerumque multa, quae velut inaudita putantur, rudium auribus insonant, et nova modernis in repentinis casibus frequenter emanant; in quibus intellectuales inexpertorum oculi, nisi per revolutionem transactorum, caligant. Studiosi ergo abdita investigant, et quidquid benignae menti profuturum autumant, pie amplexantes, magni existimant. Ex benivolentia laborant, et praeterita posteris sine invidia manifestant; quorum solertiam dente canino nonnumquam inertes lacerant ». ORDERIC VITAL, *Historia ecclesiastica*, VI, préface, éd. LE PROVOST et L. DELISLE, 3 (1845), p. 1.

107. Il s'agit de *Romains*, XV, 4 : « Quaecumque enim scripta sunt, ad nostram doctrinam scripta sunt ». Aussi *II Tim.*, III, 16 : « Omnis scrip-

truire, éduquer, édifier, dire la vérité [108] : voilà ce
qui rend les chroniques nécessaires dans les cloîtres [109]. *Littera docet.* Il n'y a pas de fait en soi.
Tout événement trouve déjà son sens au moment
où il arrive. Le rôle de l'historien est d'identifier
ce sens permanent des réalités terrestres jusqu'au-
delà de la chance et de la fatalité. Raconter, c'est
signifier.

Il importe, explique Cassiodore, à ceux qui traitent de
sujets ecclésiastiques et qui décrivent les vicissitudes de
différentes époques, dans le but d'éduquer sans cesse l'esprit de leurs lecteurs au sens des choses célestes, de ne
rien assigner à la chance, ou au pouvoir infime des dieux,
comme les païens l'ont fait; mais qu'ils voient à ce que
tout soit vérédiquement soumis à la volonté du Créateur [110].

---

tura divinitus inspirata utilis est ad docendum, ad arguendum, ad corri-
piendum, ad erudiendum in justitia... »; *I Cor.*, X, 6 ss. Cf. GERVAIS DE
CANTERBURY, *Chronica*, prol., dans *RS*, 73, 1, p. 86; RANULPHE DE
HIGDEN, *Polychronicon*, I, 9, dans *RS*, 41, 1, p. 18. JEAN DE SALISBURY
explique (*Polycraticus*, VII, prol., éd. WEBB, 1909, t. 2, p. 92-93)
qu'une fiction poétique a de quoi frapper l'esprit humain tout autant
qu'un *fait réel*, sinon davantage. Alors pourquoi toujours être véridique :
« Qu'on ne s'émeuve pas si certaines choses racontées ici, on les
retrouve ailleurs exprimées différemment; puisque l'histoire, dans la
diversité des événements, se contredit elle-même; son but est d'être
utile et de rendre les gens honnêtes. Je ne tente pas d'établir le vrai;
tout de même, ce que j'ai lu dans les divers auteurs, je me propose de
le communiquer ici sans arrière-pensée pour l'utilité de mes lecteurs.
De fait, l'Apôtre ne dit pas : tout ce qui est écrit est vrai, mais : *Tout
ce qui a été écrit l'a été pour notre instruction* ».

108. Cf. *Vita Henrici II imperatoris*, éd. WAITZ, dans *MGH-SS*, 4
(1841), p. 683. CONRAD D'HIRSAU, *Dialogus super auctores*, à propos
de Salluste, éd. HUYGENS, 1955, p. 42. Parfois les faits eux-mêmes sont
systématiquement *moralisés*, v.g. *La morale de l'histoire*, éd. RAYNAUD
DE LAGE, dans *Le moyen âge*, 69 (1963), p. 365-369.

109. V.g. *Annales monastici*, IV : *Annales prioratus de Wigornia*,
préface du compilateur : « Considerantes pro multis causis in religione
chronicas esse necessarias... », éd. LUARD, dans *RS*, 36 (1869), p. 355.

110. *Institutiones*, I, 17, éd. MYNORS, 1937, p. 55 : « Qui cum res
ecclesiasticas referant, et vicissitudines accidentes per tempora diversa
describant, necesse est ut sensus legentium rebus caelestibus semper
erudiant, quando nihil ad fortuitos casus, nihil ad deorum potestates
infirmas, ut gentiles fecerunt, sed arbitrio Creatoris applicare veraciter
universa contendunt ».

Au prologue du quatrième livre de sa *Chronica sive historia de duabus civitatibus,* Othon de Freising écrit sur le rôle « mystérieux » des événements :

Je pense qu'il n'est maintenant aucun homme sage qui ne considère les oeuvres de Dieu — et les ayant considérées — n'est pas étonné et par elles conduit du visible à l'invisible [111].

La signification à trouver, l'invisible à percevoir, c'est le plus souvent le bien à faire et le mal à éviter. Tite-Live et Bède s'entendent au moins dans l'intention générale, quoi qu'ils ne pensent pas aux mêmes réalités :

Tite-Live, *Histoire romaine,* préface :

Ce que l'histoire offre surtout de salutaire et de fécond, ce sont les exemples instructifs de toute espèce qu'on découvre à la lumière de l'ouvrage : on y trouve pour son bien et celui de son pays des modèles à suivre ; on y trouve des actions honteuses tant par leurs cau-

Bède, *Hist. eccl.,* préface :

Quand l'histoire rappelle les bonnes actions des bons, l'auditeur attentif est invité à y imiter le bien ; si elle rapporte les mauvaises actions des méchants, l'auditeur ou le lecteur, pieux et dévot, est appelé à fuir avec plus de vigilance ce qui est mal et pervers, pour suivre avec plus d'ardeur les cho-

---

111. *Op. cit.,* éd. HOFMEISTER, dans *SRG in usum...,* 1912, IV, prol., p. 180 : « Nullum jam esse sapientum puto, qui Dei facta non consideret, considerata non stupeat ac per visibilia ad invisibilia non mittatur ». Cf. JEAN DE SALISBURY, *Historia pontificalis,* prologue, éd. M. CHIBNALL, dans *Mediaeval Texts,* 1956, p. 3 : « Horum vero omnium uniformis intentio est, scitu digna referre, ut per ea que facta sunt conspiciantur invisibilia Dei, et quasi propositis exemplis premii vel pene, reddant homines in timore Domini et cultu justitie cautiores. Hiis enim incognitis, merito seipsum dicitur irridere, quisquis divine pagine vel prudentie mundane sibi periciam vendicat. Nam, ut ait ethnicus, *aliena vita nobis magistra est,* et qui ignarus est preteritorum, quasi cecus in futurorum prorumpit eventus... ». *Per visibilia ad invisibilia : Romains,* I, 20.

ses que par leurs conséquen-   ses qu'il sait être bonnes et
ces, et qu'il faut éviter...   acceptables de Dieu...[112].

Speculum vitae! Speculum historiale! Lire les
gestes des autres, *c'est comme se regarder dans un
miroir* [113]. Jeunes, vieux, laïcs et clercs, rois et princes, tout le monde a besoin de voir clair. L'histoire
est un miroir qui reflète à mesure ce qui arrive [114].
Ethique en action, elle rend sage qui la fréquente.
L'auteur de l'*Histoire des Albigeoys* (XIIIe siècle),
pense que l'historiographie joue le rôle de la méditation des choses divines chez les anges [115]. En tout
cas, elle guide la vie publique [116] et de ce point de
vue les services qu'elle rend aux collectivités montrent qu'elle est aussi irremplaçable [117]. Pouvoir

---

112. « Sive enim historia de bonis bona referat, ad imitandum bonum
auditor sollicitus instigatur; seu mala commemoret de pravis, nihilominus
religiosus ac pius auditor sive lector devitando quod noxium est ac
perversum, ipse sollertius ad exequenda ea, quae bona ac Deo digna
esse cognoverit, accenditur ». *Hist. eccl.*, éd. PLUMMER, 1906, t. I, p. 5;
ibid., III, 17, p. 161 : « sed quasi verax historicus, simpliciter ea, quae
de illo sive per illum sunt gesta, describens, et quae laude sunt digna in
ejus actibus laudans, atque ad utilitatem legentium memoriae commen-
dans; studium videlicet pacis et caritatis, continentiae et humilitatis... ».

113. « Gesta namque alterius legere, *in speculum est respicere* ».
ADALBOLDUS, *Vita Henrici secundi imperatoris*, préface, éd. WAITZ,
dans *MGH-SS*, 4 (1841), p. 683. Ou encore : « Fortassis est qui dicat,
quae utilitas in gestis legendis esse valeat. Hinc respondemus, quia
quisque alterius gesta legit, si bona sunt, invenit quod sequatur, si mala
habet unde exterreatur ». *Ibid.*, p. 683.

114. Toute la première historiographie française (v.g. Villehardouin,
Joinville, Jehan Le Bel, Froissart) est marquée des mêmes perspectives.

115. Cf. *Recueil des historiens des Gaules*, XIX, p. 115.

116. COMMYNES, *Mémoires*, dans *CHFMA*, 3, 5 et 36, est un des
exemples les plus représentatifs de cette mentalité préparée longuement
par l'historiographie latine.

117. V.g. HENRI DE HUNTINGDON, *Hist. anglorum*, dans *RS*, 74,
p. 2 : « ...honestum et utile, et his contraria, lucidius et delectabilius
philosophis historiando disseruit (Homère). Sed quid in alienis mora-
mur ? ». Le prologue de la chronique latine de GUILLAUME DE NANGIS,
éditée par GÉRAUD, dans *SHF*, 1 (1843), p. 1-2 : « Valet enim notitia
historiarum sive chronicarum ad statuendas vel evacuandas praescrip-
tiones, et privilegia roboranda vel infirmanda, nihilque post gratiam

magique de l'exemple, surtout quand il vient des grands :

Lorsque les actions bonnes ou mauvaises des anciens, et surtout des princes, sont mises en récit, elles offrent à ceux qui les lisent une double utilité : les unes servent à leur édification et à leur réforme, les autres les dressent à la prudence. En effet, les grands, qui dominent comme des rochers élevés, ne peuvent, à cause de cela, rester cachés; leur renommée se répand d'autant plus loin qu'elle est, dans une plus grande étendue, l'objet des regards; et le nombre de ceux qui sont entraînés par leurs bons exemples est d'autant plus grand que chacun se fait gloire d'imiter ceux qui sont plus élevés. C'est une chose que nous apprennent les monuments que nous ont laissés ceux qui se sont appliqués, avant nous et par leurs récits, à instruire la postérité du chemin que chaque prince s'est frayé dans la vie [118].

Othon de Freising écrit parce qu'il est convaincu, lui aussi, qu'un empereur comme Frédéric, une fois

---

et legem Dei, viventes rectius et validius instruit, quam si gesta cognoverint decessorum ».

118. « Cum gesta priscorum bona malave, maxime principum, ad memoriam reducuntur, gemina in eis utilitas legentibus confertur. Alia enim eorum utilitati et aedificationi prosunt, alia cautelae. Quia enim primi in sublimi consistunt veluti specula, et ideo latere nequeunt, eo quod fama eorum latius propagatur, quo et diffusius cernitur, et tanto quique illorum bono plurimi alliciuntur, quanto praeminentiores se imitari gloriantur. Haec ita se habere majorum produnt monimenta, qui relatione sua posteritatem instruere studuerunt, quisque principum quo calle mortalium iter triverit. Quorum nos studium imitantes, nolumus esse vel praesentibus inofficiosi vel futuris invidi, sed actus vitamque Deo amabilis atque orthodoxi imperatoris Ludowici, stilo licet minus docto, contradimus. Fateor enim et absque fuco adulationis dico, quia succumbit cujusque, non dico meum quod perexiguum est, sed magnorum ingenium materiae tantae ». L'ASTRONOME, *Vita Hludowici imperatoris, incipit*, éd. PERTZ, dans *MGH-SS*, 2 (1827), p. 607; des trois manières d'enseigner les humains (*prohibitio, preceptum et exemplum*), d'après GERVAIS DE CANTERBURY, *Chronica*, dans *RS*, 73, 1, p. 85, l'exemple est le plus efficace. On est unanime chez les historiens et les hagiographes à croire que les grands ont besoin d'exemples. Qui ne se souvient :

> Un prince dans un livre apprend mal son devoir.
> Les exemples vivants sont d'un tout autre pouvoir.
>   *Cid*, 1, 3.

instruit des exemples et des gestes des « grands » du passé, a plus de chance de réussir que celui qui n'en sait rien.

La connaissance des histoires sera pour votre Excellence utile et honnête; car en considérant les gestes des hommes forts, la force et la puissance de Dieu qui change les royaumes et donne les trônes à qui il veut, qui fait que les choses changent elles aussi, vous pourrez, dans la crainte du Seigneur, toujours prospérer et régner durant plusieurs cycles d'années... [119].

D'ailleurs, Frédéric est comme tous les rois; il a d'autant plus besoin des leçons de l'histoire qu'il n'a d'autre juge ici-bas que Dieu :

Tandis qu'il n'est personne au monde qui ne soit soumis aux lois de cet univers et qui ne soit forcé d'obéir à quelque législation, les rois, eux seuls, en tant que tels, se trouvent comme au-dessus des lois; s'ils ne sont pas obligés par les lois séculières, ils seront un jour jugés par Dieu... Surtout pour les rois, ils n'ont personne à craindre au-dessus d'eux. Il leur sera d'autant plus horrible de tomber ainsi dans les mains de Celui qu'ils craignent, qu'ils peuvent pécher avec plus de liberté que les autres [120].

Pourquoi Widukind de Corbie dédie-t-il ses *Res gestae saxonicae* à la nièce d'Othon I qui n'a pourtant que douze ans ? Afin qu'elle apprenne par faits

---

119. « Honesta ergo erit et utilis excellentiae vestrae historiarum cognitio, qua et virorum fortium gesta Deique regna mutantis et cui voluerit dantis rerumque mutationem patientis virtutem ac potentiam considerando sub ejus metu semper degatis ac prospere procedendo per multa temporum curricula regnetis ». *Chronica,* dédicace, éd. HOFMEISTER, dans *SRG in usum...,* 1912, p. 2; voir GIRAUD LE CAMBRIEN, *De principis instructione,* I, XII, éd. DIMOCK, dans *RS,* 21, 8 (1891), p. 42-43.

120. *Chronica,* dédicace à Frédéric Barberousse, éd. HOFMEISTER, dans *SRG in usum...,* 1912, p. 1-2 : « Preterea cum nulla inveniatur persona mundialis, quae mundi legibus non subiaceat, subiacendo coerceatur, soli reges, utpote constituti supra leges, divino examini reservati seculi legibus non cohibentur... Regibus tamen, qui nullum preter ipsum supra se habent, quem metuant, eo erit horribilius, quo ipsi ceteris possunt peccare liberius... ».

et exemples à bien diriger sa vie [121]. Nous touchons ici une vieille tradition qui conçoit l'éducation à la manière audio-visuelle : les exemples jouent le rôle des statues et des anciens monuments de Rome. Question de stimuler le courage et la vertu [122]. Rigord a bonne mémoire :

En effet, quoique les enfants d'un héros, au milieu même des embrassements de leur père, tressaillent à la vue des armes, et qu'il leur suffise de s'abandonner au mouvement de leur nature pour apprendre à chérir les combats, reste que les exemples sont un mobile puissant encore pour les porter à la vertu [123].

C'est cette conviction de la valeur suprême des récits exemplaires et des images qui a poussé plu-

121. Cf. *Rerum gestarum saxonicarum libri III*, épître à Mathilde, éd. Lohmann et Hirsch, dans *SRG in usum...*, 1935, p. 1-2.

122. Sur la fonction didactique des images, statues, cf. Salluste, *Bellum Jugurthinum*, IV-V; Giraud le Cambrien, *Topographia hibernica, praef. secunda*, éd. Dimock, *RS*, 21, 5 (1867), p. 21 : « ...earumque lectio, sicut antiquis majorum imagines et picturae, laudabili aemulationis invidia tam animosis conferet quam ignavis; istis scintillam strenuitatis adjiciens, innatum illis ignem accendens »; *De vita Galfridi*, 1, *introitus, sec., ibid.*, t. 4, p. 361. Aussi *Itinerarium... regis Ricardi*, prologue, dans *RS*, 38, 1, p. 3 : « Solet nonnunquam accidere, ut res quantumlibet notas et eximie gestas, tractu temporis vel fama languidior minuat, vel oblivio posteritatis extinguat. Sic regum quamplurimum emarcuit gloria, et ipsis consepultum evanuit, quod ab eis magnifice factum et suis celebratum temporibus novitas excepti in favorem, fama in praeconium, populus in exemplum. Hoc Gra[ec]i veteres divinitus attendentes, scripti remedium objecere prudenter, et scriptores suos, quos dixere historiographos ad conscribendas regum historias studiosius exciverunt. Unde feliciter contigit ut vocis vivae silentium vos scripta suppleret, ne ipsis mortalibus eorum commorerentur virtutes. Romani vero, Graecorum aemuli, perpetuandae virtutis obtentu, non solum stili assumpserunt officium, sed et statuas adjecerunt; et sic tam veteres repraesentando, quam provocando posteros, virtutis amorem, tum per oculos, tum per aures, ad interiora multipliciter demissum, imitantium mentibus firmius impresserunt... ».

123. *Gesta Philippi Augusti*, lettre de Rigord, éd. Delaborde, dans *SHF*, 1 (1882), p. 3 : « Licet etenim viri fortis progenies armorum faciem inter ipsos matris agnoscat amplexus, et, dum nature obsequitur, discat amare terrorem, per exemplar tamen non minimum animatur ad virtutem ».

sieurs historiens à raconter des faits plus inédits et à s'appesantir sur tout ce qui édifie [124].

Une autre fonction éducative de l'historien est de démontrer par des faits contemporains la vérité de l'antique historiographie biblique : toujours le même Dieu souverain, toujours la même Providence ordonnatrice, la même lutte entre le bien et le mal qui se poursuit au jour le jour. Les récits des temps nouveaux sont comme l'occasion attendue pour vérifier la même pensée divine fidèle aussi à elle-même. La leçon est simple : le fait heureux, la guerre qui réussit, une bonne récolte, indiquent une volonté favorable de Dieu. Au contraire, l'échec, l'expédition manquée, l'inondation, sont les signes du péché. Toute bonne action montre la bonté de Dieu; toute catastrophe réaffirme sa justice [125]. Comme il arrive

---

124. Les expressions qui justifient habituellement l'introduction en historiographie d'un récit « pieux » : *ob salutem legentium sive audientium*, Bède, *Hist. eccl.*, V, 13; *ad memoriam aedificationemque sequentium*, IV, 7; *duximus commodum multis, ibid.*, III, 19; IV, 30, etc.; *profectum pietatis, ibid.*; relire *De conjuratione Catilinae*, II : « Virtus clarorum virorum illud vel maxime laudandum in se commendat, quod etiam longe positorum animos ad se diligendum invitat; unde inferiores superiorum virtutes faciunt suas, dum earum adorant vestigia, ad quarum aspirare non valent exempla ». Guillaume de Malmesbury, *Gesta regum anglorum*, dans une lettre adressée à Robert de Gloucester, fils du roi Étienne, éditée dans *RS*, 90, 2, p. 355; *Historia novella*, III, prol. (au sujet de l'année 1141), dans *RS*, 90, 2, p. 567; Giraud le Cambrien, *De principis instructione*, I, 12, dans *RS*, 21, 8, p. 42-43.

125. Tel passage des *Antiquités juives*, 3, de Flavius Josèphe s'applique ici à la lettre : « Dans l'ensemble, on apprend surtout par cette histoire, si l'on prend la peine de la parcourir, que les hommes qui se conforment à la volonté de Dieu et redoutent d'enfreindre une législation excellente prospèrent au-delà de toute espérance et que, pour récompense, Dieu leur accorde le bonheur; mais que, dès qu'ils s'écartent de la stricte observance de ces lois, la route qu'ils suivent devient impraticable et leurs efforts en vue de ce qu'ils pensent être le bien se tournent en d'irrémédiables malheurs... ».

fréquemment dans l'Ancien Testament, les grands portent la responsabilité de tous; chaque action, bonne ou mauvaise, implique une solidarité qui va jusqu'à inclure la conduite du cosmos tout entier. Sans en être conscient toujours, l'historien transmet les archétypes bibliques. L'Eglise, c'est le nouvel Israël qui relance à mesure grâce aux événements nouveaux les mêmes jugements de Dieu, la même justice, les mêmes récompenses et châtiments. Le sacerdoce royal, la monarchie héréditaire, les changements de royaume, l'histoire de chaque petit groupe religieux, c'est la continuation évidente de la même histoire du peuple de Dieu à l'intérieur de l'humanité. Nous pourrions citer Gildas, l'historien tragique des Bretons, Grégoire de Tours avec ses appels magiques à la Bible, plus tard Guibert de Nogent, Thomas Basin et combien d'autres qui ne cessent de faire appel au passé d'Israël.

Revenons simplement à Grégoire de Tours. Une dialectique rigide du crime et du châtiment, de la vertu et de la récompense [126], le domaine; il a beau protester contre la crédulité populaire, la sienne ne cesse de se manifester [127]. Il suffit d'un texte scripturaire pour montrer tout de go « en quelle façon les choses ont prospéré aux chrétiens qui confessaient la bienheureuse Trinité et tourné à la ruine des

---

126. Cf. *Historiarum libri X*, V, 14, éd. B. KRUSCH et W. LEVISON, dans *MGH, Script. rerum merovingicarum*, 1951, p. 207; V, 39, p. 246-7; VIII, 20, p. 386-7; IX, 5, 6, p. 416 ss.

127. V.g., *ibid.*, VI, 48, p. 184 : « Et adhuc obstupiscimus et admiramur, cur tantae super eos plagae inruerint. Sed recurramus ad illud quod parentes eorum egerunt et isti perpetrant »; V, 4, p. 200 : « ...pridie animam reddidit; et sic superbia tumorque quievit »; V, 5, p. 202 : « ...Cum in frustra concidunt membratimque dispergunt. Tale justo judicio Dei exitum miser accepit, ut qui propinquum innocentem interimerat ipse nocens diutius non maneret »; V, 20, p. 229 : « Sic faciebant singulis diebus, donec *ira Dei diruit super eos;* quod in posterum memoraturi sumus »; aussi VII, 3, 31, 39, etc.

hérétiques qui l'avaient divisée » [128]. Ces guérisons subites, ces victoires inespérées, ces miracles au contact des reliques, l'Ecriture les contient tous implicitement, ils font partie du même dessein souverain de Dieu [129]. Même la mort la plus cruelle du juste est une intervention positive de Dieu qui récompense enfin les siens : « Je regarde comme grand, chéri de Dieu, celui qu'il enlève de la terre pour le placer dans son paradis » [130]. Grégoire s'intéresse beaucoup aux rois à la manière de l'auteur des chroniques bibliques : aussi, le roi qui sert les églises, le prince qui honore les clercs et fait l'aumône trouve les récits que ses bonnes actions méritent. Au contraire, celui qui persécute, trompe, insulte le clergé [131], appelle sur sa tête les pires malheurs. Comme les chroniqueurs bibliques, Grégoire de Tours est prêt à identifier le meilleur et le pire [132]. Une terrible justice immanente préside à tout [133].

---

128. *Ibid.*, III, prol., p. 96.

129. V.g. *Historiarum libri X*, II, 6, éd. B. Krusch et W. Levison, 1951, p. 48 : « Unde procul dubium est, quod horum obtentu, urbe vastata, oraturium permansit inlaesum »; *ibid.*, 40, p. 91, où les assassinats de Clovis trouvent leur justification : « Prosternebat enim cotidiae Deus hostes ejus sub manu ipsius et augebat regnum ejus, eo quod ambularet recto corde coram eo et facerit quae placita erant in oculis ejus ». Sur Gontran, IX, 11, p. 426. Le jeu des citations scripturaires chez les historiens du moyen âge mériterait une étude approfondie.

130. *Ibid.*, V, 7, p. 203-4.

131. *Ibid.*, II, 40, p. 90.

132. Lire ici le discours du roi Gontran, *ibid.*, VIII, 30, p. 393 ss.

133. V.g. Bède, *Hist. eccl.*, I, 14, p. 30 : « placuitque omnibus cum suo rege Vurtigerno ut saxonum gentem de transmarinis partibus in auxilium vocarent : quod Domini nutu dispositum esse constat, ut veniret contra inprobos malum, sicut evidentius rerum exitus probavit »; II, 5, p. 90-91 : « Nec supernae flagella districtionis perfido regi castigando et corrigendo defuere : nam crebra mentis vesania, et spiritus immundi invasione premebatur »; *ibid.*, II, 17, 20; V, 5, 6, etc. On verra Matthieu Paris par exemple attirer à lui tel vers de Juvénal pour juger à la manière biblique pourtant l'attitude de Hugues le Grand; cf. *Chronica majora, a. 1098*, éd. Luard, dans *RS*, 57, 2 (1874), p. 90. Voir l'article de Paul Rousset, *La croyance en la justice immanente à l'époque féodale*, dans *Le moyen âge*, IV, (1948), p. 225-248.

Les mêmes modèles bibliques dirigent les historiens des croisades, qui ne peuvent s'empêcher de penser aux anciennes guerres de la Judée [134]. Ils ont lu les livres historiques, les *Rois,* les *Chroniques,* les *Livres des Maccabées* en particulier : le succès, ou l'insuccès, d'une expédition juge l'intention de ses auteurs.

Toutes les fois que de fréquentes victoires suscitaient des sentiments d'orgueil chez ceux qui les remportaient, soit que les princes en vinssent à s'élever les uns contre les autres, soit qu'il arrivât aux chrétiens eux-mêmes de se souiller de quelque tache, aussitôt les Gentils les trouvaient comme annulés, et, pour ainsi dire, devenus semblables aux animaux; mais dès que les chrétiens rentraient en eux-mêmes, et se laissaient conduire par des sentiments de pénitence, ils se retrouvaient en même temps et leur bonne fortune et leurs pieux succès [135].

Siège de Jérusalem en 1099. Guibert feuillette les Ecritures :

Comme dès le commencement de cet ouvrage, nous avons cité quelques passages d'Ecriture qui nous ont paru parfaitement applicables aux grandes affaires de notre temps, voyons maintenant si nous ne pourrions pas trouver dans Zacharie quelque chose qui se rapporte exactement au siège de Jérusalem [136].

---

134. V.g. *Gesta Dei per francos,* I, 1, dans *PL,* 156, 684-686; VII, 2, 789; aussi GUILLAUME DE TYR, *Historia rerum...,* XXIII, *praefatio,* dans *PL,* 201, 889-890; GUILLAUME DE NEWBURG, *Hist. rerum anglicarum,* IV, 30, dans *RS,* 82, 1, p. 379-381; ANONYME, *Gesta francorum et aliorum hierosolimitanorum,* 9, éd. BREHIER, dans *CHFMA,* 4 (1964), p. 51; GIRAUD LE CAMBRIEN, *De principis instructione,* I, XIV, dans *RS,* 21, 8, p. 50-51; *ibid.,* III, V, p. 241, et ch. 23, p. 281; etc.

135. *Gesta Dei per francos,* VII, 1, dans *PL,* 156, 787 : « Quod ex eo, evidenti probatione, patescit, quia quoties crebrescentibus victoriis insolentiam parturibant, seu adversus alterutros principes inflarentur, sive aliqua ipsos petulantia commaculari contingeret, illico eos propre nullos, et, ut ita dixerim, pecorum similes gentilitas inveniret, si quando, sui memores, poenitentia ducerentur, confestim solitis fortunis piisque proventibus redderentur ».

136. *Ibid.,* VIII, 4, col. 806 : « Sed quoniam in hujus voluminis exordio, quaedam exempla praebuimus Scripturarum, quae huic tanto quod explicuimus negotio convenire putavimus, attendendum nunc etiam

L'autre fonction de l'historien depuis toujours, devrait-on écrire, est de prophétiser [137]. *Ratio praeteriti scire futura facit* [138]. Suger de Saint-Denis dirait : « *le souvenir du passé est promesse d'avenir* » [139]. « Influer utilement sur le cours des événements futurs en informant les hommes sur les conduites passées » [140] est une bonne raison d'écrire. L'avenir mérite qu'on s'occupe de lui. Orderic Vital le pense aussi : « L'esprit humain a besoin de s'exercer et de se fortifier par la connaissance du passé, comme d'examiner les choses présentes pour se retrouver au

---

an Hierosolymitanae obsidioni aliquid consonum apud Zachariam prophetam reperire possimus »; *ibid.*, 804 ss., où il compare l'expédition de Gédéon (d'après le *Livre des Juges*, VI ss.) à celle des croisés. Voir Jacques CHAURAND, *La conception de l'histoire de Guibert de Nogent*, dans *Cahiers de civilisation médiévale*, 8 (1965), p. 384.

137. Déjà HÉRODOTE, *Exposé...*, début, écrivait pour qu'on « sache enfin pourquoi ils (Grecs et Barbares) se sont faits la guerre ». Pour sa part, THUCYDIDE, *Histoires*, I, 22, souhaite que par les récits de la guerre du Péloponnèse ses contemporains sachent « les faits que l'avenir selon la loi des choses humaines ne peut manquer de ramener ». La plupart des hommes « en effet, s'instruisent par ce qui est arrivé aux autres », écrit TACITE, *Annales*, IV, 32. « Il n'y a pas de plus sûre instruction, de plus sûr apprentissage de la vie politique que l'étude de l'histoire », dira TITE-LIVE dans la préface de son *Ab urbe condita*, 43.

138. Chez FRA SALIMBENE, *Chronica*, a. *1282*, éd. HOLDER-EGGER, 1912, p. 512. Sur ce caractère prophétique de l'histoire, voir SCHULZ, *Die Lehre...*, p. 67-84. V.g. HENRI DE HUNTINGDON, *Historia anglorum*, éd. TH. ARNOLD, dans *RS*, 74 (1879), p. 2 : « Historia igitur praeterita quasi praesentia visui repraesentat; futura ex praeteritis imaginando dijudicat »; GIRAUD LE CAMBRIEN, *De instructione principis*, 1, 12, éd. DIMOCK, dans *RS*, 21, 8 (1891), p. 42 : « Historiarum itaque lectio vetustarum litterato non mediocriter principi confert, ubi eventus belli varios et aleam incertam, casus asperos et secundos, insidias occultas et cautelas advertere poterit, et de praeteritis olim actibus quid aggrediendum, quid vitandum, quid fugiendum, quidve sequendum, tanquam ex speculo, scriptura docente, contemplari... ». Ou encore : *Chronicon Marchiae Tarvisinae et Lombardiae*, éd. BOTTEGHI, dans *RIS*, 8, 3 (1916), p. 3.

139. *De rebus administratione sua gestis*, XXIX, éd. PANOFSKY, p. 53 : « Praeteritorum enim recordatio futurorum est exhibitio ».

140. *Histoire des fils de Louis le Pieux*, IV, éd. Ph. LAUER, dans *CHFMA*, 7 (1964), p. 117.

service de l'avenir et si possible le préparer déjà » [141].
Cicéron une fois encore :

La vie des autres nous enseigne. Qui ignore le passé avance
vers l'avenir comme un aveugle [142].

Guillaume de Nangis [143] dirait pour sa part que
l'historien a toujours besoin de méditer son passé,
son passé biblique en particulier, pour apprendre où
il va. Nous savons comment les perspectives eschato-
logiques sont chères au moyen âge et il est normal
que l'historien en soit témoin et parfois le promoteur.
L'importance qu'il accorde à la chronologie, aux
successions dynastiques et même aux indications
cosmiques, tient souvent à ce qu'il cherche à prévoir,
à deviner à la lumière de l'événement, ce qui arrivera
aux grands ainsi qu'à l'humanité. Vengeance des
petits ou simple réalisme, sa tendance à prévoir le
porte à moraliser même l'avenir, à propos surtout des
grandeurs de la vie humaine. *Mutabilis fortuna !*

Dans les choses du monde et surtout à la guerre, les chances
sont d'ordinaire variées et n'ont point d'uniformité, écrit
Guillaume de Tyr, jamais on n'y voit de prospérité continue,
ni de malheurs sans quelques heureux répits... Et puisque
nous avons commencé..., nous continuerons, avec l'aide de
Dieu et tant qu'il nous prêtera vie, à écrire avec soin le

---

141. V.g. ORDERIC VITAL, *Historia ecclesiastica*, VI, début, éd. LE
PROVOST et L. DELISLE, dans *SHF*, 3 (1845), p. 1; *supra*, note 106.

142. *De oratore*, II, 9, 36 : « Vita aliena nobis est magistra : et qui
ignarus praeteritorum quasi caecus in futurorum prorumpit eventus ».

143. Cf. *Chronique latine*, prol., éd. GÉRAUD, dans *SHF*, 1 (1843),
p. 1-2 (voir note 158), Aussi, RICHARD DE POITIERS, *Chronica*, lettre,
dans *MGH-SS*, 26, p. 76. D'après le *Moralia Regum*, dans *Lincoln
Cathedral Manuscript 25*, fol. 48r, col. 1, 31-37 : « Quippe de intelli-
gentia sacrae scripturae et de judiciorum Dei, praehabita contempla-
tione, et praesagire potest de rerum eventu et de earum ordine. Poterit
enim ex praeteritis et praesentibus futura conjectare et mysterium
consilii rerum praeter fluentium praesagiendo annuntiare ». Voir G. B.
FLAHIFF, *Raoul Niger : An Introduction to His Life and Works*, dans
Mediaeval Studies, 2 (1940).

récit des événements que nous présentera la suite des temps, et plaise au ciel que ces événements soient heureux [144].

Vanité du pouvoir et de la gloire ! Un bon prince vivra non de ce qu'il y a de provisoire à la cour et autour; il cherchera plutôt ce qu'il y a de meilleur en lui-même [145]. Or le meilleur est à venir et la vraie vie est au-delà de celle qui l'y conduit. Othon de Freising vient de terminer le cinquième livre de sa chronique :

Ce jeu un peu triste décrit par les philosophes comme le jeu de la fortune qui, à la façon d'une roue fait successivement monter et descendre le plus bas et le plus élevé ; mais en fait c'est l'état des choses qui avec l'assentiment d'une Dieu qui échange les royaumes, est incertain. Ce jeu pourrait nous forcer à abandonner la misère du monde et à chercher la vraie vie [146].

Dieu compterait sur les historiens pour instruire les hommes de leur véritable immortalité et les détourner, si possible, des faux biens :

Nous croyons que ceci arrive par une convenable et juste permission du Créateur pour que dans leur désir fou de

---

144. GUILLAUME DE TYR, *Hist. rerum...*, XXIII, préf., dans *PL*, 201, 890 : « Rerum autem et bellorum maxime, varius solet esse eventus, et non uniformis; in quos non prosperitas continua, nec casus oppositus sine lucidis intervallis... Et quae subsequentia ministrabunt tempora,... — utinam fausta feliciaque — auctore Domino, vita comite, scripto mandare curabimus diligenter, a secundo proposito revocati ». Cf. OTHON DE FREISING, *Chronica...* V, prol., dans *SRG in usum...*, p. 227-228; VI, 9, p. 270.

145. GUILLAUME DE MALMESBURY : « ...nec per nostram incuriam lateat posteros, cum sit operae pretium, cognoscere volubilitatem fortunae, statusque humani mutabilitatem, Deo duntaxat permittente vel jubente ». *Historia novella*, prol. au livre III, éd. STUBBS, dans *RS*, 90, 2 (1889), p. 566.

146. OTHON DE FREISING, *Chronica...*, VI, 9, éd. HOFMEISTER, dans *SRG in usum...*, 1912, p. 271 : « Hic tam miserrimus et juxta philosophos fortunae in modum rotae nunc summa nunc ima vertentis ludus, secundum rei vero veritatem juxta Dei regna mutantis nutum anceps rerum status ad declinandam mundi miseriam veramque vitam appetendam nos provocare posset ».

s'attacher à des choses terrestres et transitoires, les hommes puissent être effrayés de leurs propres malheurs et au moins, sinon par cela, orienter leur esprit vers la connaissance du Créateur plutôt que vers la misère d'un vie instable [147].

Aussi, devant la pompe dynastique et le prestige extérieur que souvent s'accordent les grands même d'église, l'historien amical peut partager les doutes et aussi les sourires de son entourage [148]. Othon de Freising a cette remarque étonnante à propos des triomphes de l'église « impériale » :

J'ignore si Dieu préfère l'Eglise humiliée d'autrefois à l'Eglise glorifiée d'aujourd'hui [149].

Le bonheur, le vrai, n'est sûrement pas de ce monde-ci; il n'est ni en Germanie, ni en Italie. Tout passe, même le pouvoir, cette belle illusion. L'empire était autrefois en Grèce; il est maintenant aux mains des Germains. Que Frédéric apprenne qu'ici-bas tout est muable.

A quoi dois-je comparer la prospérité humaine sinon à un nuage qui en passant déçoit celui qui s'y fie et ne peut à cause de sa nature vide porter celui qui s'y repose ? Plus haut un homme est élevé au-dessus des nuages, plus violemment est-il jeté à terre et émietté [150].

---

147. « Congrua sane ac provida dispensatione creatoris id factum credimus, ut, quoniam homines vani terrenis caducisque rebus inherere desiderant, ipsa saltim vicissitudine sui deterreantur, ut a creatura ad creatorem cognoscendum per transitoriae vitae miseriam mittantur ». *Ibid.*, I, prol., p. 7. OLIVIER DE LA MARCHE, *Mémoires*, I, 24, dans *SHF*, t. 1, p. 145 ss., invite sans cesse les siens à méditer sur le fait que Dieu ne tient pas compte de la puissance humaine et qu'en dépit de toutes les crises qui lui arrivent le monde dure.

148. Cf. OTHON DE FREISING, *Chronica*, VIII, 32, p. 452 : « Si reges vel imperatores terrenos in gloria sua fluxa et transitoria cum admiratione et quadam hilaritate videmus... ». Toute la lettre dédicace de Othon à Frédéric Barberousse serait à lire, *ibid.*, p. 1-2.

149. *Ibid.*, IV, prol., p. 183 : « Ego enim, ut de meo sensu loquar, utrum Deo magis placeat haec ecclesiae suae, quae nunc cernitur, exaltatio quam prior humiliatio, prorsus ignorare me profiteor ».

150. « Quid enim prosperitatem mundi aliud quam nubem dixerim, quae innitentem sibi cito transeundo decipit, levitate sui acclinantem

Il n'y a pas que les grands, empereurs, rois, abbés et évêques, qui ont besoin des « prophéties » de l'histoire : les hommes de lettres, les universitaires doivent aussi se souvenir que les royautés culturelles ne sont pas plus stables que tout le reste. D'Egypte la culture est passée aux Grecs, d'Athènes elle a émigré à Rome; récemment, elle était en Espagne et en Gaule : les nuages vont ainsi de l'Orient à l'Occident. Ce qu'il y a de plus grand au monde, de plus prestigieux, et de plus désirable, s'en va. Pourquoi s'y attacherait-on sans discernement ? L'avenir est-il vraiment ici-bas ?

Comme je l'ai dit : toute la puissance et toute la sagesse humaine sont passées de l'est à l'ouest. En ce qui est de l'hégémonie du pouvoir, je crois en avoir dit déjà assez pour montrer comment celle-ci s'est transmise des Babyloniens aux Mèdes puis aux Romains avec un nom romain; puis aux Grecs. Nous verrons comment elle est passée ensuite des Grecs aux Francs qui habitent l'ouest... [151].

Sans doute parce qu'ils étaient foncièrement moralisateurs, parce qu'ils espéraient le meilleur des

---

sustentare nequit ? Quanto ergo quis super nubem altius levatur, eo validius allisus quassatur ». *Ibid.*, VI, 9, p. 270; II, 25, p. 98.

151. *Chronica*, V, prol., éd. HOFMEISTER, dans *SRG in usum...*, 1912, p. 227 : « Et sicut supra dixi, omnis humana potentia vel sapientia ab oriente ordiens in occidente terminare cepit. Et de potentia quidem humana, qualiter, a Babiloniis ad Medos et Persas ac inde ad Macedones et post ad Romanos rursumque sub Romano nomine ad Grecos derivatum sit, sat dictum arbitror. Qualiter vero inde ad Francos, qui occidentem inhabitant, translatum fuerit... »; *ibid.*, p. 271; aussi *Gesta Frederici I*, III, prol., éd. WAITZ, dans *SRG in usum...*, 1912, p. 162 (écrit par le continuateur de Othon de Freising). — « Dicitur (sermo) etiam opportunus, id est necessarius homini ad considerandum varietatem ac mobilitatem mundanae conditionis, quia cum labente tempore labitur. Assimilatur enim pile rotunde cui quis innitendo dum firmare super ipsam pedes intendit... ». *Die Annalen des Tholomeus von Lucca*, début, éd. SCHMEIDLER, dans *SRG, nova series*, VIII (1955), p. 2. Aussi THOMAS BASIN, *Histoire de Charles VII*, préface, éd. C. SAMARAN, dans *CHFMA*, 15 (1964), p. 5. Autres comparaisons de même style : celle de la mer mouvante, v.g. OTHON DE FREISING, *Chronica*, VI, prol.; celle des nuages, VI, 9; emprunt à l'imagerie de Daniel, VI, 36.

autres, et parce que le pouvoir va surtout aux rois et aux empereurs, les historiens ne voulaient pas, surtout les clercs, manquer à leur rôle de moniteurs moraux. S'ils multiplient les avertissements, c'est qu'ils se sentent vraiment responsables. Quand il a terminé sa longue liste des rois d'Angleterre, Henri de Huntingdon qui aime pourtant la royauté, ne peut que conclure à la manière d'un *De contemptu mundi: Attende, quaesi et studi cum nihil hic duret...* [152]. A la fin du moyen âge les remarques de ce genre se feront de plus en plus amères. La morale deviendra complainte et même protestation véhémente. Thomas Basin ne ménage pas ses mots [153] :

... L'histoire, tant ancienne que moderne, est pleine de ces grands empereurs et rois qui, fondateurs de puissants et vastes empires, périrent misérablement en butte aux tromperies, aux pièges, aux embûches, aux machinations et aux manoeuvres de leurs fils ou de leurs frères, de leurs épouses et de leurs serviteurs. S'il vous plaît de connaître plus en détail leurs infortunes, lisez les ouvrages de Justin, les *Cas des hommes illustres* de Jean Boccace, ou les *Histoires* de Josèphe et de Paul Orose; vous y verrez un grand nombre d'exemples semblables [154].

Entendons-nous. Ces historiens ne veulent pas rejeter la gloire humaine ni nier la grandeur royale qui leur plaît tellement. Leurs véritables intentions vont ailleurs : d'une part, que le lecteur voie Dieu dans les événements et, d'autre part, que les rois aspirent à une immortalité qui soit la vraie. Quand Folcuin (*fl.* 980) rédige ses *Gesta abbatum lobiensium,* il tient à ce que ses lecteurs et ses auditeurs

---

152. Cf. *Historia anglorum*, II, 40, éd. Th. ARNOLD, dans *RS*, 74 (1879), p. 66; cf. Robert BULTOT, *Grammatica, Ethica et Contemptus mundi aux XIIe et XIIe siècles*, dans *Arts libéraux et philosophie au moyen âge* (*Actes du quatrième congrès international de philosophie médiévale*, Montréal, 1967), Montréal, 1969, p. 815-816.

153. Cf. T. BASIN, *Histoire de Louis XI*, I, 27, éd. SAMARAN, dans *CHFMA*, 26 (1963), p. 159.

154. *Ibid.*, p. 157. Cf. OLIVIER DE LA MARCHE, *Mémoires*, I, conclusion, éd. BEAUNE et D'ARBAUMONT, 1883, t. I, p. 178.

sachent que l'homme est destiné à mieux que ce qu'il réalise. Il en serait comme dans la nature : les saisons changent et se remplacent parfois brutalement, mais le temps continue toujours, un rythme souverain préside à tout [155]; ainsi à travers l'humain se dessine l'espoir d'un avenir durable. Comme l'écrivait Guillaume de Nangis (*fl.* 1300) : « Le mépris de ce qui arrive fait naître le goût des choses à venir » [156]. La pointe de toutes ces remarques et moralités est l'idée chère aux anciens que l'homme mortel doit s'attacher davantage à ce qui le rend immortel. Au lieu de tenir à ce qui passe, il désirera la stabilité de la vertu. Ptolémée de Lucques résume cette longue tradition de morale d'anticipation :

Il convient de transmettre les faits des princes et des souverains pontifes, ceux des cités et des châteaux, dans leur suite chronologique, soit pour l'écrivain, soit pour le lecteur, soit pour l'auditeur; afin de les entraîner à mépriser le monde dans sa mutabilité [157].

Pour un historien « chrétien », l'occasion d'instruire est belle : en faisant prendre conscience au lecteur du caractère fini des choses humaines, il l'attire une fois de plus vers la considération d'une autre histoire déjà commencée depuis Moïse, qui enveloppe mystérieusement la sienne et qui aboutira finalement au Paradis, dans une société idéale. Frédéric Barberousse prendra-t-il la leçon que lui offre son neveu ?

Un sage ne se laisse pas entraîner comme dans une roue tournante, mais par la constance de ses vertus il demeure

---

155. Cf. *MGH-SS,* 4, p. 54-55 ou *PL,* 137, 545-546.

156. Cf. *Chronique latine,* prol., dans *SHF,* t. 1, p. 1-2 : « ...Et despectus praesentium et respectus oritur futurorum ».

157. *Die Annalen des Tholomeus von Lucca,* éd. SCHMEIDLER, dans *SRG, nova series,* 1955, p. 3 : « Quia igitur (memorata) gesta principum ac summorum pontificum sive civitatum sive castrorum per successionem temporis praedicta continent, sive ex parte scribentis sive legentis sive audientis, rursumque ex ipsorum fluxibilitate ad contemptum mundi nos admonent, congruum videtur de ipsis aliquid tradere ».

ferme, comme un bloc carré. Comme les choses changent
et ne s'arrêtent jamais, quel homme droit nierait que le
sage se doit, comme je l'ai dit, de s'éloigner de cette réalité
pour se joindre à la cité d'éternité qui est paix et demeure ?
C'est la Cité de Dieu, céleste Jérusalem, objectif des enfants de Dieu pendant qu'ils sont de passage sur cette terre, opprimés par les épreuves de la vie comme s'ils souf-
fraient de la captivité de Babylone. Car, et puisqu'il y a
deux cités — la temporelle et l'éternelle; l'une terrestre et
l'autre céleste, l'une du diable et l'autre du Christ — les
écrivains catholiques ont appelé la première Babylone et
l'autre — Jérusalem [158].

Une autre raison d'écrire, qui nous surprend
aujourd'hui et pourtant nos historiens y tiennent,
est la considération des conduites cosmiques. Tour
à tour les Ecritures [159], Eusèbe de Césarée, Jérôme,
Orose surtout, ont marqué le point : le cosmos est
solidaire de l'homme qui en est la synthèse vivante.

Il n'y a personne qui aujourd'hui, écrit Orose au Ve siècle,
ne reconnaisse le fait que Dieu ayant placé l'homme dans
le monde, celui-ci se trouve incommodé à la suite d'une inconduite et que cette terre que nous habitons soit punie [160].

---

158. OTHON DE FREISING, *Chronica*, début, éd. HOFMEISTER, dans
SRG in usum..., 1912, p. 6 : « Sapientis enim est officium non more
volubilis rotae rotari, sed in virtutum constantia ad quadrati corporis
modum firmari. Proinde quia temporum mutabilitas stare non potest,
ab ea migrare, ut dixi, sapientem ad stantem et permanentem eterni-
tatis civitatem debere quis sani capitis negabit ? Haec est civitas Dei
Jerusalem caelestis, ad quam suspirant in peregrinatione positi filii Dei
confusione temporalium tamquam Babylonica captivitate gravati. Cum
enim duae sint civitates, una temporalis, alia eterna, una mundialis, alia
caelestis, una diaboli, alia Christi, Babyloniam hanc, Hierusalem illam
esse Katholici prodidere scriptores ».

159. V.g. *Lévitique*, XXVI; *Sagesse*, XVI; *Osée*, IV; etc. Nous
retrouvons les mêmes perspectives cosmiques dans les historio-
graphies orientales. Lire POLYBE, *Histoires*, 36, 17.

160. « Neminem jam esse hominum arbitror, quem latere possit, quia
hominem in hoc mundo Deus fecerit, unde etiam peccante homine
mundus arguitur ac propter nostram intemperantiam conprimendam
terra haec, in qua vivimus, defectu ceterorum animalium et sterilitate
suorum fructuum castigatur ». OROSE, *Historia adversus paganos*, II, 1,
éd. ZANGEMEISTER, dans *CSEL*, 5 (1882), p. 81; avec B. LACROIX,
Orose et ses idées, Montréal-Paris, 1966, p. 93 ss., 170.

Tout lecteur, tout auditeur, doit savoir comment la nature accompagne l'homme et le juge à mesure au nom de Dieu. A l'historien de vérifier les signes des temps et de traduire en mots tout ce qui est présage et pressentiments. Une de ses préoccupations maîtresses est, en effet, de pouvoir prévenir les décisions de Dieu et d'avertir les hommes, surtout les rois et les chefs, qu'une conduite douteuse peut provoquer des éclipses, amener des comètes et autres dérangements du genre. On n'en finirait pas de relever à propos de tel orage, telle inondation, tel cataclysme, les rapports que l'historien établit plus ou moins gratuitement selon les cas avec telle ou telle conduite humaine. Nous citerons volontiers, à titre d'exemple encore, Nithard, pressé de comparer la récolte et la température au temps heureux de Charlemagne aux désastres de l'époque troublée des fils de Louis le Pieux :

Car au temps de Charlemagne, d'heureuse mémoire, qui mourut il y a déjà près de trente ans, comme le peuple marchait dans une même voie droite, la voie publique du Seigneur, la paix et la concorde régnaient en tous lieux; mais à présent, au contraire, comme chacun suit le sentier qui lui plaît, de tous côtés les dissensions et les querelles se manifestent. C'était alors partout l'abondance et la joie; c'est maintenant partout la misère et la tristesse. Les éléments eux-mêmes étaient alors favorables à chaque roi, mais maintenant ils sont contraires à tous, comme l'atteste l'Ecriture, ce don divin : « Et l'univers luttera contre les insensés » [161].

---

161. V.g. *Sagesse*, V, 21; NITHARD (à propos du mariage de Charles le Chauve, déc. 842), *Histoire des fils de Louis le Pieux*, IV, 7, éd. PH. LAUER, dans *CHFMA*, 7 (1964), p. 144 : « Nam temporibus bone recordationis Magni Karoli, qui evoluto jam pene anno XXX decessit, quoniam hic populus unam eandemque rectam ac per hoc viam Domini publicam incedebat, pax illis atque concordia ubique erat, at nunc econtra, quoniam quique semitam quam cupit incedit, ubique dissentiones et rixae sunt manifestae. Tunc ubique habundantia atque leticia, nunc ubique poenuria atque mesticia. Ipsa elementa tunc cuique rei congrua, hunc autem omnibus ubique contraria, uti Scriptura divino munere prolata testatur : *Et pugnabit orbis terrarum contra insensatos* »

Trois siècles plus tard, Matthieu Paris relie les grands orages de la Mer du Nord des années 1250 aux colères de Dieu, cette fois provoquées par les abus de la curie romaine [162]. Très souvent d'ailleurs il arrêtera son récit pour dire la récolte, la température, ou encore, dans une *conclusio annualis,* il rappellera tel tremblement de terre, telle éclipse, tels nuages... [163]. L'intention est toujours d'amener les hommes à vérifier leur propre conduite à même la réalité immédiate, au nom de l'enseignement biblique traditionnel.

L'HISTOIRE RÉCRÉATIVE. —

Un historien du moyen âge peut rendre encore aux siens d'innombrables services, y compris celui de réfuter l'hérésie [164]. Ce qu'il préfère, semble-t-il, est d'offrir ses services en récréant les siens [165]. C'est facile. Les faits ne cessent de se renouveler. Le matériau est toujours nouveau [166], sans compter les *exempla* et les *miracula* qui font tellement plaisir [167]. *Ad recreationem lectoris* est la formule qui justifie plus que nous l'imaginions longueurs et digressions [168]. Les intentions de ces généreux divertisse-

---

162. Il semble que les propos d'Eusèbe et de Jérôme aient aussi beaucoup marqué nos historiens. Cf. *Chronica majora, a. 1250,* dans *RS,* 57, 7, p. 118-119. Souvent la superstition populaire s'en mêle : ainsi, *ibid.,* t. 9, p. 43, le tonnerre en hiver qui signifie toujours quelque malheur.

163. V.g. *Chronica majora,* dans *RS,* 57, *passim.*

164. V.g. GRÉGOIRE DE TOURS, *Historiarum libri X,* II, 10, 34; V, début et 43; VI, 5, 40; X, 13. FRA SALIMBENE, *Chronica, passim.*

165. V.g. RORICON, *Gesta francorum,* prol., dans *PL,* 139, 589; GUILLAUME DE MALMESBURY, *Gesta regum anglorum,* II, p. 139, dans *RS,* 90, 1, p. 165.

166. Cf. *Die Annalen des Tholomeus von Lucca,* début, éd. SCHMEIDLER, dans *SRG, nova series,* 8 (1955), p. 1-2. Cf. *Gerardi Maurisii cronica,* début, éd. SORANZO, dans *RIS,* 8, 4 (1913), p. 3.

167. *Supra,* p. 75 ss.

168. *Supra,* p. 125 ss.

ments sont avant tout pédagogiques, dirait Liutprand
de Crémone, en citant Boèce :
Les yeux se fatiguent vite des rayons solaires directs. A
moins que l'on n'y interpose quelque chose de substantiel,
la pureté de la vue en souffre; ainsi en est-il de l'esprit des
académiciens, des péripatéticiens et des stoïciens, qui s'affaiblira par une méditation trop constante de leur doctrine,
à moins qu'habilement on ne le revivifie, en le faisant rire,
par un recours à la comédie ou à de belles histoires de
héros [169].

Si l'historiographe déride et divertit des malheurs
de la vie [170], *Eulogium* est un titre bien trouvé pour
une oeuvre historique, car *Eulogium* veut dire *beau
discours* [171] : c'est un vrai *beau discours* d'écrire
pour le repos de ceux qui étudient et de chasser l'en-
nui de ceux qui ont de mauvaises idées. Au temps
de Bayard on proclamera très hautement les bienfaits de l'histoire récréative. Rabelais caricature dans
ses chroniques plantureuses et d'une manière qui ne
peut être que la sienne, les intentions de cette littérature tout en récits et faite à la fois pour éduquer
et divertir [172].

Bien entendu, la récréation du lecteur est une
motivation additionnelle; elle obéit en général aux
autres motivations plus objectives, dont nous avons
déjà parlé. Ou plutôt, nous ne devrions pas trop

169. *Antapodosis*, I, 1, éd. Becker, dans *SRG in usum...*, 1915,
p. 4 : « Nam si fallor, sicut obtutus, nisi alicujus interpositione substantiae, solis radiis reverberatus obtunditur, ne pure, ut est, videatur, ita
plane mens achademicorum, peripatheticorum, stoicorumque doctrinarum jugi meditationi infirmatur, si non aut utili comoediarum risu aut
heroum delectabili historia refocilatur ». Cf. Boèce, *De consolatione
philosophiae*, I, 1.

170. À titre d'exemple, la lettre de Henri de Huntingdon à l'évêque
de Lincoln, éditée par Arnold, dans *RS*, 74, p. 1-3. Tite-Live, Rufin
et bien d'autres ont vu aussi dans l'historiographie une manière de se
distraire des malheurs de l'époque.

171. Cf. *Eulogium, prooemium*, éd. Haydon, dans *RS* 9, 1 (1858),
p. 4-5.

172. Cf. *La très joyeuse, plaisante et récréative histoire du gentil
seigneur de Bayart* (i.e. Pierre Terrail † 1524) : voir Potthast, à
« Loyal Serviteur », 1896, p. 746.

distinguer puisque toutes les intentions sont bonnes et possibles. Raoul de Caen écrit ici ce que Bède, le chroniqueur de Saint-Denis, ou tout historien de Saint-Albans, pourrait signer :

C'est une noble entreprise de rapporter les actions illustres des princes. Cette utile occupation ne laisse dans l'oubli aucun intervalle de temps. En célébrant les morts, on ré- crée ceux qui leur survivent, on prépare de bonnes leçons à la postérité, longtemps avant qu'elle vienne. On fait ainsi revivre le passé, on raconte les victoires, on rend hommage aux vainqueurs, on flétrit la lâcheté, on élève la vaillance, on repousse le vice, on inspire la vertu, on rend les plus grands services. Nous devons ainsi nous appliquer avec le plus grand soin à lire ce qui a été écrit, à écrire ce qui mérite d'être lu, afin que lisant les choses anciennes et écrivant des choses nouvelles, nous trouvions, d'une part, dans l'antiquité de quoi satisfaire notre ardeur de savoir, et nous transmettions d'autre part, les mêmes ressources à la postérité [173].

RAISONS PERSONNELLES. —

Faut-il le dire, tout de suite, l'historien idéal de Lucien de Samosate [174], l'historien « sans crainte, impartial, étranger dans ses livres, sans patrie et sans

---

173. « Nobile est studium res probe gestas principum recensere, cujus beneficii largitas nihil temporis immune praeterit, sepultos celebrat, oblectat superstites, posteris longe ante vitam praestruit doctrinam; dum quod transiit refert, dum victorias profert, dum victoribus defert; sequitiem aufert, probitatem affert, vitia transfert, virtutes infert, plurimum confert. Debemus igitur summa ope niti et legere scripta, et scribendo legenda; quatinus legendo vetera, scriptitando nova, hinc nos antiquitas egentes satiet, inde posteritatem satiati nutriamus egen- tem ». *Gesta Tancredi*, préface, dans *PL*, 155, 491. Aussi WIPO, *Gesta Chuonradi imperatoris*, prol., éd. BRESLAU, dans *SRG in usum...*, 1915, p. 4-8, qui écrit pour être utile à sa patrie, à la postérité, au lecteur, à la vie publique; en même temps il évite l'oisiveté. MATTHIEU PARIS, *Chronica majora*, prol., dans *RS*, 57, 1, p. 1, écrit pour apprendre, soulager la mémoire des hommes, guider leur vie et la sienne aussi, pour imiter et continuer les anciens. JACQUES DE VITRY, qui écrit à la fois pour la postérité et ses contemporains, espère aussi inspirer les croisés par ses exemples; il veut être utile à la foi et à la réforme des moeurs, il entend réfuter les infidèles et confondre les impies. Voir *Hist. hierosolymitana*, préf., éd. BONGORS, p. 1047-48.

174. D'après LUCIEN DE SAMOSATE, *Comment on écrit l'histoire,*

roi », n'a jamais existé. Sûrement pas en Grèce, ni
à Rome, ni surtout pas entre 500 et 1500 de notre
ère. Même si plusieurs historiens du moyen âge n'ont
pas toujours signé leurs chroniques et leurs annales [175], ils n'en sont pas moins engagés personnelle-
ment dans leurs récits, ne fusse qu'en tant que moralisateurs. Ces hommes fort dévots [176] et plutôt
enclins à convertir les autres viennent à l'histoire
parce qu'ils aiment la Bible et le passé [177]. Est-ce
l'étude de la grammaire qui les a éveillés à cette
discipline particulière [178] ? Rien ne les encourage au
premier abord à devenir historiographes, sinon encore une fois les précédents bibliques, dont témoigne
au douzième siècle la première *Historia scholastica*

p. 39. On pourra une fois de plus recourir à CICÉRON, *De oratore*, II,
13 à 15, sur le passé des historiens grecs et romains. Avec *The Idea of
History in the Ancient Near East*, Yale Univ. Press, 1955; J. T.
SHOTWELL, *The History of History*, I, New York, 1937.

175. V.g. Grégoire de Tours, Isidore de Séville, Bède, etc.

176. Aucune étude encore sur l'anonymat des historiens du moyen
âge. Lire les propos de SALVIEN DE MARSEILLE, *Epist.* 9, éd. PAULY,
dans *CSEL*, 8 (1883), p. 220-221.

177. Si on relit les textes patristiques et plus particulièrement le
De catechizandis rudibus d'un saint Augustin, on a une idée de la place
de premier plan que joue l'historiographie biblique dans la formation
religieuse du chrétien : l'historiographie biblique est la première historiographie à jouir du privilège d'un enseignement officiel et direct. Cet
enseignement s'adresse à tous. Même le plus « rude » y est tenu. Pour
être admis au baptême, il faut un bon et rapide résumé de toute
l'historiographie judéo-chrétienne depuis Adam jusqu'à son temps.
Les historiens du haut moyen âge sont les héritiers de cette tradition.

178. V.g. RABAN MAUR, *De clericorum institutione*, III, 18, dans
PL, 107, 395 : « Grammatica est scientia interpretandi poetas atque
historicos et recte scribendi loquendique ratio. Haec et origo et funda-
mentum est artium liberalium. Hanc itaque scholam Dominicam legere
convenit, quia scientia recte loquendi et scribendi ratio in ipsa consistit ». Voir A. GWYNN, *Roman Education from Cicero to Quintilian*,
Oxford, 1926, p. 102 ss.; W. M. GREEN, *Augustine on the Teaching of
History*, dans *University of California Publications in Classical Philo-
logy*, 12 (1944), no. 18, p. 315-332. Voir H. I. MARROU, *Saint Augustin
et la fin de la culture antique*, Paris, 1939, p. 404 ss.; P. RICHÉ,
Éducation et culture dans l'Occident barbare (VIe-VIIIe siècles), Paris,
1962.

et auxquels ils se réfèrent constamment quand il s'agit de justifier une initiative [179].

Certains facteurs ont pu tout de même influencer des individus. Ainsi le fait que les grands fassent parfois appel aux historiens, qu'ils se fassent accompagner d'eux dans des expéditions même militaires [180]; il arrive en outre comme à Saint-Denis et à Saint-Albans que des « écoles », des traditions d'historiens se forment [181]. L'exemple porte à l'imitation [182]. La plupart, cependant, commenceraient à écrire assez tardivement [183]. Ceci aussi est à retenir. Grégoire de Tours termine ses dix livres d'histoire vingt et un ans après son ordination sacerdotale; Guibert de Nogent rédige ses *Gesta Dei per francos* dans la cinquantaine, vers 1106, alors qu'il vit à l'abbaye Saint-Germain de Fly, occupé en ce temps-là à commenter les Ecritures, la *Genèse* et *Ezéchiel* [184]. Rigord de Saint-Denis [185], médecin et moine

179. Cf. B. SMALLEY, *The Study of the Bible in the Middle Ages*, Oxford, 1952.

180. Cf. R. R. BEZZOLA, *Les origines et la formation de la littérature courtoise en Occident (500-1200)*, III, t. 1, p. 104 ss.

181. Sur l'historiographie à Saint-Denis, voir *Grandes chroniques de France*, dans *Dict. des lettres françaises* : *Le Moyen Âge*, p. 193-194; sur Saint-Albans, les travaux de V. H. GALBRAITH, dont *Roger Wendover and Matthew Paris*, Glasgow University Publications, 1944; *The St. Albans Chronicle, 1406-1420*, Oxford, 1936; C. JENKINS, *The Monastic Chronicler and the Early School of St. Albans*, Londres 1922; avec J. W. THOMPSON, *A History of Historical Writing*, I, p. 276-79; 393 ss.

182. *Supra*, p. 121-122, sans jamais oublier les progrès accomplis depuis Grégoire de Tours et ses difficultés à écrire convenablement. Voir *Historiarum libri X*, X, 21, éd. KRUSCH et LEVISON, dans *MGH-Script. rerum merovingicarum*, I (1951), p. 535-6.

183. Cf. les pages que R. R. BEZZOLA consacre aux historiens latins et français, dans *Les origines et la formation de la littérature courtoise en Occident (500-1200)*, III, t. 1, p. 104-207.

184. Cf. *Historiarum libri X*, X, fin, dans *MGH-Script. rer. merovingicarum*, I, p. 537. J. CHAURAND, *La conception de l'histoire de Guibert de Nogent (1053-1124)*, dans *Cahiers de civilisation médiévale*, 8 (1965), p. 381-395.

185. *Gesta Philippi II Augusti*, dédicace, dans *Oeuvres de Rigord*, éd. DELABORDE, dans *SHF*, 1882, p. 4-5.

déjà, prend dix ans pour écrire sa seule histoire de
Philippe Auguste, entre 1187 et 1196. Fatigué et
malade, à 67 ans Orderic Vital [186] écrit encore, alors
que Jacques d'Aurié (*fl.* 1280) s'arrêtera à 60
ans [187] et que Baudri de Bourgueil († 1130) commence à cet âge [188]. Ekkehard IV (*fl.* 1050) aurait
repris son texte cinq fois [189]. L'aveu de Robert le
Moine à propos de sa *Hierosolymitana expeditio*
(vers 1100) en dit long sur la condition personnelle
de l'historien et son isolement pratique :

N'ayant d'autre secrétaire que moi-même, j'ai dicté et écrit;
en sorte que, sans interruption, ma main a obéi à mon
esprit, ma plume à ma main, et mon feuillet à ma plume...
Si quelqu'un désire connaître le lieu où a été composée cette
histoire, qu'il sache qu'elle a été faite dans une cellule du
cloître de saint Remi, en l'évêché de Reims, et s'il veut
savoir le nom de l'auteur : il s'appelle Robert [190].

Revenant aux vocations personnelles, nous apprenons par Guillaume de Malmesbury [191] qu'il est

186. Cf. *Hist. eccl.* VIII, 27, éd. Le Provost, dans *SHF* (1845-
(1855), t. 3, p. 453. Aussi IX, 1, p. 459-60; IX, 18, p. 622-4; XIII,
t. 5, p. 133.

187. Cf. *Annales*, éd. C. Impériale, dans *Fonti per la Storia d'Italia*,
14 bis (1929), p. 3.

188. Baudri de Bourgueil veut que l'on se souvienne qu'il n'a
commencé à écrire qu'à la soixantaine : « ad scribendum pene sexage-
nariam appuli manum ». *Historia hierosolymitana*, début, dans *Recueil
des historiens des croisades, Historiens occidentaux*, t. IV, p. 10.

189. Voir G. Pertz, dans Ekkehard IV, *De casibus monasterii*,
dans *MGH-SS*, 6 (1844), p. 1-8.

190. *Op. cit.*, dans *PL*, 155, 669-70 : « Ego vero, quia notarium non
habui alium nisi me, et dictavi, et scripsi; sic quod continuatim paruit
menti manus, et manui penna... Si quis affectat scire locum quo haec
historia composita fuerit, sciat esse claustrum cujusdam cellae S. Remigii
constitutae in episcopatu Remensi. Si nomen auctoris exigitur, qui eam
composuit, Robertus appellatur ».

191. Cf. *Gesta regum anglorum*, II, prol., éd. Stubbs, dans *RS*, 90,
1 (1887), p. 103 : « Diu est quod, et parentum cura, et meapte diligentia, libris insuevi. Haec me voluptas jam inde a pueritia cepit; haec
illecebra mecum parilibus adolevit annis : nam et ita a patre institutus

venu à l'historiographie à cause de son père, qui lui
aurait donné très tôt le goût de l'étude; d'abord il
s'est intéressé à la logique, puis à la physique, à
l'éthique; enfin vint l'histoire ! Enfin ? parce que
l'histoire est une discipline des plus agréables, qui
en plus d'occuper l'esprit, oriente l'agir; en même
temps elle récrée, elle édifie [192]. Quand Roland de
Padoue († 1276) a vu, un jour, son père prendre
des notes sur des tablettes, le goût lui est venu à
lui aussi d'écrire [193]. Un autre, moine de Meaux [194],
sent l'appel de Clio en remuant les vieux parchemins
du monastère. La vocation de Lambert Waterlos
est plus « miraculeuse » encore : une nuit après
Matines, s'étant mis au lit, tout à coup il a senti
comme un appel, une inspiration divine quoi ! D'où

---

eram, ut, si ad diversa declinarem studia, esset animae dispendium, et
famae periculum. Quocirca memor sententiae : « Cupias quodcunque
necesse est », extorsi juventuti meae ut libenter vellem quod non velle
honeste non possem. Et multis quidem litteris impendi operam, sed
aliis aliam. Logicam enim, quae armat eloquium, solo libavi auditu;
physicam, quae medetur valetudini corporum, aliquanto pressius concepi; jam vero ethicae partes medullitus rimatus, illius majestati assurgo,
quod per se studentibus pateat, et animos ad bene vivendum componat ».

192. *Ibid.*, p. 103 : « Historiam praecipue, quae, jocunda quadam
gestorum notitia mores condiens, ad bona sequenda vel mala cavenda
legentes exemplis irritat. Itaque, cum domesticis sumptibus nonnullos
exterarum gentium historicos conflassem, familiari otio quaerere perrexi
si quid de nostra geste memorabile posteris posset reperiri ».

193. *Rolandini Patavini chronica,* prol., éd. BONARDI, dans *RIS,* 8,
1 (1905), p. 7 : « Pie namque memorie pater meus, notarie artem exercens in Padua, animum suum applicuit, ut non solum contractus scriberet,
set et facta quedam de marchia Tarvisina more bonorum simplicium
antiquorum notaret, notata quoque michi dedit in scriptis, quibus me
aliqua superaddere jussit, cum jam annus etatis mee vigesimus tertius
decurrebat. Sic itaque, volens ipsi succedere bone fidei possessori,
paternis scriptis addere attemptavi, que me partim recolo audivisse et
post ejus jussa pro magna parte vidisse me profiteor et scripsisse ».

194. *Chronicorum monasterii de Melsa continuatio,* éd. E. A. BOND,
dans *RS,* 43, 3 (1868), p. 237 : « Cum praeclarorum hujus monasterii
abbatum gesta agnoscere magnaliter desiderarem, et, membrana quaedam monasterii vicissim perlegendo, concepi ipsorum venerabilium
patrum actus insignes nullatenus memoriae commendari... ».

la rédaction au moins partielle des *Annales cameracenses* [195]. Beaucoup moins enthousiaste que le titre
de son oeuvre ne le laisse entendre, l'auteur de *l'Eulogium* [196] raconte comment, fatigué de la vie, frustré,
scandalisé, accablé de distractions et de pensées
pessimistes, avec des offices religieux beaucoup trop
longs, il s'est mis à chercher et qu'il a enfin trouvé
l'heureux moyen de se libérer : écrire l'histoire.
Ce qu'il fera sera peut-être fruste, au moins il sera
utile, à lui et aux autres [197].

Chez les moines, les vocations individuelles sont
rares. La raison communautaire domine. Tout chez
eux favorise le culte du passé et l'historiographie
est un domaine qu'*ils se sont presque réservé* [198].
Avec son rythme, sa stabilité, sa solitude et ses amitiés, la vie monastique constitue un excellent milieu
pour les historiens. L'abbé peut-être attend un texte.
L'évangile des talents revient [199]. Il faut faire fruc-

---

195. *Lamberti Waterlos Annales Cameracenses, a. 1169*, éd. PERTZ,
dans *MGH-SS*, 16 (1858), p. 550.

196. *Eulogium, prooemium*, éd. F. S. HAYDON, dans *RS*, 9, 1 (1858),
p. 2 : « Sedens igitur in claustro pluries fatigatus, sensu hebetato, virtutibus frustratus, pessimis cogitationibus saepe sanciatus, tum propter
lectionum longitudinem ac orationum lassitudinem, propter vanas jactan-
tias et opera pessima in saeculo praehabita, et eorum delectationem
et consensum, et quod pessimum est, multitudinem, cogitans ergo
quomodo tales infestationes, talia jacula ignita quoquam modum possem
extinguere [ejus] qui claustralis conscientiam plurimis cicatricibus
nititur vulnerare, decrevi ut potui ad rogatum superiorum meorum
fractatum aliquem ex variis auctorum exceptum laboribus ad notitiam
cudere futurorum. Rogatus enim pluries a priori meo claustrali quod
de gestis antiquorum, de partibus propinquis ac remotis, de mirabilibus,
de bellis, de gestis antiquis Christianorum et Paganorum modo chronico
aliquid actitarem, ita et caetera otia omnino infructuosa levius evacua-
rem, ego vero rogatui suo favens et vota mea desideriis suis attribuens
secundum quod mihi per prius modum et materiam multotiens insinua-
verat, istud breviarium non modo decenti nec ornato sed viscoso et
conglobato, ruda structura manu propria sculpavi ».

197. *Ibid.*

198. Cf. PH. SCHMITZ, *Histoire de l'Ordre de saint Benoît*, éd.
Maredsous, t. 2, 1942, p. 142-190; t. 5, 1949, p. 226-301.

199. ORDERIC VITAL, *Hist. ecclesiastica*, V, 1, éd. LE PROVOST et

tifier ses dons personnels, si minimes soient-ils. Il ne faut surtout pas laisser la lumière sous le boisseau [200]. Attention tout de même !

Se laisser emporter au souffle de la faveur populaire, écrit le bénédictin Guillaume de Jumièges, se délecter dans ses applaudissements flatteurs autant que pernicieux, s'engager dans les séductions du monde, ne conviendrait point à celui qui vit étroitement enfermé dans des murailles et qui doit les chérir de toute la dévotion de son coeur pour travailler à l'agrandissement de la Jérusalem céleste, à celui que le respect qu'il doit à son habit et la profession à laquelle il est voué tiennent également séparé du monde [201].

Evidemment la vraie raison d'écrire est l'obéissance au Père abbé [202], qui explique la rédaction des meilleures chroniques et annales de l'époque. Si l'abbé lui-même ne s'est pas déjà mis à la tâche, il a demandé à quelqu'un de ses moines. Quel ascendant ont ces abbés ! Richer avoue que l'autorité bienveillante de Gerbert est tout pour lui [203]; Rigord

---

L. DELISLE, 1840, t. 2, p. 300, ne veut pas arriver au jugement dernier, talents cachés en terre. Même thème chez l'évêque FRÉCULPHE DE LISIEUX, dans *PL*, 106, 917.

200. Cf. *Gesta Henrici archiepiscopi Treverensis, prologus,* éd. WAITZ, dans *MGH-SS*, 24 (1879), p. 457; aussi WIPO, *Gesta Chuonradi secundi imperatoris, prologus,* éd. H. BRESLAU, dans *SRG in usum...,* 1915, p. 7.

201. *Historia northmannorum, Epist.,* dans *PL*, 149, 780 : «Non enim populari aura leni sed pernicioso arrisa blandiente delectari, atque illecebra mundo implicari condecet, quam angustiae maceriarum, pro superna Jerusalem amplitudine devotissimo corde amplectendae, includunt; quem tam habitus reverentia, quam vitae professio a mundo secludunt ».

202. V.g. RICHARD DE DEVIZES, *De rebus gestis Ricardi,* préface, dans *RS*, 82, 3, p. 382. Il en sera de même du prêtre à l'égard de son évêque : v.g. SIMON DE DURHAM, qui écrit au début de son *Historia Dunelmensis ecclesiae,* éd. ARNOLD, dans *RS*, 75, 1 (1857), p. 3 : « Exordium hujus hoc est. Dunelmensis ecclesiae describere majorum auctoritate jussus, ingenii tardioris et imperitiae mihi conscius, non obedire prius cogitaveram; sed rursus obedientiae hoc praecipientium plusquam meis viribus confidens, juxta sensus mei qualitatem studium adhibui ».

203. Cf. *Histoire de France,* prol., éd. LATOUCHE, dans *CHFMA*, 12 (1930), p. 3 ss.

de Saint-Denis, bénédictin maintenant, explique de même que sans l'intervention charitable de son abbé, il aurait vite tout abandonné :

> ... Je m'étais décidé à sacrifier, à détruire cet ouvrage, fruit de 10 ans de travaux, ou du moins à le tenir enseveli dans l'ombre du secret pendant toute ma vie. Mais j'ai cédé aux prières du vénérable père Hugues, abbé de Saint-Denis, à qui j'en avais secrètement fait confidence, et c'est pour obéir à ses instances que j'ai mis au jour cette histoire [204].

La vie au cloître entraîne avec elle un certain bonheur à donner et à travailler en toute gratuité. Joie d'occuper sagement son temps qui rassure Orderic Vital au moment où il commence à rédiger son *Historia ecclesiastica :*

> En effet, comme il ne m'appartient pas de commander aux autres, je me borne à fuir une oisiveté stérile, et, m'exerçant à quelque entreprise autant que le comporte ma faiblesse, je ferai tous mes efforts pour être agréable à mes seuls supérieurs [205].

Même si Orderic est vieux et infirme, même s'il doit raconter les échecs des croisés, il sait où trouver sa vraie sécurité :

> Me voilà courbé sous le poids des années et des infirmités. J'éprouve le désir de terminer ce livre, et, d'après plusieurs motifs la raison exige bien certainement qu'il en soit ainsi. En effet, j'ai passé soixante-sept ans de ma vie dans le culte de Notre-Seigneur Jésus-Christ ; et pendant que je vois les grands de ce siècle accablés de rudes infortunes et de maux les plus fâcheux pour eux, je suis grâce à Dieu fort de la sécurité que me donne ma soumission et de la joie que je dois à la pauvreté [206].

---

204. *Oeuvres de Rigord et de Guillaume le Breton,* éd. H. F. DELABORDE, dans *SHF,* 1 (1882), p. 4.

205. *Op. cit.,* prol., éd. LE PROVOST et L. DELISLE, dans *SHF,* 1 (1838), p. 2 : « ...Verum, quia non est meum aliis imperare, inutile saltem nitor otium declinare, et, memetipsum exercens, aliquid actitare quod meis debeat symmaticis placere ».

206. *Ibid.,* IX, 1, t. 3, p. 459-60 : « Praepedior senio, utpote sexagenarius, et in claustro regulari educatus, a pueritia monachus. Magnum vero scribendi laborem amodo perpeti nequeo. Notarios autem, qui mea

La *Regula monachorum* encourage ces fidélités entêtées, en même temps qu'elle glorifie le travail personnel. On n'en finirait pas de relever les textes [207].

Si l'obéissance du clerc à son évêque est d'un autre style, elle encourage tout autant l'initiative. Souvent à l'exemple des abbés, l'évêque a pris la plume, parce qu'il se sait responsable de son diocèse et de son milieu. — On le sent encore au XIIIᵉ siècle [208], en lisant Guillaume de Tyr, comme en lisant les récits « engagés » de l'évêque franc des années 573-591, Grégoire de Tours. — Tout naturellement, à cause de sa fonction, l'évêque propose un message aux siens, qui porte généralement sur la manière de conduire leur vie et surtout d'éviter l'hérésie, le pire mal qui soit pour un « fidèle ».

Pourquoi l'historiographie ne serait-elle pas en même temps qu'un acte d'obéissance et un acte

nunc excerpant dicta, non habeo, ideoque praesens opusculum finire festino. Nonum itaque libellum nunc incipiam, in quo de Jerosolymitanis quaedam seriatim et veraciter persequi satagam, Deo mihi conferente opem necessariam ». Ou encore, *ibid.*, XIII, 44, t. 5, p. 133 : « Ecce senio et infirmitate fatigatus librum hunc finire cupio, et hoc ut fiat pluribus ex causis manifeste exposcit ratio. Nam sexagesimum septimum aetatis meae annum in cultu Domini mei J. C. perago, et, dum optimates hujus saeculi gravibus infortuniis sibique valde contrariis comprimi video, gratia Dei roboratus, securitate subjectionis et paupertatis tripudio ». Voir note suivante.

207. Voir *Regula monachorum*, 48. La crainte de l'oisiveté surtout est une invitation au travail, selon le mot bien connu au moyen âge de Sénèque, *Epist. 82*, 2 : *Otium sine litteris mors est.* On lira avec profit les pages remarquables que H. Wolter consacre à Orderic Vital sur les motivations d'écrire l'histoire, dans *Ordericus Vitalis, Ein Beitrag zur kluniazensischen Geschichtschreibung*, Wiesbaden, 1955, IV. Teil, p. 72-86.

208. V.g. Guillaume de Tyr, *Historia rerum...*, prol., dans *PL*, 201, 209-214 (éd. Huygens, dans *Studi medievali*, V [1964], p. 343). C'est un évêque, Prudence de Troyes, qui rédige la deuxième partie des *Annales de Saint-Bertin*, dans *SHF*, 1964, introduction de L. Levillain, p. xiii.

pastoral, une sorte de dérivatif personnel contre la tristesse et un moyen de surmonter les misères de la vie ? Tite-Live, Eusèbe de Césarée, Rufin, bien d'autres l'ont pensé [209]. Une fois de plus les médiévaux endossent l'antiquité :

Henri de Huntingdon

L'un des avantages que je compte retirer de mon travail, ce sera de trouver, du moins tant que mon esprit s'appliquera tout entier à retrouver ces antiquités, une diversion aux spectacles funestes dont notre siècle a été si longtemps le témoin [210].

Othon de Freising

En examinant souvent en long et en large dans mon coeur les changements et les vicissitudes des affaires temporelles et leur destinée changeante et irrégulière — et même si je concède qu'un sage ne devrait pas s'accrocher à elles — j'ai découvert que l'on peut se libérer et s'évader d'elles par la puissance de la raison [211].

---

209. TITE-LIVE, *Ab urbe condita,* début : « ...Tandis que moi, l'un des avantages que je compte retirer de mon travail sera de trouver, du moins tant que mon esprit s'appliquera tout entier à retrouver ces antiquités, une diversion aux spectacles funestes dont notre siècle a été si longtemps le témoin ...». EUSÈBE DE CÉSARÉE, *Hist. eccl.,* I, 1, 4 : « Heureux si je puis sauver de l'oubli les successions »; *ibid.,* V, introduction, 3-4. Le point de vue de son traducteur latin, Rufin, est plus égoïste en un sens puisque l'histoire est présentée ici comme un antidote aux maux actuels : « à la lire, les âmes seraient captivées; à porter leur curiosité sur les gestes de l'histoire, elles oublieraient un peu leurs maux ».

210. *Historia anglorum,* prol., éd. Th. ARNOLD, dans *RS,* 74 (1879), p. 1 : « Cum in omni fere literarum studio dulce laboris lenimen et summum doloris solamen, dum vivitur, insitum considerem, tum delectabilius et majoris praerogativa claritatis historiarum splendorem amplectendum crediderim. Nihil namque magis in vita egregium quam vitae calles egregie indagare et frequentare ».

211. *Chronica,* prol., éd. HOFMEISTER, dans *SRG in usum...,* 1912, p. 6 : « Sepe multumque volvendo mecum de rerum temporalium motu ancipitique statu, vario ac inordinato, proventu; sicut eis inherendum a sapiente minime considero, sic ab eis transeundum ac migrandum intuitu rationis invenio ».

Nous avons déjà à ce propos rencontré Liutprand de Crémone, l'homme maltraité, qui ne veut pas perdre espoir [212]. L'écriture apaise, dit-il; elle offre à son *homme intérieur* l'occasion de mesurer la réalité telle qu'elle est :

A mon homme extérieur de céder alors à mon homme intérieur et au lieu d'abhorrer ses infortunes, qu'il se réjouisse plutôt en elles; s'il se met à écrire et qu'il raconte comment la roue de la fortune en élève certains pour en abaisser d'autres, il sentira à un degré moindre l'incommodité de sa situation présente et il se réjouira de sa mutabilité. Qu'il ne craigne pas les pires infortunes, qui ne peuvent plus lui arriver, sinon lorsque la mort et la déchéance des membres se produiront; plutôt qu'il espère toujours en la fortune. Si celle-ci modifie ce qui est, elle lui apportera le salut dont il a besoin et elle éloignera les infortunes du moment. Qu'il écrive donc et qu'il ajoute à ce qu'il a déjà dit [213].

A ces raisons « personnelles » avouées, il faudrait peut-être ajouter celles qu'on n'avoue pas toujours : désir de se faire lire et approuver par un grand, par le roi si possible, — c'est l'opération de prestige par excellence, — la joie de présenter soi-même un texte [214]; le besoin d'avoir raison, de justifier une

---

212. Cf. *Antapodosis,* VI, 1, éd. BECKER, dans *SRG in usum...,* 1915, p. 152 : « Interior vero apostolicis confirmatus institutis, in hujusmodi tribulationibus gloriatur sciens, quod tribulatio patientiam operatur, patientia autem probationem, probatio vero spem; spes autem non confundit, quia caritas Dei diffusa est in cordibus nostris per Spiritum sanctum, qui datus est nobis ».

213. *Ibid.* : « Pareat itaque interiori exterior, suaque infortunia non solum non abhorreat, verum in his potius conquiescat; dumque scribendi operam dans fortunae rota elevari hos, illos deprimi dixerit, praesentem incommoditatem minus sentiet ejusque mutabilitati congaudens deteriora, quod fieri nequit, ni mors aut membrorum debilitatio intercedat, jam non metuat, sed fortunata semper expectet. Instantia enim si mutaverit, salutem, quae deest, adferet, infortunatum, quod adest, expellet. Scribat itaque, et superioribus vera haec quae secuntur, adjungat ». *Supra,* note 44.

214. On pourra se reporter aux jugements plutôt sévères de la *Chronica slavorum,* II, préf., dans *SRG in usum...,* p. 188.

possession, une idée [215]; de faire plaisir [216]. Bède a beau être saint, il veut que le roi le lise et l'approuve [217]. Les libéralités princières font surgir des talents imprévus jusque dans les abbayes [218]. Othon de Freising peut faire la morale à son empereur sur le caractère passager des choses humaines; il s'attend à ce que Frédéric Barberousse fasse un don à l'église [219]. Le pire, dirait Giraud le Cambrien, c'est d'avoir un roi illettré [220]. Un *roi sans lettres* est un

---

215. On retrouve souvent la mention des privilèges, des lettres patentes dans les chroniques, v.g. MATTHIEU PARIS, *Chronica majora, a. 1252*, dans *RS*, 57, 5, p. 296 ss.

216. Dédicace de *Gesta Philippi II Augusti. Oeuvres de Rigord* dans *SHF*, t. 1, p. 1. Tout comme Joinville écrit pour faire plaisir à la reine, Lambert d'Ardres, qui écrit à la fin du XIIe siècle une histoire des comtes de Guines (cf. *MGH-SS*, 24, 550 s.), l'aurait fait pour répondre aux voeux d'Arnould, un seigneur d'Ardres, et surtout pour reconquérir les bonnes grâces perdues du comte Baudoin (avec F. L. GANSHOF, *À propos de la chronique de Lambert d'Ardres*, dans *Mélanges d'histoire du moyen âge offerts à F. Lot*, Paris, 1925, p. 211).

217. Cf. *Historia ecclesiastica gentis anglorum*, préface, éd. PLUMMER, 1906, p. 5.

218. V.g. HUGUES DE FLEURY, *Liber qui modernorum regum francorum continet actus, prologus*, éd. WAITZ, dans *MGH-SS*, 9 (1851), p. 376; ORDERIC VITAL, *Historia ecclesiastica*, fin du livre III, dans *SHF*, t. 2, p. 161. Sur le patronage en Angleterre médiévale, les textes ne manquent pas; cf. K. J. HOLZKNECHT, *Literary Patronage in the Middle Ages*, Philadelphia, 1923, p. 64 s.

219. Cf. *Chronica*, dédicace, éd. HOFMEISTER, dans *SRG in usum...*, 1912, p. 3 : « Itaque si vestrae placuerit majestati gestorum vestrorum nobilissinam in posterorum memoriam stilo commendare seriem, per notarios vestrae celsitudinis digestis capitulis mihique transmissis, Deo dante vitaque comite, ea laeto animo prosequi non pigritabor, nichil aliud pro munere expectans, nisi quod ecclesiae, qui deservio, in oportunitatibus suis vestra subvenire velit imperialis clementia ».

220. Né en 1147 près de Pembroke, normand par son père, gallois par sa mère, Giraud le Cambrien étudie à Paris, se brouille avec ses proches, écrit une oeuvre variée et pittoresque (cf. *RS*, 21, éd. DIMOCK, 8 volumes, 1867-1891), qu'il présente lui-même, *De jure et statu Menevensi Ecclesiae* (*ca.* 1218), dans *RS*, 21, t. 3, p. 332 ss. Sur la postérité, voir v.g. *Descriptio Kambriae, praefatio prima*, dans *RS*, 21, 6, p. 157; *Itinerarium Kambriae*, t. 6, p. 6-7; *De principis instructione*, 1, préface, t. 8, p. 6; aussi *Expugnatio hibernica*, II, *praefatio, ibid.*, t. 5, p. 307;

navire sans rames [221]. Pour sa part, Giraud sait qu'il n'obtiendra rien du roi; il écrit quand même, espérant que la postérité corrigera cette ingratitude [222].

Eginhard est heureux, Charlemagne l'a aimé. Puisque le grand empereur est mort, il fait durer cette amitié qui désormais vit de reconnaissance :

A ces motifs de composer mon livre s'en ajoute un autre — raisonnable, je pense, et qui eût pu suffire à lui seul : la reconnaissance envers l'homme qui m'a nourri et l'amitié indéfectible nouée tant avec lui qu'avec ses enfants dès que j'ai commencé à vivre à sa cour. La dette que j'ai contractée ainsi envers lui et envers sa mémoire est telle que j'aurais l'air d'un ingrat et qu'on serait fondé à me juger de la sorte si, oublieux de tous les bienfaits dont j'ai été gratifié, je passais sous silence les actes glorieux et illustrés de celui à qui j'ai tant d'obligations et si je souffrais que sa vie restât, comme non avenue, ignorée et privée des louanges qui lui sont dues [223].

D'autres voudront honorer un absent, un défunt, un héro, un saint dont ils espèrent une protection particulière contre les difficultés de la vie [224]. Plusieurs disent qu'ils écrivent pour réparer, expier leurs fau-

---

Topographia hibernica, praef. sec., ibid., p. 21. Giraud espère au moins que la postérité le dédommagera des injustices de ses contemporains.

221. « Rex equidem sine litteris, navis est sine remige, et volucris sine pennis ». Pierre de Blois, *Epist. 67*, dans *PL*, 207, 211.

222. V.g. *Descriptio Kambriae, praef. prima*, dans *RS*, 21, 6, p. 157; *Itinerarium Kambriae, praef. prima*, p. 6-7; etc. — Cf. Ch. H. Haskins, *Henri II as a Patron of Literature*, dans *Essays in Mediaeval History*, Manchester 1925, p. 71-77; surtout R. R. Bezzola, *Les origines et la formation de la littérature courtoise en Occident (500-1200)*, III, 1, p. 47-70.

223. *Vita Caroli*, prologue, éd. Halphen, 1947, p. 5. — Guillaume de Jumièges, *Historia northmannorum*, VIII, 33, dans *PL*, 149, 901 : « ...Quant à nous, n'oubliant pas les bienfaits dont nous avons été si généreusement comblés tant par Henri I que par sa fille Mathilde, l'auguste impératrice, et ne voulant pas paraître ingrat... ». Ou encore, Olivier de la Marche, *Mémoires*, prologue, éd. Beaune et d'Arbaumont, 1883, t. 1, p. 10 : « ...toutefois pour l'acquit de ma leaulté, l'amour que j'ay à vous, et (afin) que le service que je vous doy soit et demeure plus longuement en vostre vertueux souvenir... ».

224. Orderic Vital, *Hist. eccl.*, II, 14, t. 1, p. 347.

tes [225], détourner le jugement du Seigneur. Guillaume de Tyr exprime ce que pensent nombre d'écrivains de son temps :

Nous sommes assuré et nous n'avons pas conscience de nous tromper en l'affirmant que cet ouvrage prouve une insuffisance; mais au lieu de nous taire nous préférons par devoir de charité exhiber nos misères; nous préférons être *sans ce qui enfle* plutôt que trouvé *sans ce qui édifie.* Car *sans ce qui enfle* plusieurs sont entrés aux noces et ils ont été jugés dignes de s'asseoir à la table royale; tandis que *sans ce qui édifie,* celui qui se trouve parmi les convives risque de se faire dire : « Comment es-tu entré ici sans ta robe nuptiale ?» Que le Seigneur miséricordieux et clément, et seul il peut le faire, nous protège de cela [226].

Les connaîtrons-nous toutes, ces raisons plus ou moins immédiates qui ont joué, directement ou indirectement, sur l'un ou l'autre de nos historiens : amour de l'étude [227], besoin de protection, patronage, obéissance [228], récréation, édification des proches

---

225. THIETMAR DE MERSEBOURG († 1018) culpabilisé trouve dans l'histoire sa distraction et son expiation; *Die Chronik...,* éd. R. HOLTZMANN, dans *SRG, nova series,* 6 (1955), p. 220-21.

226. *Hist. rerum...,* prol., éd. HUYGENS, dans *Studi medievali,* V, 1 (1964), p. 343 (aussi *PL,* 201, 213-214) : « Certum porro tenemus nec nos hec fallit opinio, quod nostre, imperitie testem producimus opus presens. Et qui latere poteramus silentes, nostrum scribendo prodimus defectum dum officium caritatis amplectimur. Magis tamen volumus absque ea que inflat inveniri quam ea que edificat carere. Nam sine illa plures ingressi ad nuptias mensa regis inventi sunt digni, qui autem sine hac inventus est inter convivas audire meruit : *Quomodo huc intrasti non habens vestem nuptialem ?* Quod ne nobis accidat, avertat qui solus potest miserator et misericors dominus ».

227. V.g. BÈDE, *Historia ecclesiastica gentis Anglorum,* V, 24, éd. PLUMMER, I, 1906, p. 357 : « ...cunctumque ex eo tempus vitae in ejusdem monasterii habitatione peragens, omnem meditantis scripturis operam dedi; atque inter observantiam disciplinae regularis et cotidianam cantandi in ecclesiae curam, semper aut discere, aut docere, aut scribere dulce habui ».

228. IDEM, *Hist eccl.,* V, 24, p. 360; ORDERIC VITAL, *Hist. ecclesiastica,* XIII, 44, éd. LE PROVOST et L. DELISLE, dans *SHF,* 5 (1855), p. 133-35.

et des frères [229], une amitié à vivre [230], la joie de transmettre un héritage ? Orderic Vital est enthousiaste seulement à penser que les jeunes prendront un jour la relève; il leur dit en versifiant :

J'esquisse l'histoire des pontifes et des rois. Sexagénaire, j'offre mes travaux à la jeunesse. Pour une telle peine, je ne lui demande aucun salaire; je lui présente ceci gratuitement, satisfait que je suis de l'amour de mes frères [231].

D'autres avouent s'être reposés tout en historiant [232]. Un peu fatigué de ses vices et surtout de ceux des autres, Olivier de la Marche se compare volontiers au jeune cerf qui après avoir brouté tout le jour et « *pasturé* diverses feuilles, herbes et herbettes, se couche sur l'herbe fresche, et là ronge et rumyne à goust et saveur sa guellotte... Ainsi, sur ce my chemin ou plus avant, je me repose et rassouage soubz l'arbre de cognoissance... » [233]. Que dire

---

229. *Supra*, p. 167 ss.

230. V.g. GUILLAUME DE MALMESBURY, *Gesta regum anglorum*, IV, prol., éd. STUBBS, dans *RS*, 90, 2 (1889), p. 358 : « Accessere amicorum meorum stimuli, quorum vel tacitae suggestioni deesse non debui; et illi quidem modeste jam prurientem impulere ut coeptum prosequerer. Illorum itaque, quos penitus reposito amore diligo, hortatibus animatus assurgo, ut ex pectoris nostri promptuario victurum apud se amicitiae pignus contineant ». *Supra*, note 223.

231. *Hist. ecclesiastica*, XI, début, éd. LE PROVOST et L. DELISLE, dans *SHF*, 5 (1852), p. 159; V, 14, t. 2, p. 423 : « Dum saepe de his cogito, et quaedam chartis insero (caute resistens otio), sic dictans me exerceo. Nunc ad incoeptam revertar materiam, meisque junioribus advena indigenis de rebus suis, quae nesciunt, edisseram, et hoc eis modo utiliter, opitulante Deo, serviam ». — *Chronique de Jean Le Fevre Seigneur de Saint-Remy*, prologue, éd. F. MORAND, dans *SHF*, 1 (1876), p. 4 : « ...Pour quoy, en considérant les choses dessus dictes, pour eschiever occiosité, qui est la mère de tous vices, et que mon ancienneté ne demourasse du tout inutile, me suis disposé, comme dict est, faire et compiler ce petit volume, ouquel sont contenues pluisaurs choses que je ay veues, et aultres qui ni ont esté dictes et recordées par pluiseurs personnes dignes de foy... ».

232. V.g. GUILLAUME DE MALMESBURY, *Gesta regum anglorum*, I, 31, éd. STUBBS, dans *RS*, 90, 1 (1887), p. 31-32; JEAN DE FORDUN, *Chronica gentis scotorum*, prologue, II, éd. SKENE, 1871, t. 1, p. iii.

233. *Mémoires*, I, préf., éd. H. BEAUNE et J. D'ARBAUMONT, dans *SHF*, 1 (1883), p. 183-186.

aussi de celui qui comme Giraud le Cambrien, prépare sa propre immortalité ? C'est normal, écrirait Eginhard :

> Plus d'un de ceux, je le sais, qui ont consacré leurs loisirs au culte des lettres estime que l'époque où nous vivons mérite de n'être pas considérée comme indigne de tout souvenir et vouée en bloc à l'oubli; plus d'un même, jaloux de passer à la postérité, s'inquiéterait moins de la qualité de ses écrits que de son désir d'assurer auprès des générations futures, en racontant les hauts faits de ses contemporains, la gloire de son propre nom [234].

Tout compte fait, et si nous nous en remettons à Ptolémée de Lucques, il existe deux catégories de motivations de l'écrivain et celles de ses récits. La fonction du récit est objective : raconter, instruire. L'écrivain, lui, recherche son propre plaisir. Cette fin subjective est naturelle et bonne : les Saintes Ecritures l'approuvent :

Nous apprenons du témoignage de Salomon au livre des *Proverbes* ou *Paraboles* que :
> L'homme a de la joie pour une bonne réponse de sa bouche, et combien est agréable une parole dite à propos.

De ces mots apparaît le fruit de l'écriture selon deux fins, auxquelles elle est ordonnée. L'une est la fin de l'écrivain, en tant qu'il est propre à l'homme de se réjouir de son travail. Comme Salomon encore dit, dans l'*Ecclésiaste* :
> C'est qu'il est bon et séant pour l'homme de boire et de manger.
> Et de jouir du bien-être dans tout son travail.
> Auquel il se livre sous le soleil.

Et si cela est vrai du travail humain qui relève de sa nature inférieure, beaucoup plus vrai ce doit être du travail intellectuel, dont l'agir est plus élevé. Or tel est le travail de l'écrivain, qui relève d'un acte d'intelligence. Ainsi se vérifie

---

234. ÉGINHARD, *Vita Caroli*, prologue, éd. HALPHEN, dans *CHFMA*, 1 (1947), p. 2-5 : « Et quamquam plures esse non ambigam qui, otio ac litteris dediti, statum aevi praesentis non arbitrentur ita neglegendum ut omnia penitus quae nunc fiunt velut nulla memoria digna silentio atque oblivioni tradantur potiusque velint, amore diuturnitatis inlecti, aliorum praeclara facta qualibuscumque scriptis inserere quam sui nominis famam posteritatis memoriae ».

la phrase du sage déjà cité : à savoir que *l'homme se réjouit pour une bonne réponse de sa bouche* [235].

Quelles motivations doivent être premières ? Celles de l'écrivain ? celles du récit ? La nature est ainsi faite, la Bible le confirme encore, que l'écrivain est premier. Tandis qu'il établit la vérité du récit, il trouve déjà sa joie, mais c'est précisément son rôle de faire en sorte que la fin première et naturelle, la satisfaction de soi, soit tout de suite orientée vers l'instruction des siens :

Soit qu'il écrive, ou qu'il parle, la fin seconde de l'écrivain est l'auditeur, le lecteur, qui se réjouira à son tour de lire et d'entendre des choses qu'il comprend [236].

---

235. *Die Annalen des Tholomeus von Lucca,* début, éd. B. SCHMEIDLER, dans *SRG, nova series,* 8 (1955), p. 1 : « Salomone actestante didicimus in Parabolis sive Proverbiis, quod letatur homo sententia oris sui, et sermo oportunus optimus est. Ex quibus verbis ostenditur fructus scripture secundum duos fines, ad quos ordinatur; unus sumitur ex parte scribentis, quia hoc proprium est hominis, ut delectetur in opere suo, sicut idem Salomon dicit in Ecclesiaste : « Hoc, inquid, mihi visum est bonum, ut fruatur homo letitia ex labore suo, quo laborat sub sole ». Et si hoc habet veritatem in opere humano affixo nature inferiori, multo magis in opere intellectuali, quanto altior operatio; et hoc est opus scribentis, qui ab actione intellectus procedit, et sic ex hoc verificatur sententia sapientis prefati, quia « letatur homo sententia oris sui », videlicet quam scribit seu profert (sive pronumptiat) ».

236. *Ibid.,* « Secundus autem finis ordinatur ad audientem vel legentem, quod plurimum delectat audiendo seu legendo, si intelligantur audita vel lecta ».

CHAPITRE TROISIÈME

LE MOYEN ÂGE ET SES HISTORIENS

— A —

Comment les hommes du moyen âge ont-ils réagi devant leurs historiens ? Les ont-ils lus, approuvés ou critiqués ? Les auraient-ils plutôt oubliés ? Quelques points de repère nous permettront de répondre à ces questions : les dédicaces bien sûr, mais aussi la tradition manuscrite, les premiers imprimés, quelques catalogues de bibliothèques, les programmes scolaires, l'histoire des institutions, l'histoire de l'art et quelques remarques des historiographes eux-mêmes.

En principe, l'historien écrit pour la postérité [1]. La portée de ce mot ne doit pas, cependant, être exagérée, puisque ceux auxquels l'historien pense et à qui se réfèrent en fait ses dédicaces, ses prologues et lettres d'introduction, sont le plus souvent ses propres contemporains. Isidore de Séville le rappelle à tous :

Plusieurs sages ont raconté les gestes des hommes d'autrefois pour être utiles à leurs contemporains [2].

---

1. *Supra*, p. 153-155.

2. *Etymologiae*, I, 43 *(De utilitate historiae)* : « Multi enim sapientes praeterita hominum gesta ad institutionem praesentium historiis indiderunt... ».

ÉCRIVAINS OUBLIÉS. —

Que nous apprend l'histoire des manuscrits, même
si elle est peu connue encore [3] ? La préférence du
moyen âge est claire : elle va aux plus anciens [4],
ceux que nous avons déjà nommés : Moïse, les historiens bibliques, Flavius Josèphe, Eusèbe, Jérôme,
Orose, Isidore et Bède; chez les païens, Salluste surtout, Tite-Live, les compilateurs habituels, Florus,
Justin, Eutrope. En lisant les grandes synthèses de
Vincent de Beauvais et de Ranulphe de Higden [5],
en consultant les premiers imprimés, la conclusion
est celle que nous proposent déjà les listes de catalogues, les bibliothèques [6] et l'histoire de l'écriture,

---

3. Nous souhaitons à l'historiographie médiévale des répertoires
comme celui de STEGMÜLLER pour les manuscrits scripturaires (*Reper-
pertorium biblicum medii aevi*, Madrid, 1950-1955, 5 vols.) et celui de
J. TAYLOR pour les chroniques du Yorkshire (*Mediaeval Historical
Writing in Yorkshire*, York, 1961).

4. Voir Peter BURKE, *A Survey of the Popularity of Ancient Historians*, dans *History and Theory*, 5 (1966), p. 135-152; E. PH. GOLD-
SCHMIDT, *Mediaeval Texts and Their First Appearance in Print*, Londres,
1943; E. M. SANFORD, *The Study of Ancient History in the Middle Ages*,
dans *Journal of the History of Ideas*, 5 (1944), p. 21-44; J. S. BEDDIE,
The Ancient Classics in the Mediaeval Libraries, dans *Speculum*, 5
(1930), p. 3-20.

5. V.g. John TAYLOR, *The Universal Chronicle of Ranulf Higden*,
Oxford, 1966, p. 152-160.

6. Avec E. LESNE, *Histoire de la propriété ecclésiastique*, IV.
*Les livres. « Scriptoria » et Bibliothèques du commencement du VIIIe
à la fin du XIe siècle*, Lille, 1938, p. 774 ss. Dans les bibliothè-
ques d'écoles et d'abbayes, on échange les ouvrages de Salluste, de Tite-
Live, etc. Fulda possède un Suétone, un Ammien Marcellin et un Tacite.
À Fulda encore, puis à Saint-Denis, comme à Reicheneau, à Corbie, à
Saint-Gall, à Tours, à Lyon, à Reims et à Liège, on copie avec le plus
grand soin les « grands » de l'historiographie romaine. — Voir P. RICHÉ,
Les bibliothèques de trois aristocrates laïcs carolingiens, dans *Le moyen
âge*, 69 (1963), p. 87-104; J. W. THOMPSON, *The Mediaeval Library*,
New York, 1957; J. S. BEDDIE, *Libraries in the Twelfth Century :
Their Catalogues and Their Contents*, dans *Anniversary Essays... C. H.
Haskins*, New York, 1929, surtout p. 18-19.

gardienne autorisée du passé [7] : les historiens les plus lus et les plus souvent utilisés, sont les premiers modèles chrétiens, puis Salluste, Suétone et Tite-Live. Loup de Ferrières, abbé bénédictin du IXe siècle, aurait corrigé une transcription de Suétone de sa propre main [8]. Sauf peut-être l'exemplaire unique offert au roi, peu de textes d'historiens contemporains ont connu autant d'attention que ceux-là. Si nous considérons, en outre, la tradition du *De viris illustribus* depuis Jérôme, Gennadius de Marseille, Cassiodore, Isidore de Séville, Rhaban Maur, Paul Diacre, en passant par Honorius d'Autun, Sigebert de Gembloux, et jusqu'au célèbre *Dialogus super auctores* de Conrad d'Hirsau (XIIe s.), un nom, un seul nom, apparaît : Salluste [9]. Dans le palmarès final des écrivains du *Speculum doctrinale* de Vincent de Beauvais [10], il n'est plus mention d'un seul nom d'historien. Quant à l'histoire de l'art, elle témoignera surtout en faveur de l'hagiographie et des livres liturgiques [11] : les historiens sont oubliés, même si l'on peut prouver — Emile Mâle l'a fait à propos de Vincent de Beauvais, qu'ils représentent parfois les aspirations artistiques les plus authentiques de leur temps [12].

---

7. *Disputatio Pippini cum Albino scholastico*, début, dans *PL*, 101, 975 : « Quid est littera ? Custos historiae ».

8. Voir LESNE, *ibid.*, p. 260.

9. *Supra*, ch. 1, note 119, p. 63. Sur le choix de Salluste et la préférence des chrétiens, voir H. I. MARROU, *Saint Augustin et la fin de la culture antique*, p. 19, note 5; E. R. CURTIUS, *La littérature européenne et le moyen âge latin*, p. 59-66.

10. *Op. cit.*, XVII, 40-53, éd. de Douai, 1624, 1578-1592.

11. Dans la représentation des arts libéraux, la grammaire est là, mais l'histoire est absente : É. MÂLE, *L'art religieux du XIIIe siècle en France*, Paris, 1902, p. 82-83 : « Concluons que les oeuvres d'art d'un caractère purement historique sont rares dans nos cathédrales » (p. 336). *Ibid.*, p. 391, où trois événements seulement de l'histoire de France sont racontés dans l'art : le baptême de Clovis, les exploits de Charlemagne et les victoires des premiers croisés. Ceci n'implique pas nécessairement l'usage des historiens.

12. V.g. GRÉGOIRE DE TOURS, *Historiarum libri X*, II, 17, p. 65,

Pourquoi les grammairiens n'ont-ils pas donné à l'historiographie de l'époque un statut plus officiel ? Isidore de Séville est pourtant d'accord : « Cette discipline [l'histoire] relève de la grammaire parce qu'elle confie à l'écriture tout ce qui est digne de mémoire » [13]. Si le rôle du grammairien est d'expliquer et de donner les renseignements nécessaires à l'intelligence d'un texte, n'aurait-il pas pu intéresser davantage son disciple à l'historiographie comme à la poésie, toutes deux *appendicia artium* [14] ? Théoriquement si, mais en pratique ? *Si vacat, legantur* [15]. Le fond de la pensée d'Hugues de Saint-Victor est que les arts du *Trivium* peuvent fort bien se débrouiller sans leurs appendices :

C'est pourquoi il me semble que notre effort doit se porter sur les arts avant tout, en qui se trouve la base de tout savoir et par qui la vérité pure et simple se révèle... Après quoi, s'il reste du temps, qu'on les lise, les autres aussi,

---

pour l'anecdote de l'évêque Namatius construisant la basilique de Saint-Étienne hors les murs de Clermont : son épouse tient un livre d'histoire qui sert d'indication aux peintres; RAOUL GLABER, *Historiae*, III, 4, sur la construction des églises; GUILLAUME DE JUMIÈGES, *Hist. northmannorum*, VIII, 1, dans *PL*, 149, 880; GUILLAUME DE TYR, *Hist. rerum...*, prol., dans *PL*, 201, 211. GIRAUD LE CAMBRIEN estime que l'histoire est aussi utile que l'art pour la vertu; voir *De vita Galfridi*, *int. secundus*, éd. BREWER, dans *RS*, 21, 4 (1873), p. 361.

13. *Etymologiae*, I, 41 : « Haec disciplina ad grammaticam pertinet quia quidquid dignum memoriae est litteris mandare »; Cf. AUGUSTIN, *De ordine*, II, 12; ALCUIN, *De grammatica*, 26, dans *PL*, 101, 858. À noter que les antiques définitions (v.g. QUINTILIEN, *Institutiones oratoriae*, I, 4, 2; SERGIUS, *Explanatio in artem Donati*, éd. KEIL, *Grammatici latini*, IV, p. 485) ne mentionnent pas explicitement les historiens. Cette distribution en sept arts libéraux arrive au moyen âge principalement par MARTIANUS CAPELLA, *De nuptiis Philologiae et Mercurii*, éd. DICK, Leipzig, 1925, et malgré les multiples transformations et adjonctions que lui fait subir la pensée théorique, la même classification demeure à la base du programme scolaire jusqu'à la fin. Cf. *Arts libéraux et philosophie au moyen âge (Actes du IVe Congrès international de philosophie médiévale)*, Paris-Montréal, 1969.

14. HUGUES DE SAINT-VICTOR, *Didascalicon*, III, 4, éd. BUTTIMER, Washington, 1939, p. 54.

15. *Ibid.*, p. 55.

puisqu'il arrive parfois que des choses amusantes nous séduisent mieux et que l'inédit donne de la valeur au bien [16].

Il est possible qu'on ait discuté parfois de faits et récits dans les écoles [17]; mais qui oserait citer en exemple ces historiens contemporains si peu recommandables par leur style et si loin des grands stylistes Salluste et Tite-Live ? Le coeur des maîtres du *Trivium* est ailleurs. La logique et la dialectique les passionnent trop [18] et peu à peu disparaît celle qui avait occupé une place mineure et auxiliaire dans les premières écoles et les arts libéraux : l'historiographie, c'est une inconnue presque [19]. Nos histo-

---

16. *Ibid.* : « Quapropter mihi videtur primum operam dandam esse artibus ubi fundamenta sunt omnium, et pure simplexque veritas aperitur... Deinde cetera quoque, si vacat, legantur, quia aliquando plus delectare solent seriis admixta ludicra, et raritas pretiosum facit bonum... ».

17. Pierre de Blois écrit vers 1160. Lui, disciple de Jean de Salisbury, ami de Henri II et de Guillaume II de Sicile, raconte que garçon et étudiant, ce fut heureux qu'on lui conseilla alors de laisser les fables pour la vraie histoire. Il lit alors Trogue-Pompée, Flavius Josèphe, Suétone, Hégésippe, Quinte-Curce, Tacite, Tite-Live. Il les lit pour y trouver des leçons morales, et des exemples de beau style. Cf. *Chartularium universitatis parisiensis,* éd. DENIFLE et CHATELAIN, I, 1889, p. 27-29.

18. P. RICHÉ, *Éducation et culture dans l'Occident barbare (VIe-VIIIe siècles),* Paris, 1962, p. 41-51; p. 236-253; p. 329-30; Ph. DELHAYE, La place des arts libéraux dans les programmes scolaires du XIIIe siècle, dans *Arts libéraux et philosophie au moyen âge,* Montréal et Paris, 1969, p. 161-173 (voir note 22); ID., L'organisation scolaire au XIIe siècle, dans *Traditio,* 5 (1947), p. 211-268; G. PARÉ, A. BRUNET et P. TREMBLAY, *La Renaissance du XIIe siècle. Les écoles et l'enseignement,* Paris-Ottawa, 1933; A. CLERVAL, *L'École de Chartres au moyen âge,* Chartres, 1895; voir E. LESNE, *Histoire de la propriété ecclésiastique en France,* V. *Les Écoles de la fin du VIIIe s. à la fin du XIIe s.,* 1940, p. 571 ss.

19. V.g. JEAN DE SALISBURY, *Polycraticus,* VII, 2, éd. WEBB, t. 2, p. 128. Bientôt il ne sera plus question même d'historiens : les poètes l'emporteront. Evrard d'Allemagne n'offre qu'une compagne à Dame Grammaire : la poésie. Il n'y a que des poètes avec Grammaire contre Logique dans la *Bataille des sept arts libéraux* de HENRI D'ANDELLI. La grammaire elle-même sera supplantée tour à tour par la logique, la dialectique, le droit et la philosophie. En lisant l'*Ars*

riens le savent. Déjà Arnoulf de Milan († 1077) dira non sans une pointe d'humour que les labyrinthes d'Aristote et de Cicéron ne sont pas faits pour lui [20]. Godefroid de Viterbe proteste en vain de ce qu'on lise et explique encore, en pleine chrétienté, des auteurs aussi païens que Virgile et Horace et qu'on oublie les chroniqueurs chrétiens :

> Ne serait-il pas plus honnête et plus convenable de faire lire aux enfants à l'école et leur faire retenir par coeur l'histoire des rois et des royaumes qui ont fait la sagesse du monde et en sont l'ornement plutôt que de leur raconter encore des fables de Corydon et leur parler des bêtes de Mélibée ? [21].

Peine perdue ! Au fait, l'histoire des programmes et de l'éducation médiévale « publique » en général ne nous apprend rien ou presque des historiens [22].

---

versificatoria (avant 1175) de MATTHIEU DE VENDÔME, le *Laborinthus* (milieu du XIIIe s.) d'EVRARD, le *Poetria nova* (1208-1213) de GEOFFROI DE VINSAUF, l'*Ars versificaria* (1212-16) de GERVAIS DE MELKLEY ou le *Poetria* de JEAN DE GARLANDE, on constate que tous ces textes ne tiennent pas compte de l'historiographie. Cf. A. CLERVAL, *L'enseignement des arts libéraux à Chartres et à Paris*, Paris, 1889.

20. *Arnulfi gesta archiepiscoporum mediolanensium*, éd. BETH-MANN et WATTENBACH, dans *MGH-SS*, 8 (1848), p. 7 : « Haec animo revolvens, non michimetipse confido, quem exilis ingenii adeo paupertas angustat, ut difficilis michi videatur Aristotelici laberinthi ingressus, laboriosus valde Tuliani palacii accessus ».

21. *Speculum regum*, prol., éd. WAITZ, dans *MGH-SS*, 22 (1868), p. 22 : « ...que omnia de pluribus istoriis aggregata et diuturnis !aooribus de multis voluminibus explorata sapientia tui numinis, si placet, in puerorum scolis facias lectitari; cum sit honestius istorias et naturas regum et imperatorum, quibus mundus instruitur et ornatur, animo pueri legentis imprimere, quam fabulas Choridonis vel pecudes Melibei memorie commendare ».

Cf. Ph. DELHAYE, *L'organisation scolaire au XIIe siècle*, p. 250-252. N'est-ce pas assez révélateur que lors du IVe Congrès international de philosophie médiévale consacré entièrement aux arts libéraux (Cf. *Actes du IVe Congrès international de philosophie médiévale*, Montréal-Paris, 1969, xxiv-1256 p.), il a été à peine question des historiens de l'époque. — On est étonné d'autre part de l'importance de l'historiographie dans les milieux monastiques et de son absence des programmes d'études : voir J. LECLERCQ, *Les études dans les monastères du Xe au XIIe siècle*; Anselme HOSTE, *Les études chez les moines des XIIIe et XIVe*

Quant aux théologiens et aux philosophes, ils vivent de disputes et non pas de récits, comme disait Othon de Freising [23]. Tellement occupés à interpréter les Ecritures, ils n'ont ni le temps ni le goût des récits. A peine s'ils citent, probablement à travers quelques florilèges, les noms les plus connus. Prenons Thomas d'Aquin († 1274); il connaît Josèphe, Salluste, Suétone, Tacite. Ses citations sont empruntées, et elles n'ont, en général, aucune influence sur ses conclusions [24]. Bède l'intéresse, mais il préfère lire l'exégète. Un vrai théologien n'éprouve pas le goût de discuter chronologie et géographie, à moins que la doctrine chrétienne ne soit vraiment en cause : que vaut d'ailleurs un témoignage humain quand on sait combien facilement l'homme se trompe [25] ? Le minimum de connaissance sur les choses les plus hautes est de loin préférable à la connaissance du particulier [26]. Un contemporain, une de ses sources peut-être, Vincent de Beauvais, qui a touché à tout et tout

siècles, dans *Los Monjes y los estudios* (IV Semana de estudios monasticos), Abadia de Poblet, 1963, p. 105-117 et p. 249-260.

23. *Chronica...*, II, prol., éd. Hofmeister, dans *SRG in usum...*, 1912, p. 68 : « Nemo autem a nobis sententias aut moralitates expectet. Historiam enim in qua civium Babyloniae vicissitudines ac laboris civiumque Christi inter eos progressus et profectus texantur, non disputantis more, sed disserentis ordine prosequi intendimus... ».

24. *Opera omnia*, éd. Léonine, t. 16, 1948, p. 177-227.

25. V.g. *Expositio super Job ad litteram*, prol., *ibid.*, t. 18, p. 4 : « Quo autem tempore fuerit vel ex quibus parentibus originem duxerit, quis etiam hujus libri fuerit auctor, utrum scilicet ipse Job hunc librum conscripserit de se quasi de alio loquens, an alius de eo ista retulerit non est praesentis intentionis discutere. Intendimus enim compendiose secundum nostram possibilitatem, de divino auxilio fiduciam habentes... »; *Summa theologiae*, II-II, qu. 89, a. 1, c. (*ibid.*, t. 9, p. 272) : les hommes se mentent facilement, ils apprennent mal; ils ignorent le secret des coeurs comme ce qui est éloigné de leur champ de connaissance.

26. « Et tamen minimum quod potest habere de cognitione rerum altissimarum, desiderabilius est quam certissima cognitio quae habetur de minimis rebus ». *Summa theologiae*, I, qu. 1, a. 5, 1um., éd. Léonine, 1883, p. 16.

récapitulé des arts et des sciences, de la grammaire à
la théologie, nous explique pourquoi l'historiographie
n'est pas tellement en vogue chez les philosophes et
les théologiens de son temps : c'est qu'elle porte
sur le contingent et le singulier. Elle n'est pas un
art dans le sens où Aristote entend ce mot, elle n'est
pas une *science* non plus; elle ne peut donc pas faire
partie de la philosophie dont l'objet est l'essentiel
et le nécessaire. Tout au plus offre-t-elle des exemples, de quoi édifier, recréer et émerveiller [27].

On comprend maintenant pourquoi, un siècle plus
tôt, Othon de Freising, ancien des écoles de Paris,
devenu chroniqueur et biographe [28], voulut offrir à
ses collègues plus savants quelques subtilités d'écoles, qu'il dissimule à travers les récits; mais pour la
majorité il faut continuer à écrire avec simplicité et
clarté [29]. Comment expliquer, cependant, que Roland de Padoue ait pu réciter sa chronique devant les docteurs, les maîtres et les écoliers de son
temps [30] ? A-t-il réalisé le rêve de tout historien,
ou tout simplement imaginé l'épreuve à redouter ?

Le plus étonnant est que même les théoriciens
des institutions ecclésiastiques et politiques du moyen

---

27. « Porro quarta et ultima, videlicet historialis, licet ad philosophiam directe non pertineat, eo quod singularibus secundum Aristo-
telem ars non est, plurimum tamen admirationis et recreationis et
utilitatis habet... ». VINCENT DE BEAUVAIS, *Speculum naturale*, prol.,
éd. Douai, 1624, f. 13; cf. THOMAS D'AQUIN, *Summa theologiae*, I,
qu. 1, a. 2, ad 2um, dans *Opera omnia*, éd. Léonine, 1882, p. 9 : « Dicendum quod *singularia* traduntur in sacra doctrina, non quia de eis principa-
liter tractetur : sed introducuntur tum *in exemplum vitae,* sicut in
scientiis moralibus, tum etiam ad declarandum auctoritatem virorum
per quos ad nos revelatio divina processit, super quam fundatur sacra
scriptura seu doctrina ».

28. Cf. *Chronica*, II, prol., éd. HOFMEISTER, dans *SRG in usum...*,
1912, p. 68; *supra*, note 23.

29. Cf. *Gesta Frederici primi, prooemium*, éd. WAITZ, dans *SRG
in usum...*, 1912, p. 12.

30. Cf. *Chronica Marchie Trivixane*, XII, 19, éd. A. BONARDI,
dans *RIS*, 8, 1 (1905), p. 173-4.

âge à qui l'histoire contemporaine aurait pu rendre de grands services, ignorent les chroniques et les annales de leur temps. Ni le *De institutione regia* de Jonas d'Orléans, ni la *Via regia* de Smaragde, ni le *De ordine palatii* d'un Hincmar, ni Agobard, ni Gilles de Rome, ni même, plus tard, Erasme, n'utilisent les historiens contemporains comme sources première [31]. Valère-Maxime est plus convaincant.

Peut-être faudrait-il interroger un jour les prédicateurs populaires de l'époque [32] ? Mais voici aussitôt une concurrente, l'hagiographie avec ses légendes et ses exemples, son merveilleux, vrai ou faux, peu importe [33]. A cause de cela et à cause surtout de la place d'honneur déjà accordée par les moralistes prédicants à l'historiographie biblique, la seule en fait qui soit lue, commentée et « prêchée » sans arrière-pensée [34], il serait inutile d'aller emprunter

---

31. On est étonné une fois de plus de la place presqu'exclusive qu'occuperont les *faits divers* d'un Valère-Maxime par exemple dans les oeuvres théoriques et morales du moyen âge comme le *Polycraticus* de JEAN DE SALISBURY, le *De eruditione filiorum nobilium* d'un VINCENT DE BEAUVAIS (éd. STEINER, New York, 1938), qui ne cite, comme plus tard GILBERT DE TOURNAI (*De instructione puerorum*, éd. CORBETT, Notre-Dame, 1955), que quelques anciens comme Salluste, Suétone et Jules César. L'*Institutio principis christiani* d'ÉRASME (1516) réfère aussi à Valère-Maxime.

32. Avec Th. CHARLAND, *Artes praedicandi* (*Publications de l'Institut d'études médiévales d'Ottawa*, 7), Paris-Ottawa, 1936, p. 143-144, 270. Après avoir introduit le thème secondaire, on va à l'exemple emprunté soit à la nature, *soit à l'histoire*, soit à l'art. Voir GUIBERT DE NOGENT, *Quo ordine debeat sermo fieri*, dans *PL*, 156, 21-32. Cf. J. A. MOSHER, *The Exemplum in the Early Religious and Didactic Literature of England*, New York, 1911; aussi Th. F. CRANE, *The Exempla and Illustrative Stories from the Sermones Vulgares of Jacques de Vitry*, Londres, 1890; RANULPHE DE HIGDEN, qui a composé un *De modo componendi sermones*, y insère, semble-t-il, des références à son *Polychronicon;* cf. J. TAYLOR, *The Universal Chronicle of Ranulf Higden*, Oxford, 1966, p. 4 s.

33. GUILLAUME DE NEWBURG, *Historia rerum anglicarum*, I, 27, dans *RS*, 82, 1, p. 82.

34. *Supra*, p. 58 ss.

à Grégoire de Tours, à Guibert de Nogent ou à Matthieu Paris, pour montrer comment Dieu s'accommode des événements humains. Déjà, redisons-le, les *Vitae sanctorum* et la Bible avec ses garanties uniques d'authenticité et de vérité, offrent tout ce qu'il faut au prêcheur et à son public avide de « miracles ». Il semble, toutefois, qu'à la fin du moyen âge, on ait davantage eu recours aux historiens grâce à des compilations de faits et dits plus mémorables préparés à l'intention des prédicateurs.

AUDITEURS ET LECTEURS MOYENS. —

Forcément isolés, minoritaires et en général de culture assez moyenne, nos historiens auront eu le public de leur talent : une majorité d'auditeurs de culture bien ordinaire et une minorité de lecteurs un peu plus instruits [35]. Tout ce monde se groupe et se regroupe sans cesse autour des abbayes, des évêchés et des cours. Grâce à l'accueil fraternel des hôtelleries surtout, les monastères semblent être les meilleurs foyers de cette culture plutôt orale et populaire. Au réfectoire des moines de Cluny on lirait Orose à haute voix [36]. Orderic Vital parle d'une *relatio authentica* lue avec respect devant toute la communauté [37].

---

35. GERVAIS DE CANTERBURY, *Chronica*, prol., dans *RS*, 73, 1 p. 89, note 74, n'écrirait lui que pour un petit groupe d'amis. Cf. E. FARAL, *Les jongleurs*, Paris, 1910, p. 44. Des jongleurs du XIIIe siècle auraient chanté les vies des saints, mais aussi les gestes des princes. Cf. CUVELIER, *La vie vaillant Bertran du Guesclin*, éd. CHARRIÈRE, 1839, p. 3.

36. Cf. A. WILMART, *Le couvent et la bibliothèque de Cluny vers le milieu du XIe siècle*, dans *Revue Mabillon*, 11 (1916), p. 113-115; Dom Jean LECLERCQ, *Livres et lectures dans les cloîtres du moyen âge*, dans *Aspects du monachisme. Hier, aujourd'hui*, Paris, [1968], p. 295-307.

37. Cf. *Historia ecclesiastica*, VI, 3, éd. LE PROVOST et L. DELISLE, t. 3, 1845, p. 6 : « ...et a studiosis lectoribus reverenter lecta est in communi fratrum audientia ». Cf. É. LESNE, *Histoire de la propriété ecclésiastique...*, IV, p. 530 : on lirait les historiens au réfectoire durant le carême.

Mais par les bons clercs ki l'escritent.
Ki les gestes es livres mistrent.
Savum nus del viel tens parler.
Et des ouvres plusurs cunter [38].

Il y a lecture publique et lecture privée. « Accoutumé à peu dormir », l'abbé Suger a pris l'habitude après le souper, été, hiver, « de lire ou d'entendre lire quelqu'un pendant un assez long espace, ou de raconter à la compagnie des faits remarquables d'histoire » [39]. Suger y va de ses propres récits et commentaires :

Comme il était fort enjoué, il les faisait rouler tantôt sur ce qui lui était arrivé, tantôt sur les aventures des Francs dont il avait été témoin et qu'il avait apprises des autres : et la conversation allait quelquefois jusqu'au milieu de la nuit... [40].

Joinville raconte qu'avant de les coucher on raconte des histoires de rois aux enfants [41].

Peut-on connaître un peu mieux encore qui sont ces gens qui écouteront plus volontiers les récits des historiens de leur temps que les discussions d'école ? Evidemment, il y a l'abbé et ses « frères », l'évêque et ses clercs, le roi et sa suite, et tous ceux qu'attirent la littérature de mémoire, chevaliers, barons, ducs et autres nobles, des bourgeois, des fils de marchands [42]. Ce public moyen est constitué surtout de

38. WACE, *Roman de Rou*, éd. ANDRESEN, t. 1, 1878, p. 12.

39. Cf. *Vita Sugerii abbatis*, II, 6, dans *PL*, 186, 1199.

40. *Ibid.* : « Narrabat vero, ut erat jocundissimus, nunc sua, nunc aliorum, quae vel vidisset, vel didicisset gesta virorum fortium, aliquoties usque ad noctis medium... ».

41. *Histoire de saint Louis*, CXXXIX, éd. Natalis DE WAILLY, 1874, p. 380.

42. On se souviendra ici de toutes les discussions sur le style *adapté* et *opportun; supra*, p. 105 ss. GIRAUD LE CAMBRIEN croit que les rois de France s'occupent mieux de leurs écrivains; voir *De principis instructione, praefatio prima*, éd. G. F. WARNER, dans *RS*, 21, 8 (1891), p. 6-7. Sur la rareté des mécènes, *De vita Galfridi*, prol., dans *RS*, 21, 4, p. 359.

chrétiens, *fideles Christi,* comme on les appelle toujours[43]; c'est le public des traditions orales, des légendes et des chansons de gestes[44]; hommes et femmes dont on sait qu'ils s'alimentent aussi aisément de bavardages futiles que de récits qualifiés[45]. Froissart raconte comment il arrive chez le comte de Foeis avec un livre qui contient chansons, ballades, rondeaux et virelais; et « toutes les nuis après son soupper, je luy en lisoie »[46]; pendant qu'on lit, personne ne parle; le comte veut que tout le monde écoute. S'il y a matière à discussion, le comte s'adresse directement à Froissart. Toujours, on s'en doute, il y a eu parmi les soldats, les mimes, les baladins et autres fonctionnaires, des curieux qui aiment écouter les récits pour les commenter ensuite[47]. C'est à partir du XIIIe siècle qu'il devient plus difficile de distinguer entre auditeurs et lecteurs, entre les lecteurs ecclésiastiques, clercs et moines, et les autres venus d'ailleurs. Même si les monastères et les évêchés demeurent jusqu'à la fin du moyen âge les lieux par excellence des traditions et des lectures, bien d'autres gens, de plus en plus même, s'intéressent à écouter les récits. Jean de Roye secrétaire du duc de Bourbon, Jean II (1456-88), parle de rois,

---

43. Cf. GUILLAUME DE TYR, *Historia rerum...,* prol., dans *PL,* 201, 212.

44. BAUDOIN DE GAIFFIER, *L'hagiographie et son public au XIe siècle* (*Subsidia hagiographica,* 43), Bruxelles, 1967; sur le public des fabliaux — une question controversée — voir J. RYCHNER, *Les fabliaux : genre, styles, publics* (*Colloque sur la littérature narrative d'imagination,* Strasbourg, 1959), Paris, 1961, p. 41 ss.

45. Cf. *De nugis curialium* (JEAN DE SALISBURY, GAUTIER MAP), *Speculum stultorum* (NIGEL WREKER); un *Contra curiales* (écrit entre 1192-95); textes nombreux de Giraud le Cambrien sur les mêmes thèmes.

46. JEAN FROISSART, *Chroniques,* III, 19, éd. LUCE, dans *SHF,* 1869, p. 75-76.

47. Cf. COMMYNES, *Mémoires,* III, 8, éd. CALMETTE, dans *CHFMA,* 3, 1 (1964), p. 222 : « Et aussi faiz mon compte que bestes ne simples gens ne s'amuseroient point à lire ces Mémoires, mais princes ou gens de cour y trouveront de bons advertissemens à mon advis ».

princes, comtes, barons, prélats, nobles hommes,
gens d'église et « aulgre populaire » qui prennent
beaucoup de plaisir aux récits de l'historiographie et
à ses histoires merveilleuses et « choses advenues en
divers lieux » [48]. Jean de Wavrin [49] énumère ceux
qui « ont voulente et desir de scavoir » : « ...clercs,
chevaliers ou bourgeois ». Bientôt — mais nous
sommes déjà au début d'une ère nouvelle — le continuateur écossais de Jean de Fordun distinguera
officiellement quatre groupes de lecteurs et d'auditeurs d'historiographie : d'abord les guerriers, qui
ont besoin d'éclairer leurs routes; les religieux, qui
veulent la régularité; les [clercs] séculiers, qui doivent
faire le bien et les prédicateurs en quête d'exemples [50].

RÉACTIONS IMMÉDIATES. —

Est-il possible de connaître les réactions de tout
ce public ? Précisons tout de suite que l'image que
nous en offrent les chroniqueurs eux-mêmes n'est
pas toujours rassurante. La tradition orale immédiate
serait l'image même du public moyen, capricieuse et
sans discernement vis-à-vis de ceux qui écrivent.
Rigord de Saint-Denis constate :

La renommée dispense souvent avec une égale injustice le
blâme et la louange... Elle tourne le mal en bien et le
bien en mal, elle fausse les perspectives. La vertu est toujours en butte à l'envie, et ses rivaux, déchaînés par ses
traces, la poursuivent de leurs aboiements [51].

---

48. *Journal de Jean de Roye...*, éd. B. DE MANDROT, dans *SHF*, 1
(1894), p. 2.

49. Cf. *Recueil des chroniques et anciennes istories de la grand
Bretaigne, a present nomme Engleterre*, éd. W. HARDY, dans *RS*, 39,
1 (1864), p. 40.

50. Cf. *Chronica gentis scotorum...*, éd. W. F. SKENE, Edinbourg,
1871, t. 1, p. lii.

51. *Gesta Philippi II Augusti regis francorum*, dans *Oeuvres de
Rigord*, éd. DELABORDE, dans *SHF*, 1 (1882), p. 4 : « Multum enim

Guillaume de Poitiers est aussi pessimiste; à son avis, l'historien sera toujours en face d'une opinion défavorable :

La langue des hommes incline plus aisément à vanter le mal que le bien, nous le savons, par envie la plupart du temps; parfois par une sorte de dépravation. Car trop souvent les plus belles actions elles-mêmes sont, par perversité, injustement tournées en mal [52].

Plus paisible, mieux résigné, probablement parce que devenu vieux, Orderic Vital croit qu'il s'agit d'un rituel universel : c'est ainsi que depuis toujours arrivent les choses :

Pour de misérables motifs, le siècle éprouve un dommage regrettable. Nous trouvons souvent de telles plaintes dans les écrits des anciens en partageant la douleur d'illustres maîtres qui gémissent sur les outrages qu'ils ont reçus de leurs rivaux. En effet, ne voyons-nous pas Jérôme, Origène et les autres docteurs se plaindre dans les ouvrages des attaques de leurs ennemis ? Nous nous affligeons de ce que par ce motif nous sommes privés de plusieurs ouvrages importants; car ces philosophes éloquents aimèrent mieux se livrer au repos que de travailler à nous révéler ce qu'ils avaient découvert et s'exposer ainsi à la fureur des aboiements de la méchanceté [53].

---

in utramque partem fama mentitur crebro, et tam de bonis mala quam de malis bona, falsorum ora concelebrant. Virtus enim semper invidie patet, et venenatis emulorum subjacet latratibus ».

52. *Gesta Guilelmi...*, I, 36, éd. FOREVILLE, dans *CHFMA*, 1952, p. 84 : « Quod humanae linguae ad malevolentiam quam ad benevolentiam laudendam sint promptiores, novimus; ob invidiam plerumque, interdum ob aliam pravitatem. Nam et pulcherrima facinora in contrariam partem iniqua depravatione traducere solent ».

53. *Historia ecclesiastica*, VI, 1, éd. LE PROVOST et L. DELISLE, dans *SHF*, 3 (1845), p. 1-2 : « Sic interdum frivola occasione saeculo damnum oritur lugubre... In priscorum questibus haec plerumque legimus, et insignes didascalos, de suorum insultationibus aemulorum plangentes, plangimus. Hieronymum et Origenem, aliosque doctores de cavillationibus oblatratorum in allegationibus suis conquestos cernimus, et constristamur quod hac de causa nostris multa praecipua subtracta sunt obtutibus, dum didaces sophistae malebant in otio quiescere, quam abdita diserte proferendo laborare, et maledicis corrodentium latrantibus patere... ».

Comment blâmer ensuite Rigord de Saint-Denis d'être déçu que l'expérience des siècles n'ait pas habitué mieux les humains à retenir leurs méchancetés ?

Certes, il y a de quoi s'étonner de la dépravation du genre humain depuis sa première origine (car selon Moïse tout ce que Dieu a fait a été créé bon) quand on le voit aujourd'hui encore toujours porté à juger avec rigueur plutôt qu'avec indulgence, et se plaire à chercher le mal dans une question douteuse au lieu de se décider pour l'interprétation la plus favorable [54].

Rigord n'a qu'à penser à ses lecteurs et à ses auditeurs, déjà il sait. Le public a deux faces : les uns lui seront favorables, les autres, des envieux, suivront la coutume et le rejetteront.

Une considération m'a souvent et longtemps arrêté. La voici : quand on vient de lire quelque composition nouvelle dans une assemblée, les auditeurs se partagent aussitôt d'opinion, et, pendant que l'un applaudit et comble d'éloges l'ouvrage qu'il vient d'entendre, l'autre, aveuglé par son ignorance, quelques fois excité par l'aiguillon de l'envie ou dévoré par la haine, blâme tout, même ce qui est bien [55].

Expliquons à la manière de Gautier Map : quand l'autorité d'un texte tend à se définir par son anti-

---

54. *Gesta Philippi II Augusti regis francorum,* préf., p. 5 : « Et mirum est humanum genus a prima sui origine (secundum quem cuncta que fecit Deus valde bona creata sunt) ita esse depravatum ut promptius sit ad condemnandum quam indulgendum, et facilius sit ei ambigua depravare quam in partem interpretari meliorem ».

55. *Ibid.* : « Et maxime quia, cum in auribus multorum aliquid novi recitatur, solent auditores in diversa scindi vota, et hunc quidem applaudere idque quod audit laude dignum predicare, illum vero seu ignorantia ductum, seu livoris aculeo vel odii fomite perversum, etiam bene dictis detrahere »; aussi, AIMOIN DE FLEURY, *Historia francorum,* début, dans *PL,* 139, 628 : « Nec ignoro multos fore qui, solita libidine omnibus detrahendi, hinc volumini genuinum infigant dentem. Quod vitare non poterit, nisi qui nihil omnino scribet ». ORDERIC VITAL, *Historia ecclesiastica,* VI, début, éd. LE PROVOST et L. DELISLE, dans *SHF,* 3 (1845), p. 1 : « Unde invidiosi quidam, invidorum morsibus

quité, c'est normal que le présent soit toujours
suspect et que le passé paraisse meilleur [56]. Adalbold
en a pris son parti :

Souvent, très souvent, nous l'avons entendu dire, partout on
préfère affectivement l'antiquité et tout ce qui est nouveau
ennuie fastidieusement [57].

Revenant aux réactions immédiates de l'auditeur
et du lecteur d'histoire médiévale, il va sans dire
qu'elles varient selon les cas, les intérêts immédiats,
et peut-être aussi selon les degrés de culture. On
peut penser tout de suite que les réactions plus favorables viennent des grands à qui vont les dédicaces et
les lettres d'envoi [58]. Des princes, et non les moin-
dres, nous l'avons vu, se sont intéressés aux histo-

injuriati, plerumque torpescunt, et ab incoepto specimine quod aeterno
fortassis silentio recludetur desistunt ». Cf. *Chronica slavorum*, II,
préface, éd. B. SCHMEIDLER, dans *SRG in usum...*, 1937, p. 188 : « Inter
descriptores hystoriarum rari inveniuntur, qui rebus gestis descriptionis fidem integram solvant... Multi enim aucupantes favorem
hominum, palliaverunt, se amicitiae ficta quadam superficie, et propter
ambicionem honoris seu cujuslibet emolumenti locuti sunt placentia
hominibus, asscribentes digna indignis, laudem quibus non debebatur
laus, benedictionem quibus non erat benedictio... Sed nec aliquando
defuerunt inter scriptores qui propter dampna rerum et cruciatus
corporum impietates principum publicare timuerunt ».

56. GAUTHER MAP, *De nugis curialium*, IV, 5, éd. M. R. JAMES, 1914,
p. 158, 21-22 : « Omnis seculis sua displicuit modernitas, et quevis etas a
prima preteritam sibi pretulit ».

57. « Scimus insuper, et saepissime audivimus, quia in omnibus
scriptis antiquitas delitiose veneratur, novitas fastidiose repudiatur ».
Vita Henrici II Imperatoris, éd. WAITZ, dans *MGH-SS*, 4 (1841), 683.

58. On ne saurait ici assez recommander les travaux de R. R.
BEZZOLA, sur *Les origines et la fonction de la littérature courtoise en
Occident (500-1200)*, 3 vols., Paris, 1960-63. Ces vers significatifs du
Roman de Rou (WACE) abondamment commentés par BEZZOLA (*ibid.*,
III, 1, p. 181) :

> Suvent aveient des baruns
> E des nobles dames beaus duns,
> Pour mettre lur nuns en estoire,
> Que tuz tens mais fust de eus memoire.

riens de leur temps : Clovis, Chilpéric, Charlemagne,
Alfred le Grand, Louis le Pieux, Charles le Chauve,
à qui Nithard et l'auteur d'un *Carmen de exordio*
dédient leur texte, Frédéric Barberousse, Guillaume
de Normandie, les rois de France, d'Angleterre et de
Normandie, en général, les empereurs germains, et
bien d'autres encore [59]. Avec quelle confiance, Bède
écrit à Céowulf, son roi :

Répondant très volontiers à ton désir, ô roi, je t'ai déjà
adressé pour lecture et approbation, cette *Histoire ecclésiastique* du peuple anglais, que j'avais écrite récemment. Je
te la renvoie maintenant pour la faire copier et pour que
tu puisses la considérer plus longuement [60].

Tout ce que Eginhard doit à Charlemagne qui, au
dire de Théodulphe d'Orléans, « exhortait les savants
à s'instruire des choses divines et humaines » [61] ! La
rédaction des *Annales regni,* la présence de Paul
Diacre auprès de l'empereur, autant de preuves que

---

59. Cf. J. W. THOMPSON, *The Literacy of the Laity in the Middle
Ages*, Univ. of California Press, 1939; V. H. GALBRAITH, *The Literacy
of the Mediaeval English Kings*, dans *Proceedings of the British Acade-
my, XXI* (1935). Des contemporains, comme JEAN DE MEUNG *(Roman
de la Rose*, 1858 ss.), ont même protesté contre ces besoins d'immortalité de princes qui mettent des clercs instruits à leur service.

60. Cf. *Historia ecclesiastica gentis Anglorum*, dédicace, éd. PLUM-
MER, t. I, 1906, p. 5 : « Historiam gentis Anglorum ecclesiasticam, quam
nuper edideram, libentissime tibi desideranti, rex, et prius ad legendum
ac probandum transmisi, et nunc ad transcribendum ac plenius ex
tempore meditandum retransmitto ».

61. THÉODULPHE, à Magnus de Sens († 818) : « Charlemagne exhortait les évêques à scruter les Écritures et à enseigner une saine doctrine,
le clergé tout entier à suivre la discipline, les savants à s'instruire des
choses divines et humaines, les moines à observer les règles, tous les
hommes à rechercher la sainteté; il enseignait aux grands la sagesse
dans les conseils, aux juges la justice, aux soldats l'art militaire, aux
prélats l'humilité, aux sujets l'obéissance, à tous la prudence, le courage,
la tempérance et la concorde. Il ne cessait de grandir l'Église et se
montrait aussi admirable dans l'administration des affaires civiles que
des affaires ecclésiastiques ». JAFFE, *Bibliotheca rerum germanicarum*,
IV : *Monumenta carolina*, Berlin, 1867, p. 414.

le grand empereur a porté à l'historiographie et aux historiens une attention jamais connue encore[62]. En Angleterre, Alfred le Grand[63] opère ce que Charlemagne a accompli dans les Gaules : on lui attribue même une traduction en anglo-saxon de l'histoire de Bède et une traduction avec commentaires moraux de l'*Historia adversus paganos.* Les rois normands et anglais relancent leurs historiens jusque dans les monastères. Combien d'anecdotes on pourrait citer ! Raoul de Caen raconte comment les princes et les ducs lui font la cour :

Ils me semblaient très souvent, je ne sais par quel motif, tourner particulièrement leurs regards vers moi, comme s'ils eussent voulu me dire : c'est à toi que nous parlons[64].

Des prévenances semblables n'ont pas manqué à Matthieu Paris[65], ni à Guillaume de Tyr qui se rappelle pour sa part les attentions évidentes d'Amaury et de Baudoin IV[66]. La réponse que Frédéric Barberousse donne à son oncle, Othon de Freising, qui estime « bien normal que votre Excellence royale veuille ainsi connaître les faits d'autrefois accomplis par les empereurs et les rois »[67], est un autre exemple de l'attitude intéressée des princes à l'égard de leurs historiens :

62. « Inter caenandum est aut aliquod acroama aut lectorem audiebat. Legebatur ei historiae et antiquorum res gestae ». *Vita Caroll,* 24, éd. HALPHEN, dans *CHFMA,* 1 (1945), p. 72; WALAFRID STRABON, *ibid.,* p. 105-107.

63. Cf. R. H. HODGKIN, *A History of the Anglo-Saxons,* 2e éd., Londres, 1939, t. 2, p. 608-631.

64. *Gesta Tancredi,* préface, dans *PL,* 155, 492 : « Haec publice moventes, specialiter in me, nescio quo auspicio saepius visi sunt oculos retorquere, ac si innuerent; tibi loquimur, in te confidimus... ».

65. Voir *supra* (au sujet du témoin oculaire), p. 45 ss.

66. Cf. *Historia rerum...,* prol., dans *PL,* 201, 212 (éd. HUYGENS, dans *Studi medievali,* V (1964), p. 342).

67. *Chronica,* début, éd. HOFMEISTER, dans *SRG in usum...,* 1912, p. 2 : « Honesta ergo erit et utilis excellentiae vestrae historiarum cognitio, qua et virorum fortium gesta Deique regna mutantis... ».

La chronique, codifiée par ta sagesse et grâce à qui *l'oubli obscur* se change en *harmonie lumineuse,* transmise à nous par ton amitié, nous l'avons reçue avec une joie vive. Au milieu des sueurs de la guerre, nous pourrons, dès lors, grâce à ces magnifiques actions des empereurs, nous réjouir et nous initier à la vertu. En plus et par suite de ta demande nous te faisons volontiers parvenir une brève notice des faits depuis le début de notre règne. Même si à côté des actions d'hommes très excellents, nos actes vont paraître des ombres plutôt que des faits, ton esprit clairvoyant saura à partir d'un objet petit et humble tirer beaucoup de matière. Aussi, nous confiant plutôt dans tes louanges que dans nos mérites, nous serons moins inquiets d'avoir en ces temps accompli si peu pour le monde romain [68].

Le roi fait l'opinion. Au XVe siècle Christine de Pisan parlera des chroniques royales de France comme d'*Histoires approuvées* [69]. C'est une longue tradition, héréditaire, qui conduit les rois à veiller jusqu'à la fin sur les historiens et à les secourir au besoin.

Si étrange que cela paraisse, nous ne savons rien ou presque de la réaction des papes, et peu aussi de celle des évêques. Giraud le Cambrien a beau prétendre qu'Innocent III a lu ses oeuvres d'un trait, durant trois jours et sans dormir [70] : c'est de la caricature. En ce qui regarde les évêques, tout nous

---

68. *Gesta Frederici primi,* début, éd. WAITZ, dans *SRG in usum...,* 1912, p. 1 : « Cronica, quae tua sapientia digessit vel *desuetudine inumbrata in luculentam erexit consonantiam,* a dilectione tua nobis transmissa cum ingenti gaudio suscepimus, et post *bellicos sudores* interdum in his delectari et per magnifica gesta imperatorum ad virtutes informari preoptamus. Ea vero, quae ab ingressu regni a nobis gesta sunt, ad peticionem tuam breviter conpilata noticiae tuae libenter commendaremus, nisi quod ad similitudinem priorum gestorum, quae ab excellentissimis viris edita sunt, magis dici possunt umbra quam facta. Tamen, quia tuum preclarum ingenium humilia extollere et de parva materia multa scribere novit, plus confisi tuis laudibus quam nostris meritis tantillum hoc, quod in Romano orbe per quinquennium fecimus, paucis perstringere curamus ».

69. Cf. *Le livre des fois et bonnes moeurs du Sage Roy Charles V,* éd. SOLENTE, dans *SHF,* 1 (1935), p. 3.

70. *Supra,* ch. 2, note 91.

invite à penser en termes de bienveillance. Le nombre imposant des dédicaces aux prélats de l'époque est un signe. Certains chefs religieux ont protégé leurs historiens à la manière des princes.

Chez les moines. —

La réaction des milieux monastiques nous est de loin la mieux connue. Déjà les grandes abbayes ont leurs *scriptoria* et leurs historiens, v.g. Jarrow-Wearmouth, Saint-Denis, Fulda, Saint-Albans; de même Lorsch, Corbie, Saint-Bertin, Corvey, Saint-Gall, Cluny, Mayence. Partout chroniqueurs et annalistes se succèdent : c'est une charge conventuelle, l'un meurt ou quitte les lieux, aussitôt un autre prend la relève [71].

Aussi surprenant que cela paraisse, le portrait que ces moines historiens nous ont tracé de leur public immédiat n'est pas rassurant. Disons que se plaindre, loi de l'exorde, peut apporter une opinion plus favorable [72]; le malaise dans les faits est si réel que les plus discrets et tour à tour Richer, Guibert, Guillaume de Malmesbury et bien d'autres, le signalent [73]. Gervais de Canterbury est réaliste, un

---

71. Nous n'avons pas trouvé la référence de Mabillon (*Traité des études monastiques*, Paris, 1691, II, ch. 8, p. 227) à propos de « la coutume en Angleterre que dans chaque abbaye royale de notre Ordre, on donnât commission à un religieux habile et exact de remarquer tout ce qui se passait de considérable dans le royaume et qu'après la mort de chaque Roy on apportait tous ces differens memoires au chapitre général de l'Ordre, pour les réduire en un corps d'histoire, qui estoit gardé dans les archives pour l'instruction de la postérité». Peut-être Mabillon se réfère-t-il à la *Chronica gentis scotorum*, XVI, c. 39, de Jean de Fordun († *ca* 1384).

72. Sur la *captatio benevolentiae*, E. Curtius, *La littérature européenne et le moyen âge latin*, Paris, 1956, p. 99 ss.

73. V.g. Guillaume de Malmesbury, *Gesta regum anglorum*, IV, prol., éd. Stubbs, dans *RS*, 90, 2 (1889), p. 357 : « Scio plerisque ineptum videri quod gestis nostri temporis regum scribendis stylum applicuerim; dicentibus quod in ejusmodi scriptis saepe naufragatur

petit nombre de moines seulement le liront : sa chronique n'ira même pas à la bibliothèque [74]. D'autres, peut-être plus sincères que bons juges, diront comme à Robert de Torigny : est-il si nécessaire à un homme engagé dans le service de Dieu d'écrire l'histoire ? Ce moine ne risque-t-il pas de céder au profane ? En racontant le mal n'en devient-il pas comme le promoteur ? Ne risque-t-il pas de trop s'y complaire ?

A quoi bon raconter et mettre en écrit, pour les perpétuer, la vie, la mort, les actions hasardeuses des hommes, les prodiges du ciel, de la terre ou des autres éléments [75] ?

Pierre Damien, qui écrit après 1075, en veut à tous les religieux qui s'amusent, paraît-il, à se raconter des « histoires » profanes. Ces hommes ont pourtant décidé de tourner le dos au siècle :

Il s'en trouve plus d'un et même certains qui ont déjà acquis de l'âge, c'est à ne pas oublier, qui s'occupent depuis leur entrée en religion de niaiseries fabuleuses, au point qu'ils se nuisent à eux-mêmes et ils passent pour des extravagants auprès de ceux qui les entendent. Tantôt (ces

---

veritas et suffragatur falsitas, quippe praesentium mala periculose, bona plausibiliter dicuntur. Eo fit, inquiunt, ut, quia modo omnia magis ad pejus quam ad melius sint proclivia, scriptor obvia mala propter metum praetereat, et, bona si non sunt, propter plausum confingat. Sunt alii qui, nos ex segnitie sua metientes, impares tanto muneri existimant, et hoc studium prava suggillatione contaminant. Quapropter jam pridem, vel illorum ratiocinio vel istorum fastidio perculsus, in otium concesseram, silentio libenter adquiescens; sed dum aliquamdiu solutus inertia vacassem, rursus solitus amor studiorum aurem vellit et manum injecit, propterea quod nec nil agere possem, et istis forensibus et homine litterato indignis curis me tradere non nossem ». Aussi GUIBERT DE NOGENT, *Gesta Dei per francos*, préf., dans *PL*, 139, 629.

74. Cf. *Chronica*, prol., éd. STUBBS, dans *RS*, 73, 1 (1879), p. 89 : « Me autem inter cronicae scriptores computandum non esse censeo, quia non bibliotecae publicae sed tibi frater Thomas, et nostrae pauperculae scribo ». *Supra*, note 35.

75. *Chronica Roberti de Torigneio*, prologue, éd. HOWLETT, dans *RS*, 82, 4, p. 61 : « Quid necesse est vitas vel mortes vel diversos casus hominum litteris mandare, prodigia coeli et terrae vel aliorum elementorum scriptis impressa perpetuare ? ».

moines) écrivent des fragments de récits, tantôt ils écrivent les édicts d'anciens rois, ou encore ils font le récit des victoires, consommant des journées à se raconter sottement des folies de vieilles femmes. Ainsi leur langue, dédiée à Dieu pourtant, loin de s'occuper de prières salutaires récite ridiculement des annales vaines et superstitieuses. Sans doute, ceux qui laissent leur langue goûter aux banquets empestés de leurs fables, ne châtient pas même leur ventre par une modération digne dans sa sobriété. C'est que la verbosité est toujours l'ennemie du jeûne [76].

Plusieurs bénédictins — est-ce une minorité, dont fait partie Pierre le Vénérable [77] ? — considèrent au contraire que les moines n'écrivent pas assez, surtout si on les compare avec les anciens. Pourquoi ne continuent-ils pas cette tradition glorieuse ?

Les anciens historiens, ardents à rechercher tout ce dont ils pouvaient tirer parti, empruntaient aux nations les plus éloignées et à des idiomes étrangers ce que ces peuples et ces langues pouvaient fournir qui fût digne d'intérêt et qui pût apporter quelque profit à l'humanité. Les Egyptiens s'attachaient avec ardeur à la langue et aux sciences des Grecs, les Grecs à la langue et aux sciences des Latins, les Latins à la langue et aux sciences des Grecs, des Hébreux et de bien d'autres peuples, et ce qu'ils y découvraient d'éminemment utile, ils le vulgarisaient par des écrits divers et des traductions de toute espèce [78].

---

76. *De perfectione monachorum*, 23, dans *PL*, 145, 324 : « Nonnulli plane senum sunt, quod praetereundum non est, qui etiam postquam ad religionis ordinem venerint, ita fabulosis naeniis occupantur, ut et sibi sint noxii, et auditoribus videantur esse deliri. Modo enim rerum gestarum lacinias texunt, modo regum antiquorum edicta, vel victorias referunt : sicque diem in nugarum anilium inepta recitatione consumunt. Ita fit, ut per linguam Deo dicatam, quam non salutares occupant preces, ridiculose vani, ac superstitiosi recitentur annales : qui nimirum dum linguam pestiferis fabularum dapibus satiant, quia jejunio semper est inimica verbositas, etiam ventrem digno sobrietatis moderamine non castigant ».

77. Cf. *De miraculis*, II, prol., dans *PL*, 189, 909 : « At e converso, latini nostri non solum nulla peregrina rimantur, sed nec sibi proxima cognoscere vel aliis ea scripto vel verbo commendare dignantur ».

78. *Ibid.*, 909 : « Scrutabuntur priores illi rerum utilium diligentissimi, etiam apud remotas gentes et ignotas linguas, si quid inde dignum et humanis commodis inserviens, possint eruere. Unde Aegyptii Graeco-

Vers quoi aller pour apprendre ce qui est arrivé ? Pierre le Vénérable veut surtout éveiller les consciences :

C'était un usage antique, non seulement chez les premiers pères de la foi chrétienne, mais encore chez les gentils, de consigner par écrit tous les gestes, bons ou mauvais; mais nos contemporains, moins zélés que ces chrétiens et ces païens, laissent dans leur nonchalance s'éteindre la mémoire de tout ce qui arrive de leur temps et qui pourrait être si utile à ceux qui viendraient après eux... [79].

Il est étonnant que l'on sache en 1200 ce qui s'est passé au temps de Moïse, de Jérôme et d'Orose, mais que l'on ignore des faits contemporains :

Cette apathie qui se renferme dans un silence stérile est telle que tout ce qui s'est fait depuis quatre ou cinq cents ans, soit dans l'Eglise de Dieu, soit dans les royaumes de la chrétienté, nous est à peu près inconnu, ainsi qu'à tout le monde. Il y a en effet une différence telle entre notre époque et les époques qui la précédèrent que tout ce qui remonte à cinq cents ou mille ans en arrière de nous, nous est parfaitement connu, tandis que nous sommes dans l'ignorance des faits qui suivent ces temps-là et de ceux-là mêmes qui arrivent de nos jours. Nous possédons une foule d'histoires anciennes, d'actes ecclésiastiques, de livres d'une grande doctrine qui renferment les préceptes et les exemples des Pères; quant aux faits qui se sont passés à des époques voisines de la nôtre, je ne suis pas certain que nous possédions un seul livre qui en traite [80].

---

rum, Graeci Latinorum, Latini Graecorum et Hebraeorum sive aliarum gentium linguas et scientiam studiose indagantes, invicem sibi, quae necessaria cognoscebant, variis scriptis diversisque translationibus communicabant ».

79. *Ibid.*, 907 : « Et cum antiquus mos fuerit, non solum apud primos Christianae fidei Patres, sed etiam apud gentes, ut quaeque digna memoria litteris traderent, isti nec Christianorum, nec Paganorum studia imitantes, universa suis temporibus accidentia, quae succedentibus non parum possent utilia... ».

80. *Ibid.*, 908-9 : « Ad tantum autem jam infructuosa hujus silentii segnities pervenit, ut quaecunque in ecclesia Dei, sive in regnis christianis, a quadringentis, vel quingentis ferme annis facta sunt, universa pene nobis et omnibus ignota sunt. Tanta enim apparet distantia nostrorum temporum et priorum, ut quae ante quingentos, et mille annos gesta sunt nobis notissima, quae vero exinde ipsis quoque diebus

Pierre le Vénérable exagère-t-il ? Sûrement. Sa réaction fait cependant la lumière sur ce que nous constatons plus haut. Les plus instruits boudent l'historiographie, chez les moines autant que dans les écoles et les monastères.

Je m'attriste, en effet, plus que beaucoup de personnes peut-être ne le croiront, oui, je me courrouce de la torpeur d'un grand nombre d'hommes qui, distingués par leur science, leur amour des lettres et leur éloquence, ont toutefois la paresse de ne point transmettre par écrit à ceux qui viendront après eux les oeuvres merveilleuses que le Tout-Puissant accomplit bien souvent sur divers points de la terre pour affermir son Eglise [81].

S'il était le seul à portester ! mais d'autres aussi le font. « C'est un reproche bien fondé qu'on fait à nos frères d'avoir négligé de nous transmettre le souvenir de ce qui s'est passé de leur temps », écrit le bénédictin Laurent de Liège [82] qui a composé vers 1144 une histoire des évêques et des abbés de Verdun.

Ils ont pourtant écrit beaucoup, ces moines : comment l'expliquer ? Nous dirions d'abord que l'in-

---

nostris acta sunt, prorsus ignota sint. Inde est quod historiis antiquis, ecclesiasticis gestis, libris multiplicis doctrinae patrum instructiones et exempla continentibus, abundamus; eorum autem quae temporibus nobis contiguis contigerunt, nescio si vel unum habemus ».

81. *Ibid.,* 907 : « Doleo enim, et supra quam multis forte credibile sit, torpori multorum irascor; qui cum scientia, litteris, atque eloquio abundent, miranda omnipotentis Dei opera, quae saepe in diversis terrarum partibus ad instructionem Ecclesiae fiunt, memoriae posterorum mandare scribendo pigritantur ». Voir ch. 2, note 78.

82. Cf. *Gesta Virdunensium episcoporum et abbatum,* épilogue, dans *PL,* 204, 970 : « Porro petimus ut de hoc opusculo nemo nobis calumpniam struat, quia, cum sola vera nos scripsisse putemus, quicumque verius insinuaverit, meliorem sententiam sequi in omnibus parati sumus. Et bona quidem ad exemplum, mala autem ad quorundam cautelam posteris retulimus, utque ipsi eadem suis posteris faciant mandamus, ne sicut nunc incuriae patres nostros notamus pro non scriptis sui temporis gestis quae ignoramus, ita et ipsi juste a posteris suis, si non scripserint, culpentur. Multum enim valet praeteritorum memoria et ad excitandos bonos et ad reprimandos malos ».

tention première de ces réprimandes est double :
mobiliser les meilleures plumes et convaincre les
auteurs monastiques à mieux faire, à mieux choisir
leurs récits. Au dire de tel annaliste de Stedburg.
il leur faudrait plus de discernement pour être de
véritables historiens. Le fait d'enluminer et de dorer
les textes ne change rien à leur contenu. Au nom
et pour la gloire de Dieu, qu'on aille au plus urgent
et qu'on cesse de raconter des historiettes [83] !

En somme, la réaction du public monastique immédiat ne serait pas tellement plus stimulante que
celle des autres milieux et les moines historiographes
qui n'ont pas l'appui d'un abbé, d'un roi, d'un grand,
auraient du mal à se faire accepter [84]. On leur re-
procherait tout ou presque : de mal choisir les faits,
de raconter des événements trop décevants, de ne
pas assez donner ou de trop donner d'importance
aux Ecritures [85], de céder à la raison [86], de tourner
volontiers l'historiographie en hagiographie [87], d'a-
buser des autorités, de mal écrire [88] et même de

---

83. Cf. *Annales Stederburgenses,* prol., dans *MGH-SS,* 16, p. 199 :
« Eventus rerum temporalium, in quibus nulla vel modica est utilitas,
tantum vel favor vanae laudis ab ore hominum non deficiat, per scripta
memoriae commendantur, et plena nugacitatis volumina aureis gemma-
tisque scriniis recondenda inseruntur; ea vero, quae ad laudem et
honorem Dei geruntur, quamlibet necessaria fuerint, ab eis etiam,
a quibus promoventur, silentio pressa penitus negliguntur; sicque fit,
ut ecclesiis Dei ecclesiarumque rectoribus et eorum filiis error inex-
tricabilis et dampna rerum temporalium irrecuperabiliter generentur ».
ORDERIC VITAL, *Hist. ecclesiastica,* V, 1, dans *SHF,* t. 2, p. 299, accuse
ses confrères d'être trop paresseux quand il y a tellement à raconter.

84. *Supra,* ch. 2, p. 136 ss.

85. *Supra,* p. 28 ss.

86. OTHON DE FREISING, *Chronica...,* II, prol., dans *SRG in usum...,*
p. 68. *Supra,* note 29.

87. *Supra,* ch. 2, p. 146.

88. Cf. *Chronicon Polono-Silesiacum,* dans *MGH-SS,* 19, p. 555 :
« Secundum opinionem multorum quidam historiographi seu cronicarum
conscriptores penes duo suo exercuere intencionem, videlicet secus
ostentacionem sue literalis scientie et secus proprie gentis seu proprie
commendacionem aliarumque gencium sive terrarum detestacionem ».

mentir à l'occasion [89]. Attention ! avise Rigord de Saint-Denis pourtant bien entouré et aimé du roi, écrire l'histoire est un guet-apens :

Si, par exemple, en écrivant l'histoire de Philippe, roi très chrétien, je m'impose une exactitude scrupuleuse en racontant ses vertus, on me traite de flatteur ; si je dérobe à l'histoire quelques traits plus vraisemblables à ces yeux d'hommes, c'est un larcin que j'aurai fait à sa gloire pour sauver mon honneur [90].

Si Aimoin de Fleury proteste avec tant de véhémence, c'est à cause, une fois encore, de ce public mal éduqué et « moyen » qui critiquera celui qui pourtant vient l'éclairer :

Je n'ignore pas qu'il s'en trouvera plusieurs, heureux comme toujours de démolir, qui poseront la dent de leurs molaires sur ce volume; c'est inévitable, à moins de ne pas écrire. Ces gens critiquent leur époque; ils discutent des faits, vivent dans la confusion, vantent les syllabes et accusent les auteurs des négligences des copistes. Ils diront : « Tiens !

---

89. Cf. *Hist. rerum...*, prol., dans *PL*, 201, 211 : ...« et adversus chronographum praeter meritum incandescent; aut invidum aut mendacem reputabunt... ». COMMYNES estime que l'historien est vraiment porté à oublier les mauvais côtés des rois : ce sont des pécheurs eux aussi. Voir *Mémoires*, V, 13, dans *CHFMA*, 5, p. 172-73.

90. RIGORD, *Gesta Philippi II Augusti regis francorum*, préf., dans *Oeuvres de Rigord*, éd. DELABORDE, *SHF*, 1 (1882), p. 4 : « Scripturus enim gesta christianissimi Philippi regis, si cuncta de virtutibus ejus congrua dixero, adulari putabor; si quedam subtraxero ne incredibilia videantur, damnum laudibus ejus mea faciet verecundia ». Aussi GAUTIER MAP, *De nugis curialium*, V, 1, éd. JAMES, 1914, p. 204 : « Qui oserait écrire sur l'actualité, ou encore mentionner nos noms ? Certainement, s'il s'agit d'Henri, de Gautier ou encore de toi-même, tu vas mépriser cet écrit ou t'en amuser; ce n'est pourtant pas de leur faute, ni de la tienne j'espère. Qu'il s'agisse au contraire d'Annibal, de Ménesthée ou de quelque nom adouci par l'âge, tu leur accordes toute ton attention, plongé que tu es dans les cycles fabliaux d'un âge d'or, tu jouis de leurs exploits. Avec entière révérence, tu acceptes la tyrannie d'un Néron, l'avarice de Juba et tout ce que l'antiquité amène; cependant, tu rejettes la mansuétude d'un Louis et la largesse d'un Henri ». Voir *ibid.*, p. 203, où il note que ce sont maintenant les morts qui enterrent les vivants dont on ne parle pas ! *Miraculum illustre !*

voilà notre historiographe qui s'est fait auteur nouveau avec les mots des autres » [91].

Il sera toujours délicat de mesurer le bien-fondé de toutes ces remarques. Les écarter parce qu'elles se répètent serait oublier les procédés familiers de l'écrivain qui s'exprime en transcrivant simplement ses prédécesseurs.

DES HISTORIENS RÉPONDENT. —

Il serait bon de préciser, dans la même optique de l'emprunt et de la complainte conventionnelle, la réaction des historiens vis-à-vis de leurs propres récits et vis-à-vis des écrits de certains de leurs confrères. Au fait, ils se sont jugés assez sévèrement [92] tout en proclamant bien haut leur intention ferme de ne dire que la vérité [93]. Plus pessimistes ou simplement réalistes, d'aucuns se sont posés les vraies questions sans vergogne : comment ne pas se tromper ? comment ne pas haïr ? comment ne pas trop aimer ? comment dire vrai à un public qui vous redoute à l'avance ?

La première attitude devant ces doutes est encore, comme pour les questions de style, de plaider cou-

---

91. « Nec ignoro multos fore qui, solita libidine omnibus detrahendi, huic volumini genuinum infigant dentem. Quod vitare non poterit, nisi qui nihil omnino scribet. Calumniabuntur enim tempora, convertent ordinem, res arguent, syllabas eventilabunt, et (quod accidere plerumque solet) negligentiam librariorum ad auctorem referent. Dicent etiam : « En noster historiographus novusque auctor qui aliorum verbis pro suis utitur ». Hoc quidem me fecisse non nego neque me id piget; ac deinde facturum autumo. Habeo bonorum exemplum, quo mihi id licere facere quod illi fecerunt puto. Nec sententiis detrahentium satis moveor : tua laude vel vituperatione doctus esse sufficiens. Vale, Pater venerande, et prosperis ad vota successibus polle ». *Historiae francorum,* préf., dans *PL,* 139, 628.

92. Cf. ch. 2, note 18.

93. V.g. *Gesta Dei per francos,* prol., dans *PL,* 156, 682-3. Voir *supra,* p. 133 ss.

pable, de s'excuser tant et plus [94]. Plusieurs vont
jusqu'à l'imploration ouverte et supplient « lisans
comme écoutans » [95]. L'auteur de l'*Historia rerum
in partibus transmarinis,* évêque de Tyr, donne bien
le ton habituel de ces remarques :

Nous savons que les longs discours ne sont points exempts
de péchés et que la langue de l'homme mortel est aisément
sujet à faute; aussi, nous invitons fraternellement et exhor-
tons notre lecteur que s'il trouve ici juste raison de blâme,
qu'il fasse avec mesure ce que réclame la charité, afin d'acquérir lui-même, pour nous avoir corrigé, la récompense de
la vie éternelle. Qu'il se souvienne de nous dans les prières
qu'il fait auprès du Seigneur, pour que tout ce qui est aujourd'hui matière à péché, ne devienne pas plus tard sujet de
perdition; mais que, grâce à la bonté gratuite et à l'inépuisable piété du Seigneur de la terre, celui-ci nous pardonne avec
clémence, à nous serviteurs de sa maison, malheureux et
inutiles qui craignons non sans droit un tribunal devant
lequel notre conscience se reconnaît grandement coupa-
ble [96].

----

94. V.g. Bède, *Historia ecclesiastica gentis anglorum,* préface, éd.
Plummer, 1896, I, p. 8 : « Praeterea omnes, ad quos haec eadem
historia pervenire potuerit nostrae nationis, legentes sive audientes,
suppliciter precor, ut pro meis infirmitatibus et mentis et corporis apud
supernam clementiam saepius intervenire meminerint; et in suis quique
provinciis haec mihi suae remunerationis vicem rependant, ut, qui de
singulis provinciis sive locis sublimioribus, quae memoratu digna atque
grata credideram, diligenter adnotare curavi, apud omnes fructum piae
intercessionis inveniam »; Flodoard, *Historia ecclesiae remensis,* prol.,
dans *PL,* 135, 27-28; Orderic Vital, *Historia ecclesiastica,* t. 1, prol.,
p. 4 : « ...exhibeo, ut superflua deleas, incomposita corrigas, et emen-
data vestrae sagacitatis auctoritate munias »; *ibid.,* VI, préf., t. 3, p. 2;
Nithard, *Histoire des fils de Louis le Pieux,* II, début, éd. Lauer,
dans *CHFMA,* 7 (1964), p. 37 : « Vos vero difficultates que ex eadem
molestia parvitati meae obstiterint inspicere deposco et, si quid in hoc
opere neglexero, ut ignoscatis quaeso ».

95. Olivier de la Marche, *Mémoires,* II, 2, éd. Beaune et d'Arbaumont, dans *SHF,* 1 (1883), p. 196.

96. *Historia rerum...,* prol., dans *PL,* 201, 214 (éd. Huygens, dans
Studi medievali, V (1964), p. 343) : « Scientes tamen quoniam
in multiloquio non solet deesse peccatum et miseri hominis lingua in
lubrico posita poenam facile meretur, invitamus fraternae et exhortamur
in domino nostrum lectorem ut, cum justum reprehensionis locum
invenerit, charitate media utatur ea licenter et de nostra correctione

Toutes les comparaisons sont bonnes pour s'api-
toyer et s'excuser. Premier historien africain des
Vandales, Victor de Vita arrive aux siens comme
un mineur qui de peine et de misère tire l'or de la
terre qu'il creuse à mesure [97]. L'évêque Fréculphe
de Lisieux est en haute mer en train de diriger sa
barque à travers un orage de faits tumultueux : au
secours !

Me voici comme un ignorant matelot qui commence à na-
viguer en pleine mer sur une petite barque. Si la mer quitte
son calme et que les flots deviennent tumultueux, viens
m'éviter le naufrage en m'offrant ta main, toi qui m'as
ordonné d'écrire [98].

Agnelus [99], historien des évêques de Ravenne, admet
que son oeuvre n'est qu'une petite étincelle à côté
du soleil des grands philosophes. Tout comme le
dominicain Jacques de Vitry [100] à côté de ses illus-

---

sibi acquirat aeternae vitae proemium : memorque nostri in suis
orationibus impetret nobis apud dominum, ut quidquid in opere praesenti deliquimus nobis non imputet ad mortem, sed de gratuita bonitate
et inolita pietate clementer indulgeat Salvator mundi, cujus tribunal
nos miseri et inutiles in domo ejus servi, accusantem supra modum
verentes conscientiam, non immerito formidamus ».

97. Cf. *Historia persecutionis Africanae provinciae*, prol., éd. M.
PETSCHENIG, dans *CSEL*, 7 (1881), p. 2 : « ...et quasi rusticanus ope-
rarius defatigatis ulnis, aurum colligam de antris occultis... ».

98. « ...hoc tam ingens parva cum cymba ignarus nauta pelagus
navigare coepi. Sed si maris se immutaverit serenitas, fluctusque intu-
muerint, tu qui jussisti naufragio porrige manum ». *Chronicon*, lettre
à son précepteur, dans *PL*, 106, 917. Même image chez NITHARD,
Histoire des fils de Louis le Pieux, IV, début, éd. LAUER, dans
CHFMA, 7 (1964), p. 117.

99. *Liber pontificalis*, prol., éd. RASPONI, dans *RIS*, II, 3 (1922),
p. 17.

100. Cf. *Historia hierosolymitana*, préf., éd. BONGORS, 1611, *Gesta
Dei per francos*, t. 1, p. 1048 : « Cum enim in constructione tabernaculi
quidem aurum, alii argentum, alii autem aes, alii vero jacinthum,
purpuram, coccum bis cinctum, bissum, recortam, pilos caprarum et
pelles arietum obtulerunt, unusquisque secundum propriam facultatem :
confido in eo, qui magis pensat affectum quam affectum; et magis
attendit ex quanto fiat, quam quantum fiat; et si non quantum volo,

tres frères théologiens est la pauvre femme de l'évangile qui vient jeter ses quatre pièces dans le tronc de la sagesse humaine : au lieu d'une pièce d'or, il ne laissera tomber que du poil de chèvre. A chacun ses dons ! Le temple de Yawhé n'a-t-il pas été fait de toutes sortes de pierres ? Qui ne se souvient du glaneur du livre de *Tobie* en train de ramasser les épis oubliés ? Eh bien ! ce glaneur s'appelle Ranulphe de Higden [101], raconteur de faits, amasseur des miettes de faits tombées de la table du savoir humain. Guillaume de Tyr [102] et, avant lui, Orderic Vital [103], voudront se comparer à des peintres artisans en train de tracer leurs canevas à l'intention de vrais artistes qui suivront.

En prenant l'initiative de juger sévèrement leurs écrits ils en restent les juges en un sens et peuvent ainsi demander la mansuétude du lecteur, fût-il le roi :

Dans les conjonctures actuelles, écrit Nithard à Charles le Chauve, si vous remarquez quelques omissions ou négligences indignes d'une si grande entreprise, vous et les vôtres devrez me le pardonner d'autant plus facilement que vous savez comment j'ai été balloté par la tempête ainsi que vous-même pendant que je m'en acquittais [104].

---

sed quantum valeo in ejus offero sacrificium insufficientiae meae veniam sit daturus ».

101. Cf. *Polychronicon*, I, 1, *prologus*, éd. C. BABINGTON, dans *RS*, 41, 1 (1865), p. 12 : « Intrabo, inquam, in agros priscorum, metentes subsequens si potuero, quoquomodo colligeris mihi spicas remanentes, vel saltem micas cadentes de mensa dominorum, qui quondam saturati dimiserunt reliquias suas parvulis suis ».

102. Cf. *Historia rerum...*, prol., dans *PL*, 201, 211 (éd. HUYGENS, dans *Studi medievali*, V (1964), p. 340). « Nam et in picturis rudes et ad artis arcana nondum admissi luteos primum solent colores substernere et prima lineamenta designare, quibus manus prudentior fuscis nobilioribus decorem consuevit addere consummatum ».

103. ORDERIC VITAL, *Historia ecclesiastica*, V, fin, t. 2, p. 471.

104. *Histoire des fils de Louis le Pieux*, prol., éd. LAUER, dans *CHFMA*, 7 (1926), p. 2 : « Nunc autem, si quid minus vel incultius quam oportuerit pro rerum magnitudine huic operi inveneritis insertum,

Chacun veut donc s'attirer les bonnes grâces de son public. Que d'implorations, que d'incantations [105] ! Les plus habiles ou les plus téméraires souhaitent être corrigés sur place comme Orose qui avait autrefois, mais en vain, demandé ce service à Augustin [106]. Vers 1100 Raoul de Caen écrit :

Je t'ai choisi... patriarche Arnould, pour mon maître, afin que tu retranches dans mes pages les choses les plus superflues, que tu combles les vides, que tu éclaircisses les obscurités, que tu refondes ce qui serait trop sec; sachant que tu n'es étranger à aucune science libérale, toutes les corrections que tu feras me seront douces comme le miel, si après t'avoir eu comme précepteur dans mon enfance, toi étant jeune encore, je puis, devenu homme, trouver dans la vieillesse un maître qui me corrige [107].

De toute manière, dirait Rigord, un lecteur vertueux supporte tout, surtout quand il connaît les difficultés de l'historiographie :

---

tanto facilior venia a vobis vestrisque mihi debetur, quanto me nostis eodem turbine quo et vos, dum hoc opus peregerim, esse agitatum ».

105. V.g. GERVAIS DE CANTERBURY, *Gesta regum*, début, dans *RS,* 73, 2, p. 4 : « Rogo tamen lectorem, ne pauperculi Gervasii super hiis, vel aliis quae fecit operibus, contempnat simplicitatem, vel rugatis naribus dictaminis arguat levitatem, sed, si plura noverit, dummodo mihi non succenseat, emendandi gratia benigne tamen ponat in margine, quod mihi non occurit ponendum in ordine. Verumptamen, si magna quaerit et ardua, egregios illos scriptores scrutetur et relegat, qui adeo magnifice sua insignia composuere volumina, ut lectores suos discendi avidos taedio afficiant, dum magis in exponendis verbis quam in historia intelligenda plerumque lectorem oporteat immorari. Ego autem mei similibus simpliciter scribo, ut compendiose legendo transcurrant quod ex necessitate vel propria voluntate scire desiderant. Ora igitur pro tuo Gervasio, lector bone, ut in aeterna beatitudine Deum mereatur habere ».

106. Cf. *Historia adversus paganos,* VII, 43, éd. ZANGEMEISTER, dans *CSEL,* 5 (1882), p. 564.

107. « ...a quo secundum elegi te, Arnulfe, patriarcha doctissime, doctorem; qui paginae meae superflua reseces, rimas impleas, obscura illustres, arida superfundas : nullius etenim liberalis scientiae te cognovimus exsortem. Praesertim mellita mihi erit quaecumque erit correctio tua, si, quem sortitus sum praeceptorem puer juvenem, nunc quoque correctorem te impetravero vir senem ». *Gesta Tancredi,* préface, dans *PL,* 155, 494.

Je prie mes lecteurs, si toutefois cet ouvrage leur paraît
mériter censeurs, de comparer tout ensemble la hauteur du
sujet et la faiblesse de mes moyens littéraires; ils verront
alors qu'une tâche si difficile était au-dessus de mes forces,
et peut-être ces considérations leur apprendront à supporter
avec plus d'indulgence la plupart des endroits qui ne pourraient soutenir un examen sévère, et qu'une justice rigou-
reuse condamnerait sans doute [108].

Et ainsi de suite. Que Dieu me pardonne ! que
l'Esprit de Dieu *me* guide, ou *vous* guide ! priez pour
moi ! je prierai pour vous ! Bède termine son oeuvre
par une prière personnelle à Dieu [109].

Si la majorité s'accuse, s'excuse ou implore, une
minorité cependant, à qui l'humilité semble moins
facile, défie son lecteur, le menace et l'expédiera en
enfer s'il faut. Surtout *ne dis pas que le passé était
meilleur* [110] ! Eginhard [111], Pierre Diacre [112], d'autres
comme eux protestent contre les caprices du public :
de quel droit juge-t-on ceux qui font tout leur possible pour dire vrai ?

Si quelqu'un s'étonne, écrit Pierre Diacre, et qu'il me trouve
incapable, primaire, et qu'il pense que je n'aurais jamais

---

108. *Gesta Philippi II Augusti, regis francorum...*, dans *Oeuvres de
Rigord*, éd. Delaborde, dans, *SHF*, 1 (1882), p. 5 : « Verumtamen
lectores hujus operis exoratos esse volo, ut si quid in hoc satyra
dignum invenerint, considerent altitudinem materie et simplicitatem mee
litterature, nec ad tam arduum opus vires meas suppetere; et, ad hec
habito respectu, discant saltem ex dispensatione tolerari debere pleraque,
que, si quis forte diligentius discuteret, possent de rigore condemnari ».

109. Bède, *Hist. ecclesiastica (explicit)*, éd. Plummer, 1896, p. 360 :
« Teque deprecor, bone Jesu, ut cui propitius donasti verba tuae
scientiae dulciter haurire, dones etiam benigus aliquando ad te fontem
omnis sapientiae pervenire, et parere semper ante faciem tuam ». —
Orderic Vital s'arrête et prie pour son père : *Historia ecclesiastica*,
XIII, 44, éd. Le Provost et L. Delisle, dans *SHF*, 5 (1855), p. 133;
Gervais de Canterbury, *Chronica*, prol., éd. Stubbs, dans *RS*, 73,
1, p. 90.

110. V.g. Fra Salimbene, *Cronica, de praelato*, dans *MGH-SS*, 32,
p. 141 : d'après *Ecclésiaste*, VII, 10.

111. Cf. *Vita Caroli*, prol. (fin), éd. Halphen, p. 4.

112. Cf. *Chronica monasterii casinensis*, IV, prol., dans *MGH-SS*,
7, p. 755.

dû m'adonner à une telle oeuvre, c'est qu'il ignore absolument que bien des grandes oeuvres de notre créateur pourraient être ainsi détruites si elles étaient soumises aux seuls
critères de la raison humaine [113].

Dieu sait ce qu'il fait. Mieux que le lecteur en tout
cas :

Celui qui autrefois donnait la parole à un animal brute
inspire le discours aux coeurs de ses serviteurs quand il
veut, comme il veut et où il veut [114].

Même le vénérable Orderic Vital a ses sautes d'humeur : les critiques sont des ignorants. Qu'ils se
taisent, tout ira mieux en ce bas-monde.

Qu'ils gardent le silence et le repos, je les en conjure, ceux
qui, ne produisant rien d'eux-mêmes, accueillent avec malveillance les ouvrages d'autrui et ne savent pas reprendre
avec douceur ce qui peut leur déplaire. Qu'ils apprennent
ce qu'ils ignorent; et s'ils sont incapables d'apprendre, qu'ils
souffrent au moins que leurs maîtres mettent au jour ce
qu'ils croient convenable [115].

Guillaume de Malmesbury [116] n'est pas plus tendre
qu'Orderic. Cela les ennuie de le lire ? Qu'ils ne
le lisent pas; il n'écrit pas pour les fous « aussi
faciles à convaincre qu'à maintenir dans leur con-

---

113. *Ibid.* : « Quod si aliquis contra nos propter hoc locutus fuerit,
et me insulsum atque indoctum dijudicans, tantum opus nequaquam
aggredi debuisse clamaverit, liquido noscat quia tunc Redemptoris
nostri magnalia pene annichilantur si humanae rationis astutia investigantur ».

114. *Ibid.*: « Ille enim qui brutum animal olim resolvit in verba
loquentum, ipse in cordibus servorum suorum prout vult, et quantum
vult, et quando vult, dat verbum ».

115. « Conticescant obsecro et quiescant, qui nec sua edunt, nec
aliena benigne suscipiunt, nec, si quid eis displicet, pacifice corrigunt.
Discant ea quae nesciunt; et, si discere nequeunt, patiantur saltem
symmathites suos edere quae sentiunt ! » *Hist. ecclesiastica,* VI, début,
dans *SHF,* t. 3, p. 2; *ibid.,* V, 1, t. 2, p. 300; l'auteur reproche à ses
contemporains et à ses frères même de ne pas courir le risque du
travail et du public.

116. Cf. *Gesta regum anglorum,* VI, prol., *RS,* 90, 2, p. 357-8;
Historia novella, III, prol., p. 566.

viction » [117]; il écrit pour les gens sérieux qui désirent des vrais récits. Un historien milanais de la même époque disait : lit qui veut lire et que les autres s'abstiennent [118] ! Quel mépris parfois de l'opinion publique ! On mesure ici jusqu'à quel point ils la redoutent. Guibert de Nogent ne capitulera jamais, mais il se sent inquiet :

> Dans toutes les choses que j'ai écrites, et que j'écris sans cesse encore, je bannis tous les hommes de ma pensée, ne cherchant dans ces occupations que mon avantage particulier, et ne me souciant nullement de plaire aux autres. En conséquence, j'ai pris mon parti des opinions du monde, et, tranquille ou indifférent pour moi-même, je m'attends à être exposé à toutes sortes de propos, et comme battu de verges. Je poursuis donc mon entreprise, bien disposé à supporter avec égalité d'humeur les jugements de ceux qui viendront aboyer après moi [119].

Chacun y va ainsi de ses ironies ou de ses excuses pour répondre et contrecarrer la critique du public et des confrères. Quelques-uns ont trouvé le mot qui fermera la bouche à tout le monde : peu importe la critique, le roi et la reine les liront [120]. Ou encore, disait l'abbé Aimoin de Fleury, oublions ceux qui nous critiquent, leurs oeuvres sont négatives et les jugent déjà; écrivons simplement et sans rougir pour les gens mieux disposés à comprendre :

> Or, je ne nie pas avoir écrit et je n'en rougis pas non plus. Et je prétends encore le faire. J'ai l'exemple des gens de bien pour dire qu'il est permis de le faire. Je ne suis pas

---

117. *Gesta regum anglorum, ibid.*, p. 358 : « Stulti facile possunt convinci, difficile compesci ».

118. Cf. *Gesta archiepiscoporum mediolanensium*, début, éd. BETHMANN et WATTENBACH, dans *MGH-SS*, 8, p. 6-7.

119. « Ego plane cum plura scripserim et scriptitem, ita omnes extrusi ab animo ut mihi soli profutura putem, nulli alii placitura curem. Opinionibus itaque omnium supersedi, ideoque mei securus aut negligens, praestolar me quorumlibet verborum verbere caedi. Prosequamur igitur coepta, aequanimiterque toleremus hominum nos dilatrare judicia ». *Gesta Dei per francos*, V, début, dans *PL*, 156, 749.

120. V.g. Bède, Nithard, Matthieu Paris, et bien d'autres.

tellement ému par l'opinion des adversaires, étant déjà assez instruit de ce qu'il faut faire après ce qu'ils ont fait eux-mêmes [121].

Est-il nécessaire de rappeler, une fois encore, la réponse de notre Grégoire de Tours tout menaçant à l'égard de ses collègues. C'est vrai qu'aux temps de la « barbarie » et des hérésies un évêque ne peut pas être sûr même de la réaction d'un confrère. Alors qu'ils aillent au diable !

Je vous adjure, vous tous évêques du Seigneur qui gouvernerez l'église de Tours après l'humble homme que je suis, par la venue de Notre Seigneur Jésus-Christ et le jour du jugement, terreur de tous les coupables, si vous ne voulez pas être confondus par le dit jugement ni condamnés à descendre avec le diable, de ne jamais faire détruire ces livres, ni de les récrire en choisissant certaines parties et en supprimant les autres, mais je demande qu'ils soient conservés chez vous entiers et intacts tels qu'ils ont été laissés par nous [122].

Vers les XIe et XIIe siècles certains historiens ont commencé à se critiquer et à se réfuter entre eux. Guibert de Nogent condamne Foucher de Chartres. Guillaume de Newburg n'admet rien ou presque des origines légendaires d'un Geoffroi de Monmouth [123]

---

121. *Historia francorum, epistola*, dans *PL*, 139, 628 : « Hoc quidem me fecisse non nego neque me id piget; ac deinde facturum autumo. Habeo bonorum exemplo, quo mihi id licere facere quod illi fecerunt puto. Nec sententiis detrahentium satis moveor : tua laude vel vituperatione doctus esse sufficiens ».

122. « Quod libros licet stilo rusticiori conscripserim, tamen conjuro omnes sacerdotes Domini, qui post me humilem ecclesiam Turonicam sunt recturi, per adventum domini nostri Jesu Christi ac terribilem reis omnibus judicii diem, sic numquam confusi de ipso judicio discedentes cum diabolo condempnemini, ut numquam libros hos aboleri faciatis aut rescribi, quasi quaedam eligentes et quaedam praetermitentes, sed ita omnia vobiscum integra inlibataque permaneant, sicut a nobis relicta sunt ». *Historiarum libri X*, 31 (finale), éd. B. Krusch et W. Levison, dans *MGH-Scriptores rerum merovingicarum*, I (1951), p. 536.

123. On trouvera toute la longue critique de Guillaume de Newburg au *prooemium* de son *Historia rerum anglicarum*, éd. Howlett, dans

et il lui reproche amèrement d'avoir abusé de la
crédulité des siens. Le continuateur de Raoul Niger,
chroniqueur au temps de Henri II d'Angleterre, contredit violemment son prédécesseur :

> Maître Raoul Niger a continué cette chronique; il fut ac-
> cusé auprès du dit-prince [Henri II] et exilé. Sous l'injure
> de cette expulsion, il a écrit en un style mordant au sujet
> d'un prince aussi doux des choses plus violentes qu'il ne
> convenait d'écrire; il a omis les actions glorieuses par les-
> quelles le prince s'était distingué, faisant voir les mauvais
> côtés sans aucune excuse pour les couvrir [124].

Parmi les reproches qu'on se fait entre « contemporains » et mises à part les questions de style, il y
a celui de trop raconter [125]. L'auteur du *Liber
pluscardensis* [126] estime que la prolixité de certains
historiens de son temps a de quoi éteindre tout
appétit chez les auditeurs. Salimbene est du même
avis : tant de détails supreflus, des faux, et même

RS, 82, 1 (1884), p. 11-19. Ce texte constitue le pire réquisitoire que
nous connaissions d'un historien du moyen âge contre un historien
contemporain. Cf. J. HAMMER, *Geoffrey of Monmouth, Historia regum
Britanniae*, Cambridge, 1951; Laura KEELER, *Geoffrey of Monmouth and
the Late Latin Chroniclers 1300-1500*, Berkeley, 1946.

124. Cf. *De re militari*, prol., *Lincoln Cathedral, ms 15*, fol. 55v;
Radulfi Nigri Chronica, éd. R. ANSTRUTHER, *The Chronicles of Ralph
Niger*, London, Camden Society, 1851, p. 167 : « Hujusque protraxit
hanc chronicam magister Radulphus Niger, qui accusatus apud prae-
dictum principem et in exsilium pulsus, ob expulsionis injuriam atrociora
quam decuit de tanto ac tam serenissimo rege mordaci stylo scripsit,
magnificos ejus actus quibus insignis utique habebatur reticendo, atque
prava ejus opera absque alicujus excusationis palliatione replicando ».
Cf. G. B. FLAHIFF, *Ralph Niger : an Introduction to His Life and
Works*, dans *Mediaeval Studies*, 2 (1940), p. 104-126.

125. Propos confirmés par le continuateur de Jean de Fordun,
éd. SKENE, 1871, t. 1, p. liii-liv, et par GUILLAUME THORNE (*fl.* 1397)
dans sa *Chronica de rebus gestis abbatum s. Augustini Cantuariae*,
prol., éd. TWYSDEN, *Historiae anglicanae scriptores*, X (1652), c. 1757-
58. Même reproche, cette fois, de VOLTAIRE (*Essai sur les moeurs et
l'esprit des nations*, avant-propos), scandalisé que certaines annales
monastiques contiennent plus de volumes que celles de l'empire romain.

126. Il s'agit d'une compilation en 1461 pour l'abbé de Dunfermline,
éd. SKENE, 1877, t. 1, p. 4-5.

des contradictions [127] ! Choix de faits mal orienté, des récits trop médiocres, comme dirait Guillaume de Newburg [128], mais surtout un manque d'horizon. Raoul Glaber constate : « Il est clair qu'aussi bien dans le monde romain que dans les régions d'outre-mer et barbares, il s'est passé des quantités de choses qui, confiées à la mémoire des hommes, leur seraient fort profitables » [129]. Comment expliquer ces vides, ces périodes sans récits, se demande l'auteur du *Polychronicon,* Ranulphe de Higden ? La négligence et la mauvaise volonté des historiens y sont sûrement pour quelque chose [130]. Peut-être qu'on ne connaît pas assez les langues, observe Jacques de Vitry [131]. Si on se concentrait davantage sur l'époque contemporaine, au lieu de toujours remonter à Adam [132] ? Pourquoi toujours citer les mêmes autorités ? Pourquoi discuter et rediscuter les mêmes questions [133] ? Guillaume de Malmesbury prétend que le culte de l'antiquité est à ce point tenace que

127. Cf. *Cronica, a. 1247,* dans *MGH-SS,* 32, p. 217.

128. Cf. *Historia rerum anglicarum, prooemium,* éd. HOWLETT, dans *RS,* 82, 1 (1884), p. 17 : « Quomodo enim historiographi veteres, quibus ingenti curae fuit nihil memorabile scribendo omittere, qui etiam mediocria memoriae mandasse noscuntur, virum incomparabilem, ejusque acta supra modum insignia, silentio praeterire potuerunt ? »

129. *Francorum historiae libri V,* éd. PROU, dans *SHF,* 1886, p. 24 (*PL,* 142, 612) : « Dum videlicet constet, tam in orbe Romano quam in transmarinis seu barbaris provinciis perplura devenisse, quae si memoriae commendarentur, proficua nimium hominibus forent atque ad commodandum quibusque cautelae studium potissimum juvarent ».

130. Cf. *Polychronicon,* I, 1, éd. BABINGTON, dans *RS,* 41, 1 (1865), p. 14-15 : « Enim vero multorum notitia gestorum partim violentia hostilitatis, partim desidia scriptorum est adempta, ita ut vix hodie nuda locorum nomina sint salvata ».

131. Cf. JACQUES DE VITRY, *Hist. hierosolymitana,* préface, éd. BONGORS, 1611, t. I, p. 1047 ss.

132. Cf. JEAN DE FORDUN, *Chronica gentis scotorum,* I, 51, éd. SKENE, 1871, t. I, p. 252.

133. V.g. GUILLAUME DE MALMESBURY, *Gesta regum anglorum,* III, 292, dans *RS,* 90, 2, p. 345; MATTHIEU PARIS, *Chronica majora, a. 1081,* dans *RS,* 57, 2, p. 18.

des confrères pâliront sur leurs parchemins plutôt
que faire du neuf [134]. Ne soyons pas trop sévères,
répliquerait aussitôt Othon de Freising : les hommes ne peuvent pas tout apprendre en même temps.
Les anciens eux-mêmes n'y ont pas réussi.

Même s'ils furent des hommes de grand savoir et de grande
habileté, nos ancêtres n'ont pu apercevoir certains aspects
de la vie qui par la suite du temps et des événements nous
ont été à nous révélés. Un exemple : tout le monde voit
aujourd'hui dans quelle situation se trouve l'empire romain,
empire que les païens croyaient, cependant éternel et que
les nôtres disaient divin [135].

Au fait, peu d'historiens du moyen âge ont la
lucidité du biographe d'Henri II d'Allemagne pour
expliquer ouvertement que l'*antiquité* et le *moderne*
se valent bien dans la mesure où il y a vérité, celle-ci
étant toujours le premier critère de l'utilité de toute
historiographie.

... Il faut qu'une chose soit moderne avant de devenir
ancienne. C'est dommage de mépriser ce qui nous précède
quand tout ce qui suit découle nécessairement de ce qui
précède. Il est bien rare aussi que l'assoiffé coure à la rivière quand il est déjà à la source. Nous ne croyons pour
autant qu'il faille délaisser l'antiquité pour ne nous attacher
qu'à ce qui est actuel. Plutôt, antiquité et moderne se valent dans la mesure même de leur utilité et de leur vérité [136].

134. Cf. *Gesta regum anglorum*, III, par. 292, éd. Stubbs, dans
RS, 90, 2 (1889), p. 345; voir ch. I, note 230.

135. *Chronica*, V, prol., éd. Hofmeister, dans *SRG in usum...*, 1912,
p. 226 : « Hinc est, quod multae antecessores nostros, praeclarae
sapientiae ac excellentium ingeniorem viros, latuerunt causae, quae
nobis processu temporum ac eventu rerum patere ceperunt. Proinde
Romanum imperium, quod pro sui excellentia a paganis aeternum, a
nostris pene divum putabatur, jam ad quid devenerit, ab omnibus
videtur ».

136. Adalboldus, *Vita Henrici II imperatoris*, préf., éd. Waitz,
dans *MGH-SS*, IV, (1841), p. 683 : « Sed quae recipiuntur ab antiqua,
nisi primitus essent nova, non essent antiqua. Quare praecedit novitas,
ut sequatur antiquitas. Stultum est ergo, quod praecedit spernere, et
quod sequitur, quodque a praecedenti habet ut sit, recipere. Raro enim
a sitiente rivus quaeritur, dum fons habetur. Dicimus haec, non ut abi-
ciatur antiquitas, sed ut recipiatur novitas. In omnibus quippe scripturis,
si est veritas et utilitas, aeque valet novitas et antiquitas ».

— B —

VERS L'HISTORIOGRAPHIE MODERNE

Voilà que nous quittons notre moyen âge pour interroger quelques témoins de la Renaissance et prévoir, si possible, le passage à l'historiographie moderne. Cinq noms nous serviront de points de repère : Matteo Palmieri († 1475) [137], Bartolomeo Platina († 1481) [138], Nicole Gilles († 1503) [139], François Carpesanus (XVIᵉ s.) [140] et après, Jean Bodin († 1596).

Un des premiers à juger globalement l'historiographie médiévale, vrai homme de la Renaissance aussi, l'auteur talentueux du *Liber de temporibus* sait que la Grèce et Rome ont été mieux servis en fait d'historiens que l'Occident chrétien; c'est, dit-il, regrettable qu'on connaisse mieux les temps anciens que sa propre époque [141]. Que s'est-il produit exac-

---

137. Humaniste florentin (1406-1475), auteur d'un célèbre dialogue, le *Della vita civili;* le *De temporibus* (en 1448), a été édité par Scaramella en 1906, dans *RIS,* XXVI, 1.

138. Humaniste et historien (1421-1481), auteur (en 1474) du *Liber de vita Christi ac omnium pontificum,* éd. Gaida, dans *RIS,* III, 1 (1913-32), 1 ss.

139. Nicole Gilles († 1503) notaire et secrétaire du roi Charles VIII. On lui doit les *Annales et chroniques de France...* imprimées à Paris en 1492. Plusieurs éditions : voir R. Molinier, V, no. 4669.

140. Prêtre et historien de Parme. Il dédie ses *Commentarii suorum temporum* (1470-1526) en dix livres, au comte de Belforte, Geronimo Sanvitale. Édition Martène et Durand, *Amplissima collectio...,* V, col. 1177 ss.

141. « Quaerenti mihi saepe numero, quibus temporibus, per quos et apud quas gentes res memoratu dignae gestae fuerint ac illustrium praeterea virorum aetatem et tempora quibus excelluerint et in quo genere vitae longe magis nota ea visa sunt, quae ante adventum Christi salvatoris nostri fuerunt, quam quae post Christianorum salutem subsecuta sunt tempora, clarissimi quippe viri, qui tunc fuerunt, tanta suis temporibus accuratissimis scripturis infuderunt lumina, ut nobis post tot temporum decursa tempora illa longe clariora reddantur, quam quae parentum nostrorum aetate sunt facta ». *Liber de temporibus,* préface, éd. Scaramella, dans *RIS,* XXVI, 1 (1906), p. 5.

tement ? Matteo Palmieri est charitable. Après la chute de l'empire romain, il a fallu construire, créer de nouvelles institutions, renouveler l'exégèse et la religion. Les auteurs « chrétiens » ne pouvaient vraiment pas se concentrer sur l'historiographie qui requiert du temps et beaucoup d'efforts suivis :

Après la venue de notre Sauveur, comme l'empire romain déclinait toujours, les écrivains gentils disparurent ; les plus chrétiens de nos gens, fondateurs de la nouvelle religion par leur exemple et leurs miracles accomplis au nom du Dieu tout-puissant, s'efforçaient de poser les fondements de la première église et ils ne s'occupaient pas des besognes de ce siècle. Certains d'entre eux se sont consacrés à l'étude des Ecritures Saintes mais en ne pensant qu'aux institutions de la religion ; ils ne se trouvaient pas à toucher au reste, sinon pour éclairer mieux le sens de leur propre histoire. Ce fut le cas jusqu'aux très sacrés docteurs de l'Eglise de Dieu, Augustin, Jérôme, ainsi que d'autres hommes illustres de l'époque dont les faits sont racontés par quelques écrits [142].

Et après ? Toutes ces chroniques et toutes ces annales des cours et des monastères ? Matteo Palmieri est d'avis que le moyen âge a produit trop d'historiens secondaires et trop de récits inutiles; il a au surplus rédigé dans une langue trop plébéienne :

Alors suivirent des temps presque complètement obscurs, submergés par l'ignorance et les ténèbres, si bien que tout ce qui s'y trouve, digne de mémoire pourtant, est raconté par des auteurs d'une telle prolixité et dans des récits char-

---

142. « Post nostri Salvatoris adventum Romanorum imperio continuo declinante gentilitatis scriptores una defecerunt. Nostri vero viri christianissimi tunc novae religionis fundatores exemplis atque miraculis, quae omnipotentis Dei nomine faciebant, jacere primitivae ecclesiae fundamenta conabantur, de hujus quidem seculi rebus nihil curabant. Si qui eorum sacris scripturis operam impendebant, institutionem tantum christianae religionis procurabant, historias verum caeterarum rerum non attingebant, nisi si aliquid intercidisset quod suae narrationis splendidiorem sensum efficeret. Hinc est quod usque ad sacratissimos ecclesiae Dei doctores Augustinum et Hieronimum et alios qui circa ea tempora floruerunt probe quaedam scripta reperiuntur, quae illorum temporum facta illustrant ». *Ibid.*

gés de tant de niaiseries avec toutes sortes de détails minus-
cules, sans compter le mélange d'opinions diverses, qu'il
devient long, difficile et ardu — il y faudrait beaucoup de
lectures et de temps — de confier ensuite à sa mémoire ce
qui mériterait d'en être retenu [143].

C'est dommage que toutes les chroniques d'autrefois soient farcies, sans distinction, sans discernement, de tous les sujets possibles. Nicole Gilles qui
inclut même les *Grandes chroniques de France,*
trouve bien mal écrites, mal présentées et confuses,
ces suites de récits qui racontent pourtant des beaux
faits. Si les « médiévaux » avaient eu le style des
Grecs et des Romains, ils auraient sûrement donné
une meilleure image d'eux-mêmes :

Quoy considérant, j'estime que si leurs faits et gestes eussent
été mis par escript, et en langaige éloquent, ainsi qu'ont été
les faits des Romains et d'autres faits des Athéniens, Grecs,
Troyens, et autres nations, et mesmes ceulx des Romains,
qui plus ont fait de langue que d'espée. Mais ilz ont eu ce
malheur que leurs historiographes n'ont pu atteindre à
ceste éloquence des Romains; et encore ce qui est escript
d'eulx, mesmement es grandes chroniques de France, est si
fort mêlé parmi les faicts et gestes de plusieurs autres
Princes et Seigneurs estrangiers, et avec tel nombre d'inci-
dens, qui sont advenus durant leurs temps et règnes, tant
en ce royaume qu'ailleurs, que la multitude et confusion
des matières qui y sont récitées, garde les lisans de concevoir et mieulx retenir les lignies... [144].

---

143. « Quae postea secuta sunt tempora penitus pene occulta atque
obliterata sunt et obscuritate inscitiaque summersa, adeo ut, si quae res
memoria dignae scriptae illis temporibus inveniantur, tot sint inspersae
auctoribus tanta prolixitate nugarum parvissimarumque rerum narrationibus circumfusae ac opinionum varietate suspensae, ut longe perdif-
ficile atque arduum sit et multi temporis lectionem diligentiamque
requirat, si voles aliquid quod excellat excerpere et cognitioni memo-
riaeque mandare ». *Ibid.*

144. *Annales et chroniques de France depuis la destruction de Troyes
jusqu'en 1549,* éd. revue et corrigée par Denis SAUVAGE, Paris, 1549,
fol. 1iv-1v. — Cf. J. P. BODMER, *Die französische Historiographie des
Spätmittelalters und die Franken. Ein Beitrag zur Kenntniss des
französischen Geschichtsdenkens,* dans *Archiv für Kulturgeschichte,* 45
(1963) p. 91-118.

Quant à Platina, à la manière des humanistes aussi, il conclut que si les chroniqueurs d'autrefois avaient pu imiter Jérôme, Augustin, Grégoire le Grand et Lactance, ils n'auraient pas eu à s'excuser toujours de mal écrire [145]. Si en outre ils avaient davantage fréquenté Cicéron, ils auraient sans doute mieux rédigé et seraient devenus plus recevables. Ici, François Carpesanus, qui écrit entre 1470 et 1526, protesterait sûrement : qu'on cesse une fois pour toutes de juger les historiens à partir du seul critère esthétique. Il existe une autre forme d'éloquence que celle des « classiques » et cette autre éloquence, simple et ordinaire, ne se paie pas de mots. La manière un peu fruste des « médiévaux » est, à son avis, moins redoutable que le style obscur et ombrageux des « grands » de son temps. L'historiographie vaut surtout par la vérité de ses récits, comme d'ailleurs le dit Cicéron, *leur* Cicéron, et non pas par son seul style [146] ?

Avant d'interroger Jean Bodin, plus tardif, essayons, brièvement cela va sans dire, de déterminer comment entre temps s'est opérée la transition ou le passage de la manière médiévale à celle de la Renaissance [147]. Nous constatons en premier lieu que

145. Cf. *Prohemium Platynae in vitas Pontificum...*, éd. G. Gaida, dans *RIS*, t. 3, 1, p. 4 : ...« Leguntur certe multi qui (Damasum semper excipio) nullum florem orationis, nullam compositionem et elegantiam sequuntur; non de industria, ut ipsi jactitant, ornatum fugientes, quod eleganti stylo res sacrae scribi non debeant, sed inscitia et ignoratione bonarum literarum. Iis autem objicere Augustini, Hieronymi, Ambrosii, Gregorii, Leonis, Cypriani, Lactantii eruditionem et doctrinam sit satis, qui hac in re Ciceronis auctoritatem sequentes, arbitrati sunt, nil esse tam incultum et horridum, quod non splendesceret oratione ».

146. Franciscus Carpesanus, *Commentaria suorum temporum libri X...*, dans Martène et Durand, *Amplissima collectio...*, V, 1177-1426.

147. Cf. Hugo Preller, *Geschichte der Historiographie*, t. III, et IV, Aalen, 1968; H. E. Barnes, *A History of Historical Writing*, 2e éd., New York, 1963; R. G. Collingwood, *The Idea of History*, Oxford, 1946, p. 46-57; Éd. Fueter, *Histoire de l'historiographie moderne*

lorsque le récit traditionnel, la *narratio rei gestae* telle que définie par les anciens grammairiens, se transforme en récit explicatif, en preuves, en *connaissance intégrale,* comme disaient Hugues de Poitiers au douzième siècle et Henri de Knigton au quatorzième siècle [148], nous approchons de l'ère moderne. La nécessité d'expliquer et d'ajouter de nouvelles circonstances oblige à un élargissement des cadres et des perspectives. La morale biblique ne suffit plus. Le public de plus en plus nombreux et plus diversifié, plus laïc aussi, demande qu'on l'éclaire sur ce qui le préoccupe le plus immédiatement : la vie politique, la vie militaire, la description des lieux étrangers, *et caetera.*

D'autre part, il semble bien que la transition d'une manière à l'autre ait été lente et inégale; elle varie selon les régions et les degrés de culture. Une fois de plus, l'Italie et bientôt la France donnent le ton, par zones d'influence de Florence à Paris, puis vers le Nord et finalement jusqu'en Angleterre où la tra-

---

(traduction JEANMAIRE), Paris, 1914, p. 1-305. Plutôt que J. W. THOMPSON, *A History of Historical Writing,* New York, 1942, vol. 1, p. 363 ss., W. K. FERGUSON, *The Renaissance in Historical Thought,* Cambridge (Mass.), 1948.

148. HUGUES DE POITIERS, *Historia Vezeliacensis,* II, début, dans *PL,* 194, 1576 : «...ut et rerum constet *cognitio integra...* »; HENRI KNIGHTON, *Chronicon,* début, éd. LUMBY, dans *RS,* 92 (1889), p. 1 : «...cum dulcifluo tripudio *historicae cognitionis* (manu scribendi tali desiderio) apponere curavi ». À la fin du seizième siècle, LA POPELINIÈRE († 1608) dans *L'histoire des histoires,* éd. ORRY, 1599, p. 36, définit : « Ainsi la digne Histoire sera un Narré général, éloquent et judicieux, des plus nobles actions des hommes, et autres accidens y representez selon les temps, les lieux, leurs causes, progrez et evenemens »... Pour citer quelques modernes : à comparer avec les propos de MABILLON, dans *Traité des études monastiques,* Paris, 1691, deuxième partie, ch. 8, p. 233; sur les nécessités de faire de l'histoire autre chose qu'une science de la mémoire, H. PIRENNE : « le récit explicatif de l'évolution des sociétés humaines dans le passé », cité dans la *Revue historique,* 209 (1953), p. 1; H. I. MARROU, *De la connaissance historique,* 4e éd., Paris, 1962, p. 28 ss. sur *L'histoire comme connaissance.*

dition reste tenace. Les *Annals of the Four Masters,* du XVIIᵉ siècle, sont de la plus pure manière médiévale.

C'est un germanique pourtant qui de tous les historiens latins que nous connaissions, nous laisse mieux prévoir les nouvelles perspectives sans abandonner pour cela les sentiers battus. Othon de Freising introduit la « raison » en historiographie [149], mais il doit se justifier, s'excuser même :

J'ai comme première excuse l'exemple même du bienheureux Père Augustin que j'ai voulu imiter, et il agit ainsi dans son *De civitate Dei.* Je me dois de répondre à mes critiques avec les dards de la raison et des autorités. Le jour n'est-il pas plus agréable du fait qu'il suit la nuit, et le repos meilleur après la fatigue, et aussi le sommeil plus doux après la lassitude, et la nourriture meilleure après la faim ? Et puis l'*Heptateuque,* le *Livre des Rois,* la *Chronique,* etc. ? Le temps me manquerait, en effet, si je voulais parcourir toutes les pages des Ecritures... [150].

Adjoindre aux raisons mystiques et scripturaires traditionnelles l'idéologie séculière et le rationalisme est une initiative à prendre dont Othon de Freising ne peut plus douter; par ailleurs l'allure « médiéva-

---

149. Cf. *Chronica,* VIII, prol., éd. HOFMEISTER, dans *SRG in usum...,* 1912, p. 392 : « Nunc eis respondendum videtur, qui forte hunc nostrum laborem tamquam inutilem evacuare conabuntur, quasi tot alternantium malorum historicis narrationibus tam ardua et archana scripturarum documenta non digne commisceamus ». Aussi, les considérations philosophiques de WIPO, *Vita Conradi imperatoris,* prol., dans *MGH-SS,* 255. ORDERIC VITAL, *Hist. ecclesiastica,* VIII, dans *SHF,* 3 (1090), p. 358 remet aux personnes plus instruites de multiplier les textes scripturaires.

150. *Ibid.,* p. 392 : « Et primo quidem, quamvis de hoc exemplo beati patris Augustini, quem imitari proposuimus, idem in libro de civitate Dei facientis excusemur, tamen rationum et auctoritatum spiculis eis obviandum erit. Numquid non gratior est dies sequens noctem, dulcior quies post laborem, somnus post lassitudinem, cibus post esuriem ? Quid de Eptatico, Regnorum libro, Paralippomenon dicam ? Deficiet me tempus enarrantem, si universas sacrae scripturae paginas... ».

le » de toute son argumentation indique bien la distance à franchir entre l'habitude acquise de toujours s'en remettre aux autres et la nouvelle conception de l'histoire. L'évêque de Freising nous fait encore penser à celui de Tours, Grégoire :

Il ne faut pas non plus considérer comme en dehors du sujet que je profite de l'occasion d'une simple narration historique pour conduire mon discours vers des considérations plus élevées, comme celles de la philosophie. Il n'est pas étranger à la vie de l'empire romain de mêler ainsi les choses les plus hautes aux plus simples. Déjà Lucain, Virgile et d'autres écrivains de la Ville l'ont fait. Ils utilisèrent les faits et même les fables, pour ensuite dévoiler, soit à la manière humble des pasteurs et des fermiers, soit à la manière plus raffinée des princes et des Seigneurs, les secrets d'une certaine philosophie. Ici nous rejoindrons parmi les lecteurs des faits, non plus seulement ceux qui veulent avant tout le plaisir d'entendre la suite des récits, mais aussi ceux qui sont intéressés à la sublimité subtile de la raison. Puisse Dieu accepter l'exorde de l'histoire de cet auteur [151].

A propos des croisades Guillaume de Tyr se demande pourquoi les croisés ont connu la victoire et ensuite la défaite. Sur trois raisons qu'il produit, seule la première est traditionnelle; les deux autres sont d'un style nouveau :

En réfléchissant sur ces questions, en examinant avec soin notre situation actuelle, la première cause qui nous paraisse

_____

151. « Nec, si a plana hystorica dictione ad evagandum oportunitate nacta ad altiora velut phylosophica acumina attollatur oratio, preter rem ejusmodi estimabuntur, dum et id ipsum Romani imperii prerogativae non sit extraneum rebus simplicioribus altiora interponere. Nam et Lucanus, Virgilius caeterique Urbis scriptores non solum res gestas, sed etiam fabulosas, sive more pastorum vel colonorum summissius vel principum dominorumque orbis altius narrando, stilum tamen frequenter ad intima quedam phylosophiae secreta attingenda sustulerunt. Sic enim non solum hi, quibus rerum gestarum audiendi seriem inest voluptas, sed et illi, quos rationum amplius delectat subtilitatis sublimitas, ad ejusmodi legenda seu cognoscenda trahuntur. Ac propositae hystoriae Deo auctore tale sumatur exordium ». _Gesta Frederici I imperatoris, prooemium,_ éd. WAITZ, dans _SRG in usum..._, 1912, p. 12.

devoir être assignée à ce changement nous reporte vers Dieu, auteur de toutes choses. Nos pères, qui furent des hommes religieux et craignant Dieu, ont été remplacés par des fils pervers et criminels... Un second motif : ils avaient la discipline militaire, l'habitude des combats, et les armes étaient leurs instruments les plus familiers. Les peuples de l'Orient, au contraire, amollis par un long repos... vivaient dans l'oisiveté... Je trouve encore un troisième motif : les ennemis sont plus unis aujourd'hui... [152].

Autre signe des temps, Joinville écrit et pour le profit des âmes et pour le gouvernement du peuple. Commynes ajoute à ses considérations morales des conseils politiques et militaires. Loin de se contenter d'une narration simple, il veut montrer pour quelle cause, pour quels motifs, en quel temps, par qui et comment les choses se sont passées; il nomme les personnes, décrit les pays et les batailles pour mieux en examiner les conséquences. N'en disparaît pas pour autant l'historiographie récitative et annalistique qui se crée de nouveaux « cadres » grâce aux *Mémoires,* aux *Relations* et au *Journal,* celui-ci étant promis à la postérité qu'on connaît puisque peu à peu il illustrera devant nous tous les soirs la manière à la fois populaire et événementielle de l'antique chronique du moyen âge [153].

S'il fallait codifier et brièvement étager les événements qui ont préparé ces changements de structures

---

152. *Hist. rerum...,* XXI, 7, dans *PL,* 201, 820-21 : « Considerantibus ergo nobis et statum nostrum diligenter discutientibus, prima occurrit causa, in Deum auctorem respiciens; quod pro patribus nostris, qui fuerunt viri religiosi et timentes Deum, nati sunt filii perditissimi, filii scelerati, fidei Christianae praevaricatores, passim et sine delectu per omnia currentes illicita... Secunda nobis..., erant bellicis assueti disciplinis, praeliis exercitati, usum habentes armorum familiarem. Populus vero orientalis longa pace dissolutus, rei militaris expers, inexercitatus legibus praeliorum, vacatione gaudebat... Tertia quoque causa non inferior, nec minus efficax, iterum nobis se ingerit; quod priscis temporibus singulae pene civitates dominos habebant diversos, ut more Aristotelis nostri loquamur... ».

153. Voir Lucien FEBVRE et H.-J. MARTIN, *L'apparition du livre* (*Évolution de l'humanité,* 49), Paris, 1958.

et de mentalités, nous nommerions en premier lieu
les croisades. Celles-ci ont détourné l'historien des
autorités traditionnelles; elles ont renouvelé son goût
du récit, ajouté des héros autres que les rois, et
surtout elles ont exigé des explications supplémen-
taires en même temps qu'un renouvellement de
style [154].

Le second facteur serait l'essor des chevaleries et
la création de nouvelles cours comme à Salerne, à
Palerme. Un public plus large et plus *séculier* habite
ces lieux; il a ses modes, ses intérêts qui ne sont
pas nécessairement ceux d'autrefois; il aime les des-
criptions de voyages, les beaux habits, les combats
glorieux. Une grande diversité se fait jour : en plus
des rois, des princes, nous trouvons des comtes,
des barons, des nobles et d'autres encore. Le récit
d'une belle aventure d'arme vaut bien le « miracle »
d'un saint [155]. Le culte de la renommée remplace le
goût de la morale. On lira à cet égard non sans
étonnement, mais le texte est là, *Le jouvencel* de
Jean de Bueil († 1477) qui justement entend faire
de *vieil bois nouvelle maison* grâce à un récit mi-
historique et mi-didactique dans lequel la *gloire de
prouesse* prend nettement le pas sur la *gloire de
Dieu* [156].

---

154. V.g. *Gesta Dei per francos*, préf., dans *PL*, 156, 682 : « ...primo
causas et necessitates quae hujus occursum expeditionis urgebant, sicut
audieram, proposui referendas, et sic, occasionibus praemonstratis,
res demum attexere gestas ». Sur Guillaume de Tyr, *supra*, p. 25-26,
235 ss.

155. *Gesta Dei per francos*, préf., dans *PL*, 156, 681-2; cf. I, 1, 685.

156. Quant à l'historiographie « chevaleresque », le mieux est de
lire Villehardouin, Joinville, Jehan Le Bel, etc. Jean de Wavrin, *Recueil
des Chroniques...*, éd. Hardy, dans *RS*, 39, 1 (1864), p. 4, entend
glorifier la chevalerie autant que fuir « huyseuse mère de tous vices ».
Froissart, *Chroniques*, prol., éd. Luce, 1869, t. 1, 2, p. 2 : « Or ai je
mis ou premier chief de mon proisme, que je voel parler et trettier de
grans mervelles. Voirement se poront et deveront bien tout chil qui ce
livre liront et veront, esmervillier des grans aventures qu'il y trouveront;
car je croi que, depuis la creation dou monde et que on se commença

Peut-être devrions-nous considérer comme autres facteurs du renouvellement de l'historiographie à la fin du moyen âge, l'essor urbain, la création de nouvelles classes sociales et la diversité des pouvoirs, chacun s'illustrant à sa manière. Même un duc peut mériter son biographe, comme autrefois le roi, l'abbé, l'évêque [157], si bien que l'historiographe Matteo Palmieri définirait maintenant l'histoire de son époque comme une série de biographies plutôt que par le traditionnel récit du passé [158].

D'autres faits ont joué : les luttes religieuses, les guerres nationales, la misère publique, les schismes

premierement a armer, on ne trouveroit en nulle hystore tant de merveilles ne de grans fais d'armes, selonch se quantité, comme il sont avenu par les guerres dessus dittes, tant par terre com par mer, et dont je vous ferai ensievant mention. » Lui-même écrit (prol., p. 1) : « Afin que *les grans merveilles et li biau fait d'armes* qui sont avenu par les grans guerres de France et d'Engleterre et des royaumes voisins, dont li roy et leurs consaulz sont cause, soient notablement registré et ou tamps present et a venir veü et cogneü ». JEHAN LE BEL, *Les Vraies Chroniques*, éd. VIARD et DEPREZ, dans *SHF*, I (1904), p. 2 : « car de l'oublier et esconser ce seroit pechiés et cose mal apartenans; car esploit d'armes sont si chierement comparêt et achetêt, che scevent chil qui y traveillent, que on n'en doit nullement mentir pour complaire a autrui, et tollir le glore et renommee des bien faisans et donner a chiaus qui n'en sont mie digne ». Cf. ENGUERRAND DE MONSTRELET, *Chronique*, prol., éd. DOUET D'ARCQ, dans *SHF*, 1 (1857), p. 2.

157. Cf. *De captivitate Pisarum*, début, éd. G. SCARAMELLA, dans *RIS*, XIX, 2 (1904), p. 4 : « Multa enim sunt que nobis prestat historia, cui non satis est quod factum sit enarrare, sed addere etiam debet, qua ratione, quibus consiliis, quo tempore, per quos et quomodo queque sint gesta; pronuntiare etiam quid senatus decreverit; interponere contiones; regiones interdum pugnamque describere; qui vicerint et quod secutum sit demonstrare; clarorum laude nequaquam silere et nequiter facta damnare : quod aliud fere nihil est, quam omnium temporum omniumque magnarum rerum summam colligere et unius hominis memorie judicioque mandare. Quod, quid sit hominum prudentie prestantius, videre non possumus, nec quid ad gloriam accommodatius ». Voir G. MISCH, *Geschichte der Autobiographie*, IV, 1, Frankfurt a. M., 1967.

158. Cf. *ibid.*, p. 3.

de l'église romaine, le régionalisme et ses rivalités. L'intérêt pour l'institution séculière, qui risque de supplanter en plusieurs secteurs l'institution cléricale, fait comme chez Commynes : le *politique* est de plus en plus valorisé [159]. Les écoles et les universités s'étant entre temps multipliées, le public des *écoutants* se transforme en public de *lisants* plus instruits et plus exigeants. Le style s'améliore [160]. Les *mémorialistes* répondent à de nouveaux besoins [161]. Enfin la mise en marche de l'imprimerie vient comme accentuer la tendresse déjà en cours depuis la fondation des écoles, à privilégier la source écrite aux dépens de l'oral et du visuel, brisant par là toute la tradition depuis Hérodote.

Tous ces changements s'opèrent sans théories avouées [162]. L'historiographe est conditionné par les intérêts et les goûts de son époque plutôt que par une méthodologie consciente et délibérée. Bien loin de s'éteindre, la manière annalistique traditionnelle s'accentue dès lors qu'elle devient surtout l'affaire des clercs et des gens d'église — on sait que l'histoire savante et critique est née de l'exemple offert par les clercs bollandistes et par les moines bénédictins de la congrégation de Saint-Maur.

Nous pourrions d'ailleurs reprendre différents aspects de l'historiographie des XVe et XVIe siècles et noter chaque fois ou presque, comment le moyen âge y perdure, et jusqu'en notre Amérique française.

---

159. Cf. Jean DUFOURNET, *La destruction des Mythes dans les Mémoires de Ph. de Commynes*, Genève, 1966, p. 13 ss.

160. Voir Robert GUIETTE, *Chanson de geste, chronique et mise en prose* dans *Cahiers de civilisation médiévale*, 6 (1963), p. 423-439.

161. Cf. OLIVIER DE LA MARCHE, *Memoires*, I, 30, dans *SHF*, t. 1, p. 184; JEAN DE ROYE, *Journal...*, prol., éd. *SHF*, t. 1, p. 2.

162. Ceci a peut-être échappé à M. Schulz dans son admirable travail sur l'historiographie médiévale : l'auteur fait trop confiance, comme nous peut-être, aux textes théoriques.

Déjà bien loin du moyen âge, Etienne Pasquier [163] n'ose pourtant pas rejeter l'origine légendaire des peuples dont avait déjà douté un Guillaume de Newburg. La périodisation de l'histoire, chère à Orose et à Othon de Freising, passe chez Vico, Condorcet, comme plus tard chez Bossuet, Taine, Spengler, et Toynbee [164]. L'histoire biblique gardera longtemps ses droits de premier occupant [165] dans les universités religieuses d'Occident, les autres « histoires » devenant plutôt des lieux théologiques [166], avant d'être disciplines autorisées et parties des sciences politiques [167]. De même, ce besoin de raconter, ce souci de la priorité d'une explication religieuse et providentialiste de l'histoire, nous les retrouvons dans les premières *Relations* des Jésuites du Canada au XVIIᵉ siècle. Comment ne pas rappeler la célèbre division de l'histoire universelle en six âges de nos manuels d'histoire canadienne du début du dix-huitième siècle ? Pour les chrétiens, la *Genèse* et Moïse expliquent encore les origines de l'homme et ses premiers gestes [168].

---

163. V.g. *Des recherches de la France*, I, 14, éd. TREPPEREL, Orléans, 1567, p. 62-64.

164. Cf. C. VAN DE KIEFT, *La périodisation de l'histoire du moyen âge*, dans *Les catégories en histoire*, éd. C. PERELMAN, Université libre de Bruxelles, [1968], p. 41-56.

165. Cf. FRANÇOIS BACON († 1626), dans *De dignitate et augmentis scientiarum libri novem*, II, 2 : « Historiam civilem in tres species recte dividi putamus : primo, sacram sive ecclesiasticam; deinde eam quae generis nomen retinet, civilem; postremo, literarum et artium ». Voir note 214.

166. Voir J.-M. LEVASSEUR, *Le lieu théologique 'Histoire'*, Trois-Rivières [Québec], 1960, p. 39-40.

167. Au dix-septième siècle, par exemple, le professeur d'histoire à l'Université Hesse-Schaumburg est en même temps professeur de politique. Cf. L. THORNDIKE, *University Records and Life in the Middle Ages*, New York, 1944, p. 407.

168. V.g. *Catéchisme du diocèse de Québec*, Paris, chez Urbain Coustelier, 1702, p. 5-12. Avec F. PORTER, *L'Institution catéchistique au Canada. Deux siècles de formation religieuse 1633-1833*, Montréal, 1949.

Aussi, conclure à la manière de Fueter [169] et de Thompson [170], que Pétrarque « marque le début d'une nouvelle ère dans l'historiographie », que la sécularisation de l'histoire s'est faite grâce aux laïcs, que l'ouvrage de Platina fut un grand pas dans cette laïcisation de l'histoire, que la conception théologique de l'histoire fut bannie de l'histoire sérieuse au XVIIIᵉ siècle, que les chroniqueurs ont écrit sans art, que les clercs ne pouvaient que mal écrire, surtout qu'ils ont inventé, fabulé, que l'histoire nationale est sortie des mémoires comme l'opéra est sorti des ballets, c'est peut-être simplifier [171].

— C —

LE TÉMOIGNAGE DE JEAN BODIN

Pour celui qui veut comprendre les changements de « style » et en même temps marquer la continuité qui existe entre le moyen âge et notre conception de l'historiographie, rien de plus éclairant, à notre avis, que l'examen du *Methodus ad facilem historiarum cognitionem* du juriste Jean Bodin (1566),

---

169. V.g. *Histoire de l'historiographie moderne*, p. 6, 12-14, 41, 45, 57-8, 120, où l'auteur accuse l'historiographie médiévale d'être sans art, trop théologique, confuse et trop locale.

170. V.g. J. W. THOMPSON, *A History of Historical Writing*, I, New York, 1942 : « Orderic was too much a scholar to depend upon oral sources of information » (p. 240). « Work of no value, devoted to miracles, prodigies, visions » (p. 364). J. W. THOMPSON encore (*ibid.*) reproche au moyen âge d'avoir été clérical et peu critique : « In the West all the writers are clerics, with the narrow view of their class » (p. 143). On reconnaîtra la manière de MOLINIER, à l'appréciation d'une chronique du XIe siècle : « ouvrage commencé en 1030, s'arrête en 1054 ; il est original à partir de 1050 ; il est assez critique et contient peu de miracles ».

171. Autre exemple de sévérités dans *L'histoire* de Jean ERHARD et Guy P. PALMADE, Paris, [1964]. Anthologie précédée d'une revision rapide : voir en particulier les pages 10, 13-14.

premier traité de méthodologie historique jamais écrit en Occident [172], pour un seul équivalent dans l'antiquité, ignoré du moyen âge d'ailleurs : *Comment on écrit l'histoire* du rhéteur et satiriste grec, Lucien de Samosate († *ca.* 192).

Il est vrai que Jean Bodin, pionnier et théoricien [173], n'estime pas tellement le moyen âge : « douze cents ans de barbarie universelle » [174]. Il aurait voulu des historiens plus engagés, plus instruits et mieux politisés [175]. Comment ces chroniqueurs peuvent-ils raconter les gestes de leurs rois et à l'occasion les juger s'ils n'ont même pas ce qu'il faut pour écrire, c'est-à-dire « avoir longtemps pratiqué les divers genres historiques » et connaître « le maniement des affaires politiques » [176] ?

La plus détestable espèce d'historien sera formée de ceux qui tout de go entreprennent d'écrire avant d'avoir le moindre usage des affaires ni le fond culturel indispensable [177].

---

172. Cf. *Methodus ad facilem historiarum cognitionem*, éd. et trad. de Pierre MESNARD, 1951, dans *Oeuvres philosophiques de Jean Bodin* (*Corpus général des philosophes français*, V, 3), p. 105-475 (cité désormais : éd. MESNARD, 1951 à ne pas confondre avec la traduction du même P. MESNARD, parue à Alger en 1941); *La méthode de l'histoire* (*Publications de la Faculté des Lettres d'Alger*, IIe série, 14), Paris, Les Belles Lettres, 1941, 412 p.

173. Cf. J. H. FRANKLIN, *Jean Bodin and the Sixteenth-Century Revolution in the Methodology of Law and History*, New York, 1963.

174. *Methodus ad facilem...*, ch. 6, p. 167 : « post annos mille circiter ac ducentos quam barbaries omnia cumularat... ».

175. *Ibid.*, début du ch. 4, p. 129 : « Quis enim dubitat, quin historicus vir gravis, integer, severus, intelligens, disertus, et quasi vitae communis ac privatae omniumque rerum magnarum scientia instructus esse debeat ? ».

176. *Methodus...*, ch. 4, p. 125 : « Ex quo intelligitur deterrimum esse genus illud historiarum qui sine usu rerum, sine bonarum literarum scientia manibus illotis ad scribendam historiam accedunt... ». Sur le même thème, POLYBE, *Histoires*, XII, 25 g-i; 27 b; FLAVIUS JOSÈPHE, *Guerre juive*, 5.

177. *Ibid.*, p. 124.

Pythagore avait raison : « on ne saurait recueillir les fruits les plus doux de l'histoire si l'on n'a reçu d'abord une certaine formation par l'action et l'observation méthodique » [178]. Qu'est-ce qui a manqué le plus aux historiens du moyen âge, du moins à « presque tous », sinon la connaissance vivante des institutions [179] ? N'y connaissant rien ou fort peu, ces raconteurs sont forcément devenus de faux tragédiens bornés à des futilités, des « histoires par trop légères comme des friandises d'épices », oubliant « les mets les plus solides » [180]. Au lieu de discuter de leur style et de multiplier les digressions, ils auraient dû aller au plus court : être brefs [181]. Leur manière est si fausse; c'est en effet « une grande sottise de n'admirer dans l'histoire que la force de l'éloquence, ou l'agrément des digressions » [182].

Parce qu'ils n'ont eu ni le style, ni l'expérience pratique des affaires publiques, ni le goût de l'observation méthodique, ces historiens qui s'appellent Orose, Grégoire de Tours, l'Abbé d'Ursperg, Guillaume de Tyr, ou Antoine de Florence [183], n'ont pu écrire qu'une historiographie pour débutants :

Ainsi sont faites les chroniques populaires, clairement ordonnées en périodes régulières, sommaires il est vrai, mais à la portée des commençants [184].

---

178. *Ibid.*, ch. 2, p. 117.

179. Cf. ch. 4, p. 127 : « Cum autem nihil difficilius sit quam recte judicare, quis non graviter ferat historicum qui nullam publici numeris aut consilii partem attigerit, de summis Rerum publicarum moderatoribus sententiam ferre ?... »

180. *Ibid.*, *prooemium*, p. 113 : « id autem accidit iis qui rerum levissimarum narrationibus, quasi bellariis et condimentis, neglecto solidiore cibo poscuntur »; ch. I, p. 115 : « ita futilibus actionibus historia constare non debet ».

181. *Ibid.*, ch. 4, p. 128 ss.

182. « Ineptius tamen qui nihil in historia praeter eloquentiam, aut fictas conciones, aut egressiones jucundas admirantur ». *Ibid.*, p. 129.

183. *Ibid.*, ch. X, *De historicorum ordine et collectione*, p. 254-60.

184. « Ejusmodi fere sunt chronica quae vulgo feruntur, linearum

Le seul avantage que notre méthodologue reconnaît aux chroniques de ces « dark ages » est qu'« elles s'approchent encore assez près de la vérité » [185] : derrière « ce fatras de choses frivoles » se cache une « image de l'ancien temps qu'il ne faudrait pas dédaigner outre mesure » [186]; on y trouve même quelques « pages utiles et fécondes » qui ont le mérite d'avoir été écrites à une époque où « la Barbarie couvrait tout » [187].

Jean Bodin est sévère. Trop près du moyen âge pour ne pas en être l'héritier même involontaire, il définit, lui aussi, l'historiographie comme une *narration de faits en vue de l'instruction de la postérité* [188]; il croit qu'on a déjà jugé Néron en racontant ses crimes [189]. Ses sources sont traditionnelles : priorité du témoin oculaire, tradition orale et source écrite. Il préfère Thucydide parce que ce dernier a vu ce dont il écrit; il faut suivre Salluste qui n'hésite pas à s'embarquer pour l'Afrique et Amien Marcellin qui n'épargne rien pour voir. Les autres, qui n'ont consulté que des sources écrites, viennent après [190]. Le même Bodin qui reproche aux historiens du moyen âge d'avoir erré, d'avoir inutilement remonté à Adam, et d'avoir oublié l'Hégire, admet que ces origines lointaines instruisent les humains de la con-

---

spatiis distincta, brevia illa quidem, sed auspicantibus facilia... ». *Ibid.*, ch. 2, p. 116.

185. *Ibid* : « Ac tametsi non exactam continent temporum rationem, proxime tamen ad rei veritatem accedunt ».

186. *Ibid.*, ch. 4, p. 129 : « magna farrago rerum levissimarum, in quibus tamen latet antiquitas ac vetustatis imago contemnenda... ».

187. *Supra*, note 174.

188. *Ibid.*, ch. 2, p. 119 : « Quoniam de humana historia potissimum futura disputatio est, historiae verbum late patens angustis hominum actionibus, et ad popularem loquendi modum rerum ante gestarum vera narratione definiamus »; cf. *ibid.*, ch. 1, p. 14.

189. *Ibid.*, ch. 4, 128.

190. V.g. le ch. 4 où Jean Bodin explique abondamment ses préférences dans le choix des historiens.

tinuité de l'histoire et de la noblesse des commence-
ments des républiques et des religions [191]. Il faut en
outre que les clercs poursuivent la tradition sacerdotale des historiens bibliques [192] toujours prioritai-
res [193], et jamais il n'oserait pour sa part contredire
un seul auteur inspiré [194], surtout pas Moïse :

J'accorde tant de poids à l'autorité de Moïse que je mets
un seul témoignage bien au-dessus de tous les écrits et de
toutes les assertions qu'aient produits les philosophes [195].

Tout en reprochant à certains de toujours recourir
aux Ecritures pour prédire une date [196], il ne voudrait pas pour autant abandonner la chronologie
biblique, ni le peuple hébreu, ni toute son histoire
« sainte » [197].

D'autres traits nous rappellent l'héritage médiéval : que l'historien serve la gloire de Dieu et du
prince, qu'il moralise, qu'il récrée, qu'il prophéti-
se[198]; qu'il rende aux humains un peu de leur passé,
qu'il les prépare à l'immortalité tant désirée [199].
Même si on ne doit pas chercher uniquement sa

---

191. Voir tout le ch. VIII : *De ratione temporum,* p. 228 ss.

192. *Ibid., prooemium,* p. 113-114; ch. 4, p. 126 : « Huc verba
Methastenis referenda sunt, neque tamen, inquit, omnes probandi sunt
qui de regibus scribunt, sed solum sacerdotes penes quos publica fides
est annalium suorum, ut Berosus qui omne tempus Assyriorum ex
antiquorum annalibus digessit ».

193. V.g. ch. 2, p. 118 : « Sed in eo genere historiarum, plus oratione
frequenti et purgatae mentis in Deum conversione, quam ullo studio
proficiemus ».

194. *Ibid.,* ch. 7, p. 223 ss.

195. *Ibid.,* ch. 8, p. 228 : « Ac tanti est apud me Moysis unius
auctoritas, ut eam omnibus omnium philosophorum scriptis ac sententiis
longe anteponam ».

196. *Ibid.,* ch. 8, p. 241 : « Sed haec subtilius inquirere, quae nec
humano ingenio capi, nec ratione possunt, nec divinis oraculis probari,
non minus ineptum quam impium videtur ».

197. *Ibid.,* p. 235-241.

198. *Ibid.,* ch. 5, p. 148.

199. *Ibid., prooemium,* p. 112-114.

noblesse dans le culte du passé, l'histoire a cela de bon qu'elle est l'expérience des siècles et qu'elle s'impose par son ancienneté, un peu comme la race franque en Europe [200].

Là où, d'autre part, Jean Bodin annonce l'historiographie nouvelle est quand il en appelle aux Grecs et qu'il modifie la liste des autorités traditionnelles. C'est ainsi qu'Hérodote, — pourtant il le trouve bien bavard — Thucydide, Plutarque et Diodore de Sicile supplantent Salluste et Tite-Live [201]. Commynes, Froissart, Monstrelet († 1453), le chroniqueur dominicain Antoine de Florence († 1459) et Guichardin († 1540) à son avis le meilleur de tous, sont les nouveaux « maîtres » [202]. Faut-il choisir entre différents témoignages, on pourra opter pour le plus récent [203]; les plus anciens n'étant pas nécessairement plus véridiques :

Il est nécessaire maintenant que devant un si grand nombre d'historiens de toute sorte, chacun choisisse à son gré s'il ne veut pas être accablé sous une telle masse d'écrivains. Car si nous sommes sûrs des écrits que nous ont laissés Polydore sur les Anglais (quoiqu'on le suspecte en France et en Ecosse), Rhenanus sur les Allemands, Aemilius sur les Français, il n'y aura plus lieu de nous fatiguer beaucoup sur Bède, Guaguin, Guazo, le Saxon et tous les autres écrivains de cette catégorie qui ont écrit sur les mêmes sujets des travaux bien plus confus. Et je ne sais pas par quelle force de la nature on voit à certaines époques naître une grande multitude d'historiens, qui disparaissent presque aussitôt » [204].

---

200. *Ibid.*, ch. 9, p. 253.

201. *Ibid.*, ch. 4, surtout p. 136 ss.

202. *Ibid.*, ch. 4, p. 129 : « Est enim in nostris scriptoribus, Antonio, inquam Monstreleto, Frossardo, Carterio magna farrago rerum levissimarum, in quibus tamen latet antiquitatis ac vetustatis imago non penitus contemnende... ».

203. *Ibid.*, p. 127 : « In qua re igitur scriptores a se ipsi dissentiunt, posterioribus credendum putem, si argumentis aut necessariis, aut certe ad assentiendum probabilibus utantur »; aussi, ch. 6, p. 167.

204. *Ibid.*, ch. 4, p. 139 : « Ex hac igitur historicorum tanta varietate singularem delectum adhibere pro suo quenque judicio necesse est, ne

Un autre changement de perspective qu'indique le *Methodus ad facilem historiarum cognitionem* de Jean Bodin, est que l'histoire passe d'une simple discipline de la mémoire, à une science plus large, car « si l'on veut rendre féconde et facile la science de l'histoire », il faut expliquer, élaguer, retrouver en chaque fait l'intention » [205]. Il faut s'intéresser de plus en plus au contexte politique et juridique des faits, aux institutions, aux lois des révolutions et des empires. Il est bon surtout de confronter les opinions des moralistes et des historiens [206], bien que la morale appartienne de soi à la philosophie et non à l'histoire [207]. Indiquons aussi que Gutenberg est venu et malgré tout la source écrite prend le pas sur la tradition orale [208]. Ardent partisan de la précision des dates et de la division de l'histoire en mois, jours, « voire le moment de la journée où quelque chose s'est passé », Bodin veut des chronologues stables et unanimes [209]. La géographie devrait être à son

---

in tam brevi hujus vitae curriculo, scriptorum multitudine obruamur, nam si perspectum habebimus Polydorum de rebus Anglicis (tametsi Scotis et Francis valde suspectus est) Rhenanum de Germanis, Aemylium de Gallicis verissime scripsisse, non magnopere laborandum erit de Beda, Guaguino, Gazo, Saxone, et ejusmodi scriptoribus qui res easdem incondite scripserunt, ac nescio quo naturae genio contigit, ut cum iisdem temporibus maxima historicorum ubertas efloruisset; sic evanesceret eodem pene momento ».

205. *Ibid.*, ch. 2, p. 116. Déjà Commynes, Froissart, Amyot, E. Pasquier, etc.

206. *Ibid.*, ch. 6, p. 167 ss.

207. *Ibid.*, ch. 4, p. 125.

208. *Ibid., prooemium*, p. 113 : « La postérité la reçoit par tradition orale aussi bien que sous forme écrite ».

209. *Ibid.*, ch. 8, p. 228 (texte latin) et p. 431 (traduction française) : « Ceux qui croient pouvoir entendre l'histoire sans la connaissance des dates commettent la même erreur que s'ils prétendaient se reconnaître sans guide dans un labyrinthe : on les verrait alors se porter de ci de là sans pouvoir trouver la sortie. Mais dans la première hypothèse on voit également les téméraires errer d'un pas incertain à travers les innombrables dédales de l'histoire sans savoir où ils commencent ni où s'en trouve l'issue. Mais la chronologie sera le guide

tour renouvelée par les nouvelles découvertes et les
voyages; il convient que l'historien s'intéresse à tout
ce qui est châteaux, villes, ports, rivages, mers, dé-
troits, golfes, isthmes, promontoires, plaines, collines,
pentes, sommets et champs [210]. Venise, Gênes, Florence ou Parme, demandent qu'on leur accorde
l'importance que les chroniqueurs d'autrefois don-
naient aux évêchés et aux monastères. Offrons aux
Perses, aux Grecs, aux Egyptiens, un traitement égal
à celui qui a été accordé aux Romains et aux Latins
en général [211], tout en sachant le risque de se fier à
ce que les Juifs, les Italiens et les Maures racontent
les uns des autres; les pires animosités viennent souvent des oppositions religieuses [212]. Ou plutôt à
chacun sa compétence :

Comme l'ont si bien dit les anciens, à chacun sa partie.
C'est pourquoi je récuse les jugements de Polybe en matière de religion, et ceux d'Eusèbe sur les choses militaires [213].

---

de l'histoire, et comme un fil d'Ariane nous conduisant aux retraites
les plus cachées, non seulement elle nous gardera de toute erreur, mais
elle nous permettra souvent de ramener dans la bonne voie les historiens
égarés. C'est pourquoi nous voyons les écrivains les plus distingués
prendre un si grand soin des dates qu'ils ne se bornent pas à noter
les années et leurs diverses saisons, mais qu'ils précisent les mois et les
jours, voire le moment de la journée où quelque chose s'est passé :
parce qu'ils ont fort bien compris que sans une détermination du temps
aussi exacte que possible il devient malaisé de tirer de l'histoire le
moindre profit. Puis donc que l'intérêt essentiel de l'histoire repose
sur cette connaissance des dates, j'en ai conclu que l'établissement d'une
chronologie universelle était indispensable à cette méthode, tant par
son utilité directe, que pour apporter un peu de lumière dans les
controverses entre historiens sur la situation relative des diverses
époques ».

211. *Ibid.*, ch. 2, p. 118-19.

211. *Ibid.*, épître dédicatoire, p. 108.

212. *Ibid.*, ch. 4, p. 126.

213. « Sed ut optime ab antiquis, ne sutor ultra crepidam; ita nec
Polybii de religionibus, nec Eusebii de re militari judicia probare
possum ». *Ibid.*, ch. 4, p. 129.

Jean Bodin ne va pas aussi loin que son contemporain François Bacon († 1526) prêt à soumettre le « religieux » au « politique » [214], mais la division de l'historiographie par objets et fonctions annonce le même schème. Désormais l'histoire sacrée s'occupera des gestes de Dieu parmi les hommes, l'histoire naturelle racontera les faits de la nature et du cosmos et l'histoire humaine se réservera les faits humains [215]. L'histoire sainte appartiendrait aux théologiens, l'histoire naturelle aux philosophes et l'histoire humaine aux historiens [216]. Il sera même possible de raconter un fait religieux à la lumière de l'événement politique [217]. C'est l'envers des perspectives de Grégoire de Tours.

214. Cf. *De augmentis scientiarum*, II, 2, éd. SPEDDING et DENON, 1861, p. 188 ss.

215. *Ibid.*, ch. 1 (début), p. 114.

216. *Ibid.*, p. 115 : « Itaque e tribus historiarum generibus, divinum quidem theologis; naturale philosophis tantisper omittamus, dum in humanis actionibus earumque praeceptis, diu multumque fuerimus exercitati ».

217. *Methodus...*, ch. 1, p. 117.

CONCLUSION

« La vérité, ici comme ailleurs, est que si nous cherchons notre conception de l'histoire au moyen âge, il est certain d'avance que nous ne l'y trouverons pas, et si l'absence de notre histoire équivaut à l'absence de toute histoire, on peut être assuré que le moyen âge n'en a aucune. On prouverait aussi facilement d'ailleurs, par la même méthode, qu'il n'a eu aucune poésie, comme on a cru longtemps, en face des cathédrales, qu'il n'avait aucun art et comme l'on soutient encore, en présence de ses penseurs, qu'il n'a eu aucune philosophie » [1]. Parce que nous avons été nourris de logique, formés aux techniques rigoureuses de l'érudition et tournés de plus en plus vers les sciences de l'homme et de la nature, nous nous étonnons forcément de la simplicité un peu fruste des historiens médiévaux qui évoluent en outre dans une optique biblique qui nous est de moins en moins familière. Leurs défauts n'en paraissent que plus évidents : des vides quasi inexplicables qui peuvent durer jusqu'à un demi-siècle [2],

---

1. Étienne GILSON, dans *L'esprit de la philosophie médiévale*, 2e éd., Paris, 1944, p. 365-66.

2. Par exemple nous ne connaîtrons probablement jamais la vraie histoire de la première moitié du Xe siècle : les sources qui auraient pu nous l'enseigner n'existent plus ou elles n'ont jamais existé. Les grandes annales de Lorsch s'arrêtent en 829. Les annales de Fulda, continuées de 838 à 863, puis jusqu'en 887, passent à Ratisbonne pour être prolongées jusqu'en 901. La chronique d'Adon de Vienne s'arrête tout simplement en 869 et personne ne la continue. Les annales dites de Xanten s'arrêtent en 873; celles de Saint-Waast d'Arras, en 900;

une disproportion redoutable entre le récit et son importance objective [3], des répétitions à la chaîne, des autorités immuables. Comment ensuite peuvent-ils nous faire franchir en deux ou trois folios des milliers d'années et nous bousculer ainsi d'Adam au dernier roi Louis ? Pourquoi n'ont-ils pas davantage utilisé les grands thèmes qui auraient pu renouveler leurs perspectives, ainsi les six âges du monde, la *translatio imperii,* la *translatio studii* ? Au lieu de tout cela, ils invoquent au petit bonheur l'éthique

---

Reginon de Prüm mène sa chronique jusqu'en 906 et son premier continuateur ne fera que de très courtes et officielles entrées pour plusieurs décades à suivre. Il semble bien que de 906 jusque vers 950, il y eut un grand silence en histoire. Celui qui voudrait entreprendre d'écrire par exemple l'histoire de la France et de l'Allemagne à partir des seules sources narratives du temps, se trouverait bien embarrassé. On constate de même qu'en Angleterre, entre 442 et 596, et entre l'*Historia...* de BÈDE et l'*Encomium Emmae* (1012-1049), les sources sont peu nombreuses et inégales. L'*Historia Brittonum* (NENNIUS) reste un document faible des années 796-994; la chronique de Northumbrie s'arrête en 802; Asser, dans ses *De rebus gestis Aelfredi,* ne va pas plus loin que 887, et la chronique d'Ethelred va jusqu'en 974. Vient ensuite, comme première source de valeur, l'*Encomium Emmae.* GUILLAUME DE MALMESBURY († *ca.* 1142) avait donc presque raison de se proclamer l'héritier direct de Bède; cf. *Gesta regum anglorum,* I, 71, dans *RS,* 90, 1, p. 72; *ibid.,* prol. au livre II, p. 1033-1034; *Historia novella,* III, prol., t. 2, p. 566. Entre 1154 et 1192 les sources, en Angleterre encore, sont bien minces. Si du Nord de l'Europe nous descendons au Sud, en Italie par exemple, et plus précisément au Mont-Cassin, où Paul Diacre avait jadis créé un précédent en historiographie, nous avons à peu près le même tableau; Leo Marsicanus (*fl.* 1075) se félicite de ne pas imiter ses devanciers qu'il accuse d'avoir négligé l'histoire; cf. *PL,* 173, 432. Le *Liber pontificalis* est un autre témoin de ce grand vide des sources; tout à coup, vers 886, au moment où la papauté passe par les pires heures, le *Liber pontificalis* s'arrête et si on excepte les quelques notices du Xe siècle, on peut dire que sa rédaction ne recommence qu'à partir de Léon IX (1049-1054). — Raoul Glaber († 1050) exagère lorsqu'il se plaint que durant près de deux cents ans, depuis Bède jusqu'à Paul Diacre, personne ne s'est occupé de l'histoire, mais il n'a pas absolument tort pour le début du Xe siècle.

3. Le seul Louis le Débonnaire a trois biographes (Thégan, l'Astronome et Arnold le Noir), tandis que d'autres rois réussissent à peine à faire parler d'eux.

close de la bénédiction et de la malédiction; ils ne jugent que du dehors, si bien que tout malheur appelle un péché et toute faute réclame une justice rapide et quasi magique [4]. Cette hâte de juger la conduite de leur Dieu à partir de l'événement est un abus de procédé, autant que tirer à soi le texte biblique qu'il faut pour justifier tout, voire l'homicide, la guerre, le tyrannicide, l'antisémitisme, l'adultère [5]. Où sont la liberté et la responsabilité humaines ? Il y a peu de différence entre le *Deo permitente* du chroniqueur médiéval et le *fortuna jubente* « païen » [6].

Comment expliquer que des historiens gravement préoccupés de l'honneur de leur Dieu ne disent rien ou presque de sa patience miséricordieuse et des imprévus de son action dans l'histoire dont témoigne pourtant abondamment leur Bible quotidienne ? Comment les appeler « chrétiens » si l'idée du jugement dernier a supplanté celle de la résurrection et s'ils oublient constamment le juste souffrant des

---

4. Aucune discussion théologique sur la nature du temps et de ses rapports avec l'immortalité. L'historien est l'homme du particulier et du concret, qui doit immédiatement instruire ses lecteurs. Des grammairiens comme ALCUIN (*Epist. 263*) pouvaient soulever des questions grammaticales à propos des mots *aeternum, immortale, saeculum, aevum, tempus*, etc.; mais rien ou presque en historiographie, sauf peut-être chez les anciens des écoles de Paris, comme Othon de Freising. Voir A. G. JONGKEES, *Translatio studii : les avatars d'un thème médiéval*, dans *Miscellanea mediaevalia in memoriam J. F. Niermeyer*, Groningen, J. B. Wolters, 1967, p. 41-51.

5. Grâce au jeu des citations scripturaires, on justifiera les croisades. Quant à l'adultère, lire HELGAUD DE FLEURY, *Vie de Robert le Pieux*, 17, éd. BAUTIER et LABORY, dans *Sources d'histoire médiévale*, I, Paris, 1965, p. 93-97.

6. V.g. chez Jehan Le Bel, Froissart, etc. On sait comment SAINT AUGUSTIN (*Retractationes*, I, 2) avait regretté pour sa part l'usage de ce mot « trop païen ». JEAN CABARET d'Orville, *La chronique du bon duc Loys de Bourbon*, ch. 85, dans *SHF*, p. 266, identifie *fortune* à *puissance de Dieu*, tandis que COMMYNES, *Mémoires*, VIII, 25, dans *CHFMA*, 6, p. 307, insiste sur la toute-puissance fatale de Dieu, si bien qu'« un roi n'y résiste pas plus qu'un laboureur ».

évangiles ? Laissés à eux-mêmes, loin des grandes
écoles, au service d'une opinion publique plus intéressée au récit qu'à sa preuve, ils n'ont pu que réduire leur champs de vision à l'événement moralisé, le
merveilleux et le miraculeux venant en somme com-
penser leur manque de science théologique.

Et pourtant quels récits ! Admirables et merveilleuses chroniques de Saint-Albans et de Saint-Denis !
Grégoire de Tours, Bède, Guillaume de Malmesbury,
Matthieu Paris, Joinville, Salimbene, Commynes,
Froissart, tous excellents raconteurs; ils ont surtout
le goût instinctif du détail final et une manière in-
génue, propre aux âges de la tradition orale, de
relancer sans cesse la narration à notre grand plaisir.
Témoins uniques de leur espèce de l'âme populaire,
ils nous font assister aux événements les plus divers,
du plus quotidien au plus étonnant : naissance, maladie, mort, miracles, aventures de guerres, voyages,
Comme ils sont instruits des passions élémentaires du
peuple ! Pour peindre les attitudes des premiers
Francs, leurs moeurs pittoresques, qui égalera Grégoire de Tours ? Qui dira mieux l'enthousiasme
mystique populaire de la première croisade que
l'auteur des *Gesta Dei per francos,* et pour connaître
les milieux religieux italiens de Parme, qui ferait
mieux que la chronique gentiment moqueuse d'un
Fra Salimbene ? Quand Bède raconte qu'il est heureux au monastère même s'il a quitté la maison à
sept ans, quand Orderic Vital s'arrête pour noter qu'il
n'a pas vu les siens depuis quarante ans, qu'il parle de
son père, que Guibert de Nogent parle de sa mère
à l'occasion d'une histoire d'église, que Henri de
Huntingdon demande de prier pour son père, que
Salimbene raconte et commente à coup de versets
bibliques ses fuites de la maison paternelle et comment il déjoue son père, rien n'est à retrancher. Au
contraire, nous touchons aux espérances de la mas-

se; c'est bien l'image de l'homme moyen avec son besoin instinctif d'admiration et de justice immédiate. Autour d'un même événement, tout à coup se groupent ciel et terre, anges et démons, l'homme, son passé, ses amitiés, ses haines, ses rêves et ses misères : perspectives généreuse d'une historiographie ouverte à tout, illimitée dans le temps comme dans l'espace.

Tandis que nous nous demandons encore si le moyen âge est civilisé ou pas [7] et que nous épiloguons par synthèses et dossiers cumulatifs sur la papauté, sur la royauté, la race, la nation, le féodalisme, la bourgeoisie, le prolétariat, eux récitent et racontent les faits. Sans appareils idéologiques ils nous disent le plus simplement du monde les gestes et dits de leur roi, de leur abbé, de leur évêque, de leurs clercs et de leurs gens. Témoins par excellence des mentalités collectives, ils n'ont qu'à nous raconter et nous apprenons. Jean Bodin a raison : « Il n'y a rien d'inutile et de faible importance quand l'opinion publique s'en saisit » [8]. C'est vrai que ces mêmes maîtres dans l'art de la chronique événementielle entassent tout pêle-mêle, et qu'ils confondent le meilleur et le pire; mais ne reflètent-ils pas autant

---

7. Voir *Le moyen âge fut-il civilisé,* dans *Réflexion chrétienne et monde moderne* (*Recherches et débats,* 54), Paris, 1966, p. 163-185. — Du point de vue méthodologique, l'historien du moyen âge ne diffère guère des anciens, Grecs et Romains, même si l'esprit qui informe sa technique est tout à fait autre. Lorsqu'un Tite-Live, par exemple, nous dit que l'histoire est un récit à démontrer le bien à faire et le mal à éviter, et que Henri de Huntingdon nous répète dans les mêmes mots le même principe, nous savons que les deux se réfèrent à des conceptions différentes de l'éthique humaine et de l'usage; mais dès qu'il s'agit des genres littéraires, v.g. *historia, chronica, annales,* les parentés entre Rome et le moyen âge sont de nouveau étroites. Dans la manière d'interpréter les faits, le moyen âge est davantage lié à l'interprétation juive et biblique.

8. *La méthode de l'histoire,* ch. 4, éd. MESNARD, 1951, dans *Oeuvres philosophiques,* p. 135.

la vie réelle, sinon davantage, que notre manière de réciter le passé par fiches et preuves [9] ? Le fait qu'ils n'écrivent pas comme nous, qu'ils écrivent dans un latin que nous appelons *décadent,* est-ce le signe si évident qu'ils écrivent toujours mal ?

Savons-nous tout ce que nous leur devons ? Ils ont, sans toujours le savoir, véhiculé comme un héritage intouchable une grande part de l'historiographie romaine latine; ils sont les premiers à avoir écrit les premières synthèses, fragiles mais quand même réelles, de l'histoire juive et de l'histoire gréco-romaine; ils ont surtout préparé les retours de la Renaissance. N'est-ce pas assez significatif que dans les listes des auteurs à lire préparées par Jean Bodin [10], comme plus tard par Mabillon [11], apparaissent les noms de plusieurs historiens du moyen âge ?

Peut-être devrions-nous invoquer plutôt l'unité du phénomène historiographique ? Cet effort constant des humains depuis les lointaines annales de la Chine jusqu'à maintenant, ce besoin de récupérer le passé comme pour s'attribuer une part d'immortalité, ce souci de vérité à raconter et jusqu'à cette volonté de rythme et de périodisation, n'est-ce pas

---

9. Un exemple récent de cette manière « littérale » d'étudier des documents qui relèvent avant tout de la tradition orale, nous est fourni par le commentaire interminable de l'édition critique de la *Vita sancti Martini* de SULPICE SÉVÈRE, dans *Sources chrétiennes,* t. 133, 134 et 135. Bien que l'auteur du commentaire ait perçu le problème (cf. t. 133, p. 185-188), il a oublié, dans sa hâte de transcrire ses fiches, que la tradition orale a sa méthodologie propre; cf. E. NIELSEN, *Oral Tradition* (*Studies in Theology,* 11), Londres, 1954; J. VANSINA, *De la tradition orale, Essai de méthode historique,* Tervuren, 1961. Relire POLYBE, *Histoires,* XII, 25e, éd. PEDECH, Paris, Les Belles Lettres, 1961, p. 37-38; FLAVIUS JOSÈPHE, *Contre Apion,* I, 5, 23-27, éd. REINACH, Paris, Les Belles Lettres, 1930, p. 7-8.

10. *Ibid.,* ch. 10.

11. Cf. *Traité des études monastiques,* Paris, 1691, deuxième partie, ch. 8, p. 227-229.

la manifestation même que l'homme aspire à l'immortalité ? C'est encore et probablement la grandeur de l'historiographie depuis toujours d'être mémoire et éducatrice de l'humanité. La manière varie selon les temps; les fonctions demeurent [12]. Ainsi, après avoir tour à tour servi en Occident la grammaire, la rhétorique, la morale, la religion, la politique, les institutions, l'historiographie passe maintenant aux sciences de l'homme. Elle s'y retrouve comme chez elle. L'essor des méthodes audio-visuelles la ramènera peu à peu à reconsidérer le témoin oculaire et la tradition orale. Nous reviendrons à la trilogie des Grecs : le visuel, l'oral, l'écrit [13]. Sommes-nous déjà

---

12. C. DAWSON, *The Dynamics of World History*, ed. J. J. MULLOY, New York, 1956.

13. Parmi les travaux plus urgents à entreprendre, signalons — a) En tout premier l'inventaire des manuscrits. Un répertoire du genre de celui de STEGMÜLLER, *Repertorium biblicum medii aevi*, Madrid, 1940-61, serait particulièrement souhaitable, comme l'est toujours b) l'édition critique de certains « grands » textes d'histoire universelle, v.g. le *Speculum historiale* de VINCENT DE BEAUVAIS (voir *Speculum*, 8 (1933), p. 312-326) et l'*Historia scolastica* de PIERRE LE MANGEUR, qui mériterait mieux que MIGNE, *PL*, 198, 1053-1722. — c) La refonte de A. MOLINIER, *Les Sources de l'histoire de France des origines aux guerres d'Italie*, Paris, 1906, 6 vols., est depuis longtemps attendue; cf. L. HALPHEN, *Initiation aux études d'histoire du moyen âge*, 3ème édition par Y. RENOUARD, Paris, 1952, p. 141-2. — d) Une analyse des rapports théoriques et pratiques entre grammaire et histoire au moyen âge pourrait profiter déjà des études de Jacques FONTAINE, v.g. *Isidore de Séville et la culture classique dans l'Espagne wisigothique*, Paris, 1952, 2 vols., de Pierre RICHÉ, v.g. *Éducation et culture dans l'Occident barbare (VIe-VIIIe siècles)*, Paris, 1962. — e) Quel savant s'attaquera un jour à la question des origines et de la survivance des genres historiques au moyen âge ? Avec H. JORDAN, *Geschichte der altchristlichen Literatur*, Leipzig, 1911, particulièrement sensibilisé à ces questions; J. T. SHOTWELL, *The History of History*, New York, 1937; un seul tome paru, sur l'antiquité gréco-romaine; rapide mais encore utile : *Early Chroniclers of Europe*, Londres, 1883, de Ugo BALZANI; R. L. POOLE, *Chronicles and Annals*, Oxford, 1926; T. R. TOUT, *The Study of Mediaeval Chronicles*, dans *Bulletin of the John Rylands Library*, 6 (1922), p. 414-438. Les Bollandistes sont d'un précieux secours lorsqu'il s'agit de tracer les frontières plutôt imprécises

au seuil d'une seconde renaissance qui nous permet-
trait de relire les historiens-chroniqueurs médiévaux

entre hagiographie, biographie et historiographie, entre la *narratio* et
l'*exemplum*, etc.

De plus en plus on s'intéresse, à bon droit, aux historiens en tant
que témoins de la mentalité populaire de leur époque; cf. G. DUBY,
Histoire des mentalités, dans *L'histoire et ses méthodes (Encyclopédie
de la Pléiade)*, Paris, 1961, p. 937-965. Paul ROUSSET, v.g. *Le sens du
merveilleux à l'époque féodale*, dans *Le moyen âge*, 62 (1956), p. 25-37;
L'idée de croisade chez les chroniqueurs d'Occident, dans *Storia del
medioevo*, III *(Relazioni del X Congresso internazionale di scienze
storiche)*, Florence, p. 545-563; *La conception de l'histoire à l'époque
féodale*, dans les *Mélanges Halphen*, Paris, 1951, p. 622-633; *La
croyance en la justice immanente à l'époque féodale*, dans *Le moyen
âge*, 54 (1948), p. 225-248. — g) Quant à étudier le rôle de
l'événement, surtout de l'événement-archétype, l'événement biblique, et
quelle part attribuer à l'antiquité latine, encore Paul ROUSSET, *Un
problème de méthodologie : l'événement et sa perception*, dans *Mélanges
Crozet*, Poitiers, 1966, vol. I, p. 315-21. La même méthode est à tenter
à propos des personnages tels que David, Salomon, Judas Macchabée,
César Auguste, Constantin, Charlemagne. — h) Que dire aussi de
la rivalité du témoignage écrit et oral (voir RICHARD DE BURY [† 1435],
Philobiblion, 1, éd. COCHERIS, Paris, 1856, p. 16) et de la querelle
des Anciens et des modernes qui tourne, chez les historiens, autour
de la question du style, de l'emprunt aux païens, de la chronologie et
du choix des événements à raconter ? Influence de Salluste ? — i)
Procéder à l'enquête linguistique, avec fichiers et cartes de fréquence,
autour des mots *historia, historiographus, gesta, chronica, annales,
vita, narratio, res, posteritas, fortuna, veritas, traditio, littera, antiqui,
cognitio, providentia*, etc. Relevé des mots classiques et bibliques;
les mots nouveaux, 'vulgaires' ou traditionnels; études d'orthographe, de
morphologie, de syntaxe et de prosodie. L'enquête pourrait être pratiquée
sur un ou plusieurs auteurs, en particulier, Éginhard, Richer, Orderic
Vital, Guillaume de Malmesbury, Fra Salimbene, etc. Ici les techniques
modernes offrent de grandes possibilités; voir Paul TOMBEUR, *Appli-
cations des méthodes mécanographiques à un auteur médiéval*, dans
Archivum latinitatis medii aevi, 34 (1964), p. 3-38. — j) Usage des
citations bibliques chez les historiens ? Certaines citations sont *citations
de base;* d'autres sont accidentelles, v.g. pour justifier, expliquer,
confirmer; nombreuses citations ornementales. On pourrait rejoindre
les recherches des citations classiques du Centre d'études de civilisation
médiévale de Poitiers, France, et y ajouter celles des citations (plus rares)
des contemporains, comme Pierre le Mangeur. — k) L'*exemplum* chez
les historiens. Avec J. T. WALTER, *L'Exemplum dans la littérature
religieuse et didactique du moyen âge*, Paris, 1927; F. C. TUBAC,
Exempla in the Decline, dans *Traditio*, 18 (1962), p. 407-417.

autrement qu'à la manière *livresque* des siècles de l'imprimerie ? Peut-être [14] !

---

14. Cf. *L'histoire et ses méthodes (Encyclopédie de la Pléiade)*, éd. SAMARAN, Paris, [1961].

ORIENTATIONS BIBLIOGRAPHIQUES

Ces quelques notes recueillies au cours de nos recherches ont pour but de fournir à l'étudiant une première orientation et de lui offrir les titres d'ouvrages qui nous sont apparus les plus immédiatement utiles.

A. GUIDES

Marcel PACAUT, *Guide de l'étudiant en histoire médiévale*, Paris, Presses universitaires de France, 1968.

L. J. PAETOW, *A Guide to the Study of Medieval History*, rev. edition, New York, F. S. Crofts and Co., 1936.

B. RÉPERTOIRES

1. *Répertoire général*

Repertorium fontium historiae medii aevi, primum ab Augusto POTTHAST digestum, nunc cura collegii historicorum e pluribus nationibus emendatum et auctum. En cours de publication depuis 1962 (Vol. I, *Series collectionum;* II, *Fontes*), Rome, Istituto storico italiano per il medio evo. — Il s'agit d'une refonte complète de A. POTTHAST, *Bibliotheca historica medii aevi*, dont la deuxième édition, en 2 vols. in-8° avait paru à Berlin en 1896.

Répertoire alphabétique par noms de collections, d'auteurs, de titres : sources narratives, collections de correspondance, oeuvres poétiques à contenu historique, sources hagiographiques, oeuvres poétiques contenu historique, sources hagiographiques, etc.

Indispensable.

2. *Répertoires régionaux*

— pour l'*Allemagne* :

W. WATTENBACH, *Deutschlands Geschichtsquellen im Mittelalter bis zur Mitte des XIIIten Jahrhunderts*, 7e éd., refondue par E. DÜMMLER et [TRAUBE], du t. Ier, Stuttgart et Berlin, 1904. — À utiliser dans les revisions de R. HOLTZMANN (1938-43) et de W. LEVISON (en cours de publication) :

1. WATTENBACH-LEVISON, I *Vorzeit und Karolinger*, 1. *Die Vorzeit von den Anfängen bis zur Herrschaft der Karolinger*, éd. Wilhelm LEVISON, Weimar, 1952.
2. *Die Karolinger vom Anfang des 8. Jahrhunderts bis zum Tode Karls des Grossen*, éd. W. LEVISON et H. LÖWE, Weimar, 1953.
3. *Die Karolinger vom Tode Karls des Grossen bis zum Vertrag von Verdun*, éd. H. LÖWE, Weimar, 1957.
4. *Vom Vertrag von Verdun bis zum Herrschaftsantritt der Herrscher aus dem Sächsischen Hause*, Frankreich und Italien, éd. H. LÖWE, Weimar, 1963.

O. LORENZ, *Deutschlands Geschichtsquellen im Mittelalter seit der Mitte des XIIIten Jahrhunderts...* 3e éd., Berlin, 1886-1887, 2 vols.

Karl JACOB, *Quellenkunde der deutschen Geschichte im Mitteralter (bis zur Mitte des 15. Jahrhunderts)*, Berlin, 1949-1952, 3 vols.

— pour l'*Angleterre* :

CH. GROSS, *Sources and Literature of English History from the Earliest Times to about 1485*, 2e éd., Londres, 1915. Revision en cours; voir *Speculum*, 41 (1966), p. 578.

R. S. LOOMIS, *Introduction to Mediaeval Literature Chiefly in England*, New York, Columbia University Press, 1939.

— pour la *Belgique* :

M. ARNOULD, *Historiographie de la Belgique des origines à 1830*, Bruxelles, 1947. Rapide.

H. PIRENNE, *Bibliographie de l'histoire de Belgique*, 3e éd., avec la collaboration de H. NOWE et H. OBREN, Bruxelles, 1931.

> En général, on conseillera à l'étudiant de s'en remettre à WATTENBACH-LEVISON-HOLTZMANN, puis à la liste de M. HELIN, *Index scriptorum operumque latino-belgicorum medii aevi*, dans *Archivum latinitatis medii aevi*, 8 (1933), p. 77-163.

— pour l'*Écosse* :

A. O. ANDERSON, *Early Sources of Scottish History, A. D. 500-1286*, Edinbourg, 1922, 2 vols.

— pour l'*Espagne* :

M. C. DíAZ Y DíAZ, *Index scriptorum latinorum medii aevi hispanorum*, Madrid, 1959.

B. SANCHEZ-ALONZO, *Fuentes de la historia espagnola e hispano-americana*, Madrid, 1927, 2 vols., avec Appendice (1946).

Voir Nouveau POTTHAST, I, p. 170-177. Beaucoup de chroniques (publiées primitivement sous le titre général de *Chroniques belges inédites,* inscrit seulement sur la couverture), mais aussi des chartes, des lettres, des répertoires.

Collection des chroniqueurs et trouvères belges, Bruxelles et Louvain, 1863-1892, 66 vols. grand in-8°, éditions de Commynes, Froissart, Jean Le Bel, Chastellain, etc., aujourd'hui vieillies.

Collection des anciens auteurs belges, Bruxelles, depuis 1935, 5 vols. in-8° parus.

Voir Nouveau POTTHAST, I, p. 10-12.

— pour l'*Espagne* et le *Portugal :*

Voir Nouveau POTTHAST, I, p. 803-4; p. 809.

Espagna sagrada du P. H. FLOREZ et de ses continuateurs, Madrid, 1747-1918, 58 vols. in-4°; Index, par A. GONZALEZ PALENCIA, 2e éd., Madrid, 1946, in-8°.

Cortes de los antiguos reinos de León y de Castilla, Madrid, 1861-1903, 36 vols. in-folio, dont les cinq premiers pour le moyen âge.

Cortes de los antiguos reinos de Aragón y de Valencia y principado de Catalugna, Madrid, 1896-1919, 26 vols. in-folio, le tout publié par l'Académie royale d'histoire de Madrid.

Colección de documentos inéditos del Archivo general de la Corona de Aragón, publiée par BOFARULL et ses continuateurs, Barcelone, 1847-1910, 41 vols., in-4°.

Colección de documentos para la historia de Aragón, publiée par E. IBARRA et ses continuateurs, Saragosse, 1904-1921, 12 vols. in-4°, et les publications de l'*Institut d'Estudis Catalans,* dont une branche au moins de la section historico-archéologique est consacrée à l'édition de chroniques catalanes, 4 vols. parus, Barcelone, 1912-1928, in-4°.

La seule publication générale qui ait été entreprise récemment, la *Colección de Crónicas Espagnolas,* dirigée par J. de M. CARRIAZO, Madrid, 1946-1950, in-8°, 9 volumes parus.

— pour la *France :*

Collection des classiques de la civilisation médiévale, sous la direction de E. R. LABANDE et Georges DUBY. *Sources d'histoire médiévale,* publiées par l'Institut de recherches et d'histoire des textes, Paris, depuis 1965.

Les classiques de l'histoire de France au moyen âge, publiés sous la direction de R. LATOUCHE, Paris, depuis 1923, in-8°.

Voir Nouveau POTTHAST, I, p. 130-131.

Collection des textes pour servir à l'étude et à l'enseignement de l'histoire, Paris, 1886-1929, 51 vols. in-8°.

Interrompue pratiquement, avec le fascicule 49, en 1914 (le fasc. 50, paru en 1925, n'est qu'un complément), la collection n'est limitée ni au moyen âge, ni à l'histoire de la France mais l'histoire de la France médiévale y occupe une place prépondérante.

Voir Nouveau POTTHAST, I, p. 161-163.

Société de l'histoire de France, 336 volumes in-8° publiés depuis 1835. — Réimpression en cours.

Voir Nouveau POTTHAST, I, p. 688-692.

Collection de documents inédits relatifs à l'histoire de France, publiés sous les auspices du Ministère de l'instruction publique, Paris, depuis 1835, 134 vols.

Voir Nouveau POTTHAST, I, p. 156-160.

Recueil des historiens des Gaules et de la France, Paris, 1738-1786, 13 vols. in-folio; puis t. XIV à XXIV, Paris, 1806-1904. Réimpression anastatique, des t. I à XIX, Paris, 1869-1880.

Voir Nouveau POTTHAST, I, p. 156-160.

— pour l'*Italie* :

Rerum italicarum scriptores, Raccolta degli storici italiani dal cinquecento al millecinquecento, par L. A. MURATORI, nouv. éd. sous la direction de G. CARDUCCI et V. FIORINI, Città di Castello, puis Bologne, depuis 1900, in-4°. Textes narratifs (annales et chroniques) et s'occupe surtout des XIVe et XVe siècles.

Voir Nouveau POTTHAST, I, p. 511-522.

Fonti per la storia d'Italia, Rome, depuis 1887, environ 90 volumes grand in-8° parus.

Voir Nouveau POTTHAST, I, p. 272-274.

Historiae patriae monumenta, publiées « sur l'ordre du roi Charles-Albert de Piémont », Turin, 1836-1898, 22 vols. dont 19 in-folio et 3 in-4°.

— pour le *Portugal* :

Portugaliae monumenta historica, a saeculo octavo post Christum usque ad quintum decimum, Lisbonne, 1856-1897, in-folio; collection entreprise en 1856 par l'Académie des sciences de Lisbonne, sur l'initiative de Herculano, ne compte que six volumes complets : *Diplomata et chartae*, jusqu'à la fin du XVe siècle; *Scriptores*; *Leges et consuetudines* jusqu'en 1278; *Inquisitiones* ou enquêtes des commissaires royaux du XIIIe siècle. L'Académie portugaise de l'Histoire a repris la publication de la première de ces séries en donnant le troisième volume *Documentos medievais portugueses. Documentos particolares*, vol. III (1101-1115), Lisbonne, 1940, in-4°. Et une nouvelle collection intitulée *Chancelarias medievais portuguesas* s'est ouverte avec la publication par A. E. REUTER, du t. I. des *Documentos de Chancelaria de Alfonso Henriquez*, Lisbonne, 1938, in-8°.

Voir Nouveau POTTHAST, I, p. 568-569.

D. ÉTUDES ET TRAVAUX

1. *Historiographie générale* :

Hugo PRELLER, *Geschichte der Historiographie, unseres Kulturkreises : Materialien, Skizzen, Vorarbeiten*, Aalen. 1967 ss., 7 volumes; t. 2 et 3 consacrés au moyen âge.

The Development of Historiography, éd. par M. A. FITZSIMMONS, A. G. PUNDT et C. E. NOWELL, Harrisburg (U.S.A.), 1954.

J. W. THOMPSON et B. J. HOLM, *A History of Historical Writing*, New York, Macmillan, 1942, 2 vols.
> Utile. Erreurs, imprécisions.

H. E. BARNES, *A History of Historical Writing*, 2e éd., New York, 1963.
> Rapide, suggestif.

B. CROCE, *Theoria et Storia della Storiografia*, 2 éd., Paris, 1920.
> Comme Barnes et Thompson, Croce manifeste un grand intérêt pour la période médiévale. Plus élaboré que R. G. COLLINGWOOD, *The Idea of History*, Oxford, 1946, p. 46-57.

2. *Pour la période médiévale* (un choix).

Marie SCHULZ, *Die Lehre von der historischen Methode bei den Geschichtschreibern des Mittelalters*, Berlin, 1909.

T. F. TOUT, *The Study of Mediaeval Chronicles*, dans *Bulletin of the John Rylands Library*, 6 (1922), p. 414-438.

J. SPÖRL, *Grundformen hochmittelalterlicher Geschichtschauung* Munich, 1935.

É. GILSON, *Le moyen âge et l'histoire*, dans *L'esprit de la philosophie médiévale*, 2e éd., Paris, 1944, ch. 19, p. 365-382.

C. H. HASKINS, *Historical Writing*, dans *The Renaissance of the Twelfth Century*, Cambridge, 1933, p. 224-275.

E. PRODUCTION COURANTE

1. *Manuscrits et éditions de textes*, voir *Scriptorium*, 1946...
> Guide unique en son genre. Paraît deux fois l'an.

2. Pour livres, études et travaux, *Quarterly Check-List of Medievalia*, New York, American Bibliographic Service, 1958. Paraît quatre fois par année.

3. Pour les articles de revues, on pourra désormais se référer à *International Medieval Bibliography* commencée sur fiches en 1967 et continuée en fascicules sous la direction conjointe de R. S. HOYT et de P. H. SAWYER. Bureau européen : 4 Headingley Terrace, Leeds 6, England. Bureau d'Amérique : Department of History, University of Minnesota, Minneapolis, Minnesota 55455, U.S.A.

4. La consultation des différents répertoires nationaux reste utile et on en trouve la liste dans M. PACAUT, *Guide de l'étudiant en histoire médiévale*, p. 133-139.

F. RÉPERTOIRES DE TRADUCTIONS

1. Latines-françaises : voir les collections bilingues des *Classiques de la civilisation médiévale*, *Sources d'histoire médiévale*, *Les classiques de l'histoire de France au moyen âge*, les collections (redoutables et vieillies) de Guizot dites *Collection des mémoires relatifs à l'histoire de France depuis la fondation de la monarchie française jusqu'au XIIIe siècle*, Paris, 1824-35, 31 vols.; la *Collection des chroniques nationales françaises*, éd. BUCHON, Paris, 1826-1828, 47 vols., du XIIIe au XVIe siècle.

2. Latines-anglaises : pour les traductions parues avant 1946, *Bibliography of English Translations from Mediaeval Sources*, éd. FARRAR et EVANS, New York, 1946, avec l'addition prévue par les éditeurs. — Voir la collection bilingue *Nelson's Mediaeval Classics*, Londres, 1949 ss. et *Oxford Mediaeval Texts* (continuation de la coll. précédente).

3. Pour toute autre langue moderne, voir dictionnaires, encyclopédies, revues nationales.

G. NOMS DES SAVANTS

Répertoire international des médiévistes, 2e éd., Poitiers.

INDEX DES NOMS DE PERSONNES

TABLE DES MATIÈRES